Web動画付

Visual Textbook of Dysphagia 2nd ed

目でみる嚥下障害

嚥下内視鏡検査（ＶＥ）・
嚥下造影検査（ＶＦ）の所見を
中心として

第2版

監修
藤島一郎
FUJISHIMA ICHIRO

執筆
藤島一郎
岡本圭史
國枝顕二郎
重松 孝

医歯薬出版株式会社

執筆者一覧

■監修／執筆

藤島　一郎　浜松市リハビリテーション病院特別顧問

■執筆（五十音順）

岡本　圭史　浜松市リハビリテーション病院リハビリテーション部
國枝顕二郎　岐阜大学医学部附属病院脳神経内科／浜松市リハビリテーション病院リハビリテーション科
重松　孝　浜松市リハビリテーション病院リハビリテーション科／えんげセンター長

This book is originally published in Japanese
under the title of：

ME DE MIRU ENGE SHOUGAI DAI 2 HAN（Web douga tsuki）
Enge Naishikyou Kensa・Enge Zouei Kensa no Shoken wo Chuushin to Shite

(Visual Textbook of Dysphagia 2nd ed
−Videoendoscopic and Videofluoroscopic Findings of Swallowing with Web movie)

Editor：
FUJISHIMA, Ichiro
　　Hamamatsu City Rehabilitation Hospital

Ⓒ2006 1st ed, 2025 2nd ed.

ISHIYAKU PUBLISHERS, INC.
　7-10, Honkomagome 1 chome, Bunkyo-ku,
　Tokyo 113-8612, Japan

第 2 版の序文

　嚥下障害は難しいといわれるが，その原因のひとつは，嚥下の様子—特に嚥下反射によって食塊が咽頭を通過して，食道から胃へ送られる様子—が外からみえないことに起因している．みえない嚥下をみえるようにする方法が，嚥下造影検査（VF）と嚥下内視鏡検査（VE）である．嚥下障害の病態を把握して治療方針を立てるためには，VFとVEが大変役に立つ．

　筆者らは1998年に医歯薬出版から『嚥下障害ビデオシリーズ』を出版し，そのなかの第1巻は「嚥下の内視鏡検査」であった．その後，2001年には第7巻として「嚥下造影と摂食訓練」を出し，好評で増刷を重ねた（現在は絶版）．最近は多くの病院や施設でVFやVEが行われるようになり，VEは在宅でも行われ，学会や研究会でもVF，VE動画が頻繁に登場するし，実際の検査画像をご覧になっている方も多いと思われる．しかしながら，VFやVEのみるべきポイントや興味ある所見を解説した本は多くない．本書は2006年にポケットサイズ・DVD付きで出版され，いまだに愛読され教科書にも採用されている．一方で，最近の新たな知見を反映できていないこともあり，ややもどかしさも感じていた．皆様の要望もあり，このたびサイズも変更して全面改訂を行うこととなった．1人での作業は極めて大変であり，言語聴覚士の岡本圭史君とリハビリテーション科医の重松　孝先生，國枝顕二郎先生の力も得ての改訂である．

　本書は筆者らが長年臨床に携わるなかで集めてきたVFとVEの所見を駆使して，みえない嚥下を目でみえるように解説を試みたものである．テキストを読むだけでも，またWeb動画をみるだけでもわかるように構成してあるが，両者を併用していただければより理解が深まると思う．映像の大半は筆者ら自身が直接関与したものである．また，多くの症例に当院の嚥下チームが一体となって治療に携わっている．その意味では嚥下チームのメンバー全員が本書を支えてくれているといえる．初版の本文は2003年に『Journal of Clinical Rehabilitation（臨床リハ）』に連載された「嚥下障害の評価—内視鏡を中心に」を核としてまとめたものである．今回は新たな章も追加して大幅に改訂した．臨床や研究のお役に立てれば幸いである．

　謝辞　本書，特に動画の作成にあたり，浜松市リハビリテーション病院の倉田（中道）遙花さん，髙崎（小杉）悠歌さん，高橋　妙さん，田中直美さんには多大なご尽力をいただきました．また，聖隷嚥下チームのスタッフ（現，元）にも数多くご協力いただきました．皆様の協力なしには本書を完成させることはできませんでした．ここに感謝の意を表します．

2025年5月
浜松市リハビリテーション病院　特別顧問　藤島一郎

初版の序文

　嚥下障害は難しいといわれるがその原因のひとつは，嚥下の様子—特に嚥下反射によって食塊が咽頭を通過して，食道から胃へ送られる様子—が外からみえないことに起因している．見えない嚥下を見えるようにする方法が嚥下造影（VF）と嚥下内視鏡（VE）である．嚥下障害の病態を把握して，治療方針をたてるためにはVFとVEが大変役に立つ．筆者らは1998年に医歯薬出版から『嚥下障害ビデオシリーズ』を出版し，そのなかの第1巻は「嚥下の内視鏡検査」であった．その後，2001年には第7巻として「嚥下造影と摂食訓練」を出し，好評で増刷を重ねている．最近は多くの施設でVFやVEが行われるようになり，実際の検査画像をご覧になっている方も多いと思われる．しかしながらVFやVEのみるべきポイントや興味ある所見を解説した本は少ない．

　本書は『嚥下障害ビデオシリーズ』では十分活用できなかった画像を中心に，筆者が長年臨床に携わるなかで集めてきたVFとVEの所見を駆使して，見えない嚥下を目で見えるように解説を試みたものである．テキストを読むだけでも，またDVDをみるだけでもわかるように構成してあるが，両者を併用していただければより理解が深まると思う．映像の大半は筆者自身が直接関与したものであるが，一部当院のメンバーが撮影したものを使用させていただいた．また，多くの症例は当院の嚥下チームが一体となって治療に携わっている．その意味では嚥下チームのメンバー全員が本書を支えてくれているといえる．特に大野友久先生にはPLPの写真提供とともにDVDにつき貴重なご助言をいただいた．また片桐伯真先生，黒田百合先生，北條京子さんはじめ当院STメンバーにはDVDを通してみてご意見をいただいた．またフットワークよく本書制作を推進して下さった医歯薬出版の皆様の協力なしに本書は完成できなかった．この場を借りて感謝申し上げます．

　本文は2003年に『Journal of Clinical Rehabilitation（臨床リハ）』に連載された「嚥下障害の評価—内視鏡を中心に」[1-6]を核としてまとめたものである．第1章と第8章は新たに書き下ろしてある．連載当初より成書としてまとめるように依頼があったが，多忙にかまけてのびのびになっていた．DVDが付属する本は表紙裏などにディスクが貼り付けてあるが，筆者の経験では使い勝手が悪い．そこで思い切ってディスクと本を別にしていただいた．そのおかげで本のサイズを自由に決めることができ，『嚥下障害ポケットマニュアル』と同じサイズになった*．どこへでも持ち運びが便利な本書で，嚥下障害への理解が深まり，少しでも臨床や研究のお役に立てば幸いである．

1) 藤島一郎：嚥下障害の評価—内視鏡を中心に．第1回　内視鏡による基本所見．臨床リハ12（1）：4-7, 2003．
2) 藤島一郎, 薛　克良：嚥下障害の評価—内視鏡を中心に．第2回　偽性（仮性）球麻痺の評価．臨床リハ12（2）：102-105, 2003．
3) 藤島一郎, 薛　克良：嚥下障害の評価—内視鏡を中心に．第3回　球麻痺の評価．臨床リハ12（3）：194-197, 2003．
4) 藤島一郎, 薛　克良, 稲生　綾：嚥下障害の評価—内視鏡を中心に．第4回　咽頭残留の評価．臨床リハ12（4）：292-295, 2003．
5) 藤島一郎, 薛　克良, 高橋博達, 稲生　綾：嚥下障害の評価—内視鏡を中心に．第5回　誤嚥・喉頭侵入の評価．臨床リハ12（5）：384-387, 2003．
6) 藤島一郎, 薛　克良, 稲生　綾, 高橋博達：嚥下障害の評価—内視鏡を中心に．第6回　種々の所見．臨床リハ12（6）：480-483, 2003．

聖隷三方原病院リハビリテーションセンター長

藤島一郎

2006年7月 浜松にて

＊追記

　2010年の診療報酬改定で嚥下造影および嚥下内視鏡（内視鏡下嚥下機能検査）が認められ，ますますこの分野の発展が期待される．

（当時）浜松市リハビリテーション病院　病院長　2010年12月

Web動画の視聴方法

- 本書では，Web動画を配信している箇所に  と動画番号を掲載しています．
- Web動画を視聴する際は，以下のURLまたはQRコードからウェブページにアクセスのうえ，画面上に表示された指示に従って認証手続きを済ませてください．
- 認証完了後，動画再生用のページが表示されますので，該当項目をクリック／タップして動画をご視聴ください．

https://www.ishiyaku.co.jp/apdb/266940/

［動作環境］
Windows 11以上のMicrosoft Edge, Google Chrome最新版
macOS 13以上のSafari最新版
Android 13.0以上のGoogle Chrome最新版
iOS／iPadOS 17以上のSafari最新版
※フィーチャーフォン（ガラケー）には対応しておりません．

◆注意事項
・お客様がご負担になる通信料金について十分にご理解のうえご利用をお願いします．
・本コンテンツを無断で複製・公に上映・公衆送信（送信可能化を含む）・翻訳・翻案することは法律により禁止されています．
・図書館およびそれに準ずる施設において，本書を館外へ貸し出しする際には，動画にアクセスするためのURLおよびQRコードを提供しないようにしてください．

◆お問い合わせ先
以下のページからお問い合わせをお願いします．
https://www.ishiyaku.co.jp/ebooks/inquiry/
※お電話でのお問い合わせには対応しておりません．ご了承ください．

目でみる嚥下障害 第2版

CONTENTS

第2版の序文	iii
初版の序文	iv
Web動画の視聴方法	vi

第1章 嚥下造影検査と嚥下内視鏡検査 … 1

① 嚥下造影検査と嚥下内視鏡検査 … 2
② 嚥下造影検査（VF） … 3
 Column① 誤嚥性肺炎対策としての酒石酸ネブライザー
  「CiTA（Cough-Inducing Method Using a Tartaric Acid Nebulizer）」… 6
③ 嚥下内視鏡検査（VE） ▶1-1〜15 … 8
 Column② ファイバーの悪い持ち方と破損 … 21
 Column③ VF画像の向き … 22

第2章 解剖，嚥下のメカニズム … 23

① 咽頭・喉頭の構造 ▶2-1 … 24
② 鼻咽頭閉鎖 ▶2-2 … 28
 Column VEと麻酔—外国人の鼻は大きい？ … 29
③ 舌根部の動きと咽頭収縮 ▶2-3〜4 … 30
④ 呼吸時の所見 … 32
⑤ 嚥下時の所見 ▶2-5〜8 … 33

第3章 誤嚥・侵入 … 37

① 唾液・分泌物の誤嚥・侵入 ▶3-1〜2 … 38
② ごく少量の誤嚥・侵入 … 40
③ 誤嚥物のみえる範囲，誤嚥量，深さ … 40
④ 誤嚥のタイミング ▶3-3〜11 … 42
⑤ 誤嚥物の喀出 ▶3-12〜13 … 46

第4章 咽頭残留　49

① 咽頭全体に広がる残留 [▶ 4-1〜3] ……… 50
② VEの咽頭残留に対する感度と問題点 [▶ 4-4〜5] ……… 52
③ 咽頭残留の分類 ……… 54
④ プリンの残留 [▶ 4-6] ……… 55
⑤ 粥の残留 [▶ 4-7] ……… 58
⑥ 液状食品の残留 [▶ 4-8] ……… 61
⑦ 分泌物の貯留と咽頭の汚染 [▶ 4-9〜11] ……… 63
⑧ 咽頭残留量の評価 ……… 65
⑨ 咽頭残留を確認する意義 [▶ 4-12〜14] ……… 66
　Column　VF, VEができないとき ……… 67

第5章 PAS, 兵頭スコア　69

① 喉頭侵入・誤嚥の重症度スケール
　（Penetration-Aspiration Scale: PAS）[▶ 5-1〜9] ……… 70
② 兵頭スコア [▶ 5-10〜18] ……… 72
　Column①　The Dynamic Imaging Grade of Swallowing Toxicity (DIGEST) ……… 76
　Column②　DIGEST-FEES ……… 78
　Column③　VF, VEで誤嚥や残留がないのに肺炎になる症例 ……… 80

第6章 偽性球麻痺　81

① 偽性球麻痺：舌の運動障害 ……… 82
② 偽性球麻痺：咽頭への送り込み障害 ……… 84
③ 偽性球麻痺：誤嚥・侵入 [▶ 6-1〜6] ……… 84
④ 偽性球麻痺：咽頭残留 [▶ 6-7〜14] ……… 87
⑤ 偽性球麻痺：ゼラチンゼリーの丸飲み [▶ 6-15〜17] ……… 90
⑥ 偽性球麻痺：唾液貯留と横向き嚥下 [▶ 6-18] ……… 93
⑦ 偽性球麻痺：急性期の咽頭とチューブ ……… 95
⑧ 偽性球麻痺：著明に汚染された咽頭 ……… 96

第7章　球麻痺　97

- ① ワレンベルグ症候群：鼻咽頭閉鎖不全 ▶7-1 ……… 98
- ② ワレンベルグ症候群：下咽頭の所見 ▶7-2 ……… 100
- ③ ワレンベルグ症候群：披裂・声帯の動き ▶7-3〜4 ……… 102
  - **Column①** 球麻痺患者と唾液 ▶7-5 ……… 104
- ④ ワレンベルグ症候群：嚥下時の咽頭収縮 ▶7-6〜8 ……… 105
- ⑤ ワレンベルグ症候群：輪状咽頭筋のイメージ ▶7-9 ……… 108
  - **Column②** Passavant隆起は本当にあるか？ ……… 109
- ⑥ ワレンベルグ症候群：重度球麻痺患者の重力を利用した落とし込みによる嚥下 ▶7-10 ……… 110
- ⑦ バキューム嚥下 ▶7-11 ……… 111
- ⑧ prolonged swallowing ▶7-12 ……… 112
- ⑨ 喉頭気管分離術 ▶7-13〜15 ……… 113

第8章　リハビリテーション手技，種々の所見　115

- ① 鼻腔内の出血と汚染 ▶8-1 ……… 116
- ② 咽頭後壁の陥凹 ……… 117
- ③ 咽頭の汚染 ▶8-2〜4 ……… 118
- ④ 頸部回旋による食塊通過 ▶8-5 ……… 120
- ⑤ チューブの問題 ▶8-6〜8 ……… 120
- ⑥ 軟口蓋挙上装置の効果 ▶8-9 ……… 123
- ⑦ 舌接触補助床（Palatal Augmentation Prosthesis: PAP）▶8-10 ……… 124
- ⑧ イー嚥下 ▶8-11 ……… 125
- ⑨ 鼻つまみ嚥下 ▶8-12 ……… 125
- ⑩ カクカク嚥下 ▶8-13 ……… 126
- ⑪ とろみシャーベット ▶8-14 ……… 126
- ⑫ 発泡剤 ▶8-15 ……… 127
- ⑬ 声門閉鎖不全と声帯内転術 ……… 128
- ⑭ 著明な骨増殖による嚥下障害 ▶8-16〜18 ……… 129
- ⑮ 気管食道瘻 ▶8-19〜20 ……… 131

⑯ カニューレのゆがみとワンウェイバルブ (one way valve) ▶8-21〜23 ················ 133
  Column ワンウェイバルブ (one way valve) ·· 135
⑰ 腫瘍 ··· 136
⑱ 食道評価 ▶8-24〜27 ··· 136
⑲ 錠剤 (模擬薬) の残留 ▶8-28〜31 ·· 138
⑳ チューブの挿入 ▶8-32 ·· 140
㉑ 笑いは大変よい嚥下訓練 ▶8-33 ·· 140
㉒ 頬杖嚥下 ▶8-34 ··· 141

第9章 症例紹介　143

① 症例1　偽性球麻痺 ▶9-1〜7 ··· 144
② 症例2　球麻痺 ▶9-8〜12 ··· 148
③ 症例3　偽性球麻痺・球麻痺合併例 ▶9-13〜17 ····································· 152
  Column 摂食嚥下障害患者の摂食状況の評価 ·· 156

索　引 ·· 160

第1章

嚥下造影検査と嚥下内視鏡検査

　嚥下造影検査(VF)は古くから嚥下の研究や臨床に使用されており，わが国においても広く用いられてきた．近年は嚥下内視鏡検査(VE)による嚥下評価が注目を浴び，VF/VEともに健康保険の診療報酬点数も付き多くの施設や在宅でも使用されている．

　本章ではVF，VEそれぞれの特徴，検査機器，実際の検査の進め方などを解説する．

① 嚥下造影検査と嚥下内視鏡検査

　嚥下造影検査(Videofluoroscopic Examination of Swallowing: VF)は口唇での取り込みから咀嚼,食塊形成,口腔期,咽頭期,食道期まで一連の嚥下検査,特に誤嚥評価のゴールドスタンダードとされてきた.Logemannの書いた,今となっては古典的名著『Manual for the Videofluorografic Study of Swallowing』[1]は広く世界で読まれてきた.わが国においても嚥下評価に広く用いられている[2-5].

　一方,内視鏡による嚥下評価が注目を浴び,米国においては「Fiberoptic Endoscopic Evaluation of Swallowing: FEES」として広く臨床と研究に用いられているが,わが国では嚥下内視鏡検査(Videoendoscopic Examination of Swallowing: VE)とよばれることが多い.VEは多くの施設で使用されるとともに在宅でも行われている[7].VEは,①手軽で時間的制約なしにベッドサイドや在宅で評価できる,②VFと異なり造影剤を含まない通常の食品で評価できる,③咽頭・喉頭の粘膜や組織の状態が評価できる,④唾液誤嚥・唾液貯留が評価できる,⑤感覚を評価できる,などの優れた特徴がある.一方,①口腔から食道への一連の流れとしての嚥下評価がしにくい,②嚥下の瞬間がみえない,③食道評価はできない,④ファイバースコープを挿入する鼻腔や咽頭への違和感,⑤嚥下時に鼻咽腔閉鎖を阻害し嚥下のパフォーマンスが低下する可能性がある,などの問題点もある.

　VFとVEの比較を表1-1に示した.どちらがよいというものではなく,両者は補完的なものと理解すべきである.VFとVEについては日本摂食嚥下リハビリテーション学会の医療検討委員会がまとめた検査法の解説がある[8, 9].あわせてご覧いただければ幸いである.

表1-1　VFとVEの比較

	VF	VE
被曝	有	無
手軽さ	×	○
時間的制約	有	無
持ち運び	×	○
実際の摂食時評価	×	○
口腔評価	○	×※
咽頭・喉頭評価	○	○
食道評価	○	×

※口腔内で処理された食塊で口腔評価はある程度推定できる.

② 嚥下造影検査(VF)

　VFは，口腔，咽頭，食道内での食塊の動きの評価，特に誤嚥の有無の評価に関しては現在のところ最も有力な検査法で，嚥下障害の評価に不可欠な検査である．従来の咽頭・食道造影による「診断的検査」と異なり，体位や食物形態をいろいろ変えていかに誤嚥しにくい条件，残留しにくい条件，食塊が通過しやすい条件などを探すかという「治療的検査」の意味合いが強い．被曝や検査食誤嚥の危険性などの欠点もあるが得られる情報量が多く，手技的にも難しくない．しかし，嚥下障害の病態と対処法に対する深い知識がないと不十分な検査に終わることもある．ここではVFの基本について解説する．

1 記録装置

　嚥下運動は一連の速い動きで一瞬にして終わってしまう．単にX線透視でみただけでは見過ごしてしまうため，ビデオに記録して，評価するのが一般的である．古くは映画(cinefluoroscopy)が使用された．解像度がよく，1コマずつ細かくみることができるが，現像するまで時間がかかること，煩雑なこと，経費がかかることなどからその後用いられなくなった．一般の病院では簡便で，どこでも繰り返してみられるビデオに記録するのがよい（一般的にVFに用いるX線透視装置に録画機能を搭載している装置は少なく，通常は音声も含めて録画することができない．透視装置に出力端子があれば，市販の録画装置を接続して対応することを検討する）．最近では，市販のハードディスク(HD)内蔵のDVDやブルーレイなどが安価で入手でき，十分使用できる．当院では電子カルテと連動した医療用の画像を長期間保存できるPACS (Picture Archiving and Communication System，医療用画像管理システムまたは医療画像保管伝送システムのこと）への記録を行っている．映画ほど解像度はよくないが従来のデジタルビデオと同程度かそれ以上の解像度があり，頭出しや静止画の点でビデオの欠点を解消できている．さらに，当院では透視室に設置したカメラで検査場面を録画している．透視画像と同時に，姿勢や手技なども後から確認できる．施設によっては頸部にマイクを装着して検査時の嚥下音や呼吸音を記録するなどの工夫も行われている．

2 X線透視装置と嚥下造影用の椅子

　通常の消化管透視に使用するX線装置があれば一応の検査は可能であるが，十分な検査をするためには正面と側面の2方向の透視が可能なX線透視装置が必要となる．体位を調節するために台を傾ける必要があり，側面からだけならばCアームを利用してリクライニング車椅子に乗車したまま検査することも可能である．頭部が嚥下動作に伴って動く患者の場合には，技師のカメラワークの技術が検査の成功の鍵を握っている．不随意運動などで頭部が大きく動く患者では検査が難しくなる．できるだけ自然な状態で検査をしないと実際の食事場面にそぐわない結果となるため，注意しなければならない．正確な評価ができるようにVF用の特別な椅子

も開発されている．

　当院では病棟で嚥下検査時の条件を再現できる嚥下椅子を念頭に，浜松の医工連携チームと連携して嚥下チェア「FISLAND　FJ-1」を開発した（ 図1-1 ）．検査時の椅子の高さを調節する昇降機と専用車椅子の合体と分離が可能な構造で，摂食訓練時の姿勢の再現性を高め，患者と医療従事者の負担軽減がなされている．

3　造影剤と検査食

　VFに適した造影剤は，誤嚥した場合に気管，気管支，肺の細胞への毒性がないこと，扱いやすく，検査食を作りやすいこと，手に入りやすいことなどが挙げられる．現在のところ，通常の

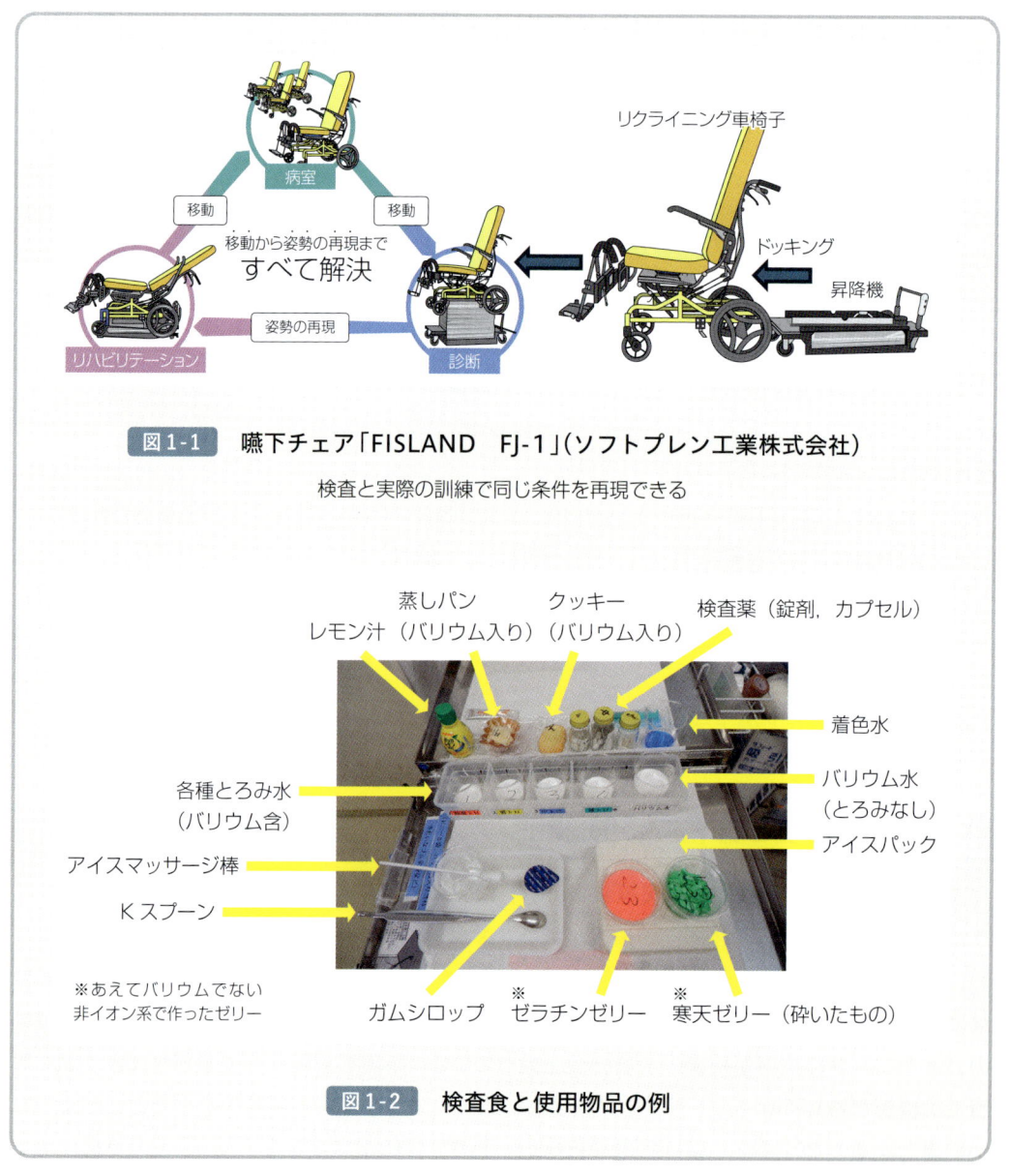

図1-1　嚥下チェア「FISLAND　FJ-1」（ソフトプレン工業株式会社）
検査と実際の訓練で同じ条件を再現できる

図1-2　検査食と使用物品の例

消化管透視に用いられる硫酸バリウムがVFに最も汎用されている．
　筆者らはバリウムとバリウム入りの検査食品を用意している．ビジパーク®（第一三共）（甘くて味はよいが保険適用がない）などの非イオン系水溶性造影剤を使用することもでき，実際に使用している施設もある．バリウムは原液を使用しないで40％程度に希釈して使用している．希釈すれば粘度がほとんど水と変わらない状態となり，誤嚥しても咳やハフィング，スクイージングなど呼吸リハビリテーションで喀出可能であり，肺組織に沈着することがほとんどない．検査食品としてはバリウム入りのゼラチンゼリー，寒天ゼリー（砕いたもの），とろみ水，クッキー，蒸しパン，検査薬（錠剤，カプセル）などを用いる（図1-2）．ゼリーやとろみには，ガムシロップで味をつけている．なお，実際に患者が食べる食材にバリウムパウダーを振りかけるだけでも検査は可能である．

4　検査の進め方　表1-2

（1）機器の準備

　VFは誤嚥や窒息などの危険を伴う検査であり，吸引器は必需品である．これ以外に必要なのは，ストロー，スプーン，舌圧子，ペンライト，ゴム（ビニール）手袋，ガウン，フェイスシールド，キャップ，ティッシュペーパー，注射器（10 cc），12～16 Frバルーンカテーテル，経鼻胃チューブ（8～10 Fr），間欠的口腔食道栄養（OE）用チューブ，（酒石酸）ネブライザー（第1章「Column①」参照）などである．

表1-2　VFの進め方

事前の情報収集	患者の嚥下評価（ベッドサイド診察，カルテ確認）
患者への処置	長期間経口摂取を止めている場合：検査前数日間，空嚥下を練習 経鼻胃チューブが入っている場合：VEで咽頭通過の様子を確認，場合によっては抜去 カフ付き気管カニューレ：カフの空気を抜く 口腔清掃 検査についての説明
機器の準備	吸引器（必需品），ストロー，スプーン，舌圧子，懐中電灯，ティッシュペーパー，注射器，バルーンカテーテル，ゴム手袋，経鼻胃チューブなど
準備体操	検査台に座り，肩と首の力を抜くように軽い運動 造影剤摂食前に口腔内清掃を確認　→　アイスマッサージ，空嚥下
検査	空嚥下で嚥下運動を確認 （空嚥下ができない場合：アイスマッサージ，K-point刺激） 誤嚥しにくいものから開始　→　徐々に増加 体幹角度30°　頸部前屈　→　体幹角度45°，60°　→　体幹垂直位（体幹角度90°）・頸部フリー　誤嚥量を最小にとどめる 正面像で咽頭通過の左右差を評価 食道機能や病変もチェック

誤嚥性肺炎対策としての酒石酸ネブライザー「CiTA (Cough-Inducing Method Using a Tartaric Acid Nebulizer)」

　誤嚥しても必ずしも肺炎になるとは限らない．むせ（反射的な咳）で誤嚥物が喀出される，ごく少量の誤嚥物であれば，体力があり免疫が働けば肺炎を発症しないこともある．しかし，多くの高齢嚥下障害患者では誤嚥は肺炎につながる．摂食訓練では，不顕性誤嚥（silent aspiration）がある患者では随意的に咳をして誤嚥物を喀出しながら摂食してもらう．一方，指示に従えない場合，われわれは酒石酸ネブライザー（10％酒石酸溶液を使用，必要に応じて20％まで濃度を上げる）を用いて咳を誘発する方法で成果を上げている[10]．従来「咳テスト」としてクエン酸や酒石酸，カプサイシンが使用されてきたが，本法は咳の閾値を求めるテストとしてではなく治療法として用いている．肺炎を繰り返していた患者がCiTAを導入することで安全に経口摂取できるようになるケースが多い．クエン酸でも可能であるし，当院では外来患者に対し家庭用の酢（約2倍に希釈，必要に応じて希釈なしまで濃度を上げる）を用いて効果を得ている．

（2）説明と準備体操

　検査の方法やリスクなどの説明は検査室に入る前に行い，承諾を得る．長期間経口摂取を止めていた患者の場合はVFを行う前の数日間，口腔内のアイスマッサージを行うなどして空嚥下の練習を繰り返し行うようにする．

　口腔清掃は事前に念入りに行っておく．経鼻胃チューブが入っている場合は検査前にVEで咽頭の様子を確認し，太径のチューブが入っている場合や，チューブが喉頭蓋へ接触など嚥下を阻害している場合は抜去する．カフ付き気管カニューレ挿用中でスピーチバルブが装着可能であれば，可能な限りカフの空気を抜いて，スピーチバルブを装着してから検査する．気管カニューレは，気道への刺激が少なく嚥下運動を阻害しにくいレティナカニューレへの変更も検討する．

　検査台に座ってもらってから，肩と首の力を抜くように軽い準備運動をさせる．また，実際に造影剤を口に入れる前に，口腔内の清掃状態を確認してからアイスマッサージ空嚥下を数回行う．VF前にVEを行い，痰の付着などをみとめるときは必ず自己喀出もしくは吸引を行う．そのまま検査を行うと，痰が検査食の咽頭通過を妨げて誤嚥するためである．

（3）検査手技の実際

　1回の検査時間は疲労を考慮して1人原則30分以内とし，被曝量を少なくするために透視時間を効率よく短縮するように努める．まず，空嚥下で嚥下運動をみる．空嚥下ができない患者では咽頭のアイスマッサージ，ないしK-point刺激で嚥下反射をみる．

VFのポイントは体位の決定と検査食の選択の2つで，筆者らは
① 誤嚥しにくい検査食から開始し，量も少量から徐々に増加させ難易度を上げる
② 体位は体幹角度30°頸部前屈から徐々に体幹垂直位（体幹角度45°→体幹角度60°→座位），頸部フリーに近づける

という方法で行っている．これは「もし誤嚥しても，誤嚥量を最小にとどめる」ことを念頭においたものである．患者の障害の程度によってどのような手順で検査を進めるかが大きく異なってくる．あらかじめベッドサイドで患者の嚥下能力を確認するためによく診察したり，カルテを見たりして情報が多いほど，効率よく検査が進められる．なお，検査の早い段階で正面像で咽頭通過の左右差を確認しておく．健常者でも左右差をみとめることがあり，球麻痺患者だけでなく偽性球麻痺やサルコペニアの患者などでも，咽頭残留や誤嚥がみられた際に頸部回旋などの手技の参考となる．

食道の通過状態も必ず観察して，食道病変（悪性腫瘍など）を見逃さないようにしなければならない．

（4）検査中止基準，誤嚥・咽頭残留への対処法　表1-3

どの方法でどの程度，誤嚥を防止し，咽頭残留が減少するか，嚥下がスムーズに起こるかを検査時に確かめ，実際の訓練法を組み立てるときの情報を得る．

表1-3　検査中止基準，誤嚥・咽頭残留への対処法

検査の中止基準	（1）大量の誤嚥 （2）誤嚥物の咳による喀出不良 （3）呼吸状態の変化 （4）その他検査医の判断
誤嚥への対処法	（1）咳，ハフィング（事前に練習させておく） （2）吸引 （3）スクイージング （4）必要に応じて酸素投与など
誤嚥を減らす方法	（1）体幹・頸部前屈・頸部回旋などの角度調節，一側嚥下などの姿勢調整 （2）息こらえ嚥下（supraglottic swallow） （3）食品の選択と一口量の調節 （4）嚥下に意識集中（think swallow）
咽頭残留への対処法	（1）空嚥下を繰り返す 　　梨状窩の残留　　：横向き嚥下法 　　喉頭蓋谷の残留：うなずき嚥下法 （2）吸引 （3）交互嚥下

③ 嚥下内視鏡検査（VE）[9, 11, 12]

　VEの目的は，①咽頭期の機能的異常の診断，②器質的異常の評価（異常があれば耳鼻咽喉科を受診のこと），③代償的方法，リハビリテーション手技の効果確認，④患者・家族・スタッフへの教育指導などである．

　検査の適応は広く，摂食嚥下障害が疑われた場合のスクリーニングから摂食嚥下訓練前，訓練中，訓練後，またその後の経過観察においても随時施行される（ 1-1 ）．また，VF施行時にVEを組み合わせて施行することで，追加の情報を得ることができる．以下にVEの概略を解説する．

1 ファイバースコープの選択

（1）ファイバースコープ本体

　わが国では耳鼻咽喉科領域で日常のルーティン検査として鼻咽腔喉頭ファイバースコープが使用されている．通常は吸引（鉗子）チャンネルのない細いもの（外径3.5 mm程度：Olympus「ENF-Type P3」，Pentax「FB-10RBS」，外径2.5 mm程度：PENTAX「FNL-7RP3」など）が使用され，VEにおいても同様である．これから購入される場合は，デモ機を借りて実際に使用してみること，ファイバー本体が軟らかく操作性のよいものを選ぶことをお薦めする．メーカーによってファイバーの軟らかさ，操作性が微妙に異なる．軟らかいもののほうが患者の鼻腔や咽頭の違和感が少ない．また，長いものは操作がしにくいので有効長は35 cm程度が

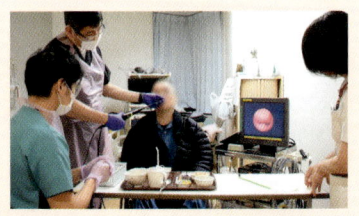

1-1　実際の摂食場面におけるVE
　医師がVEを行い，STと看護師が所見をみながら摂食訓練を進めている場面である．動画後半では，病棟で医師，看護師，STで結果を共有し治療方針を話し合っている．

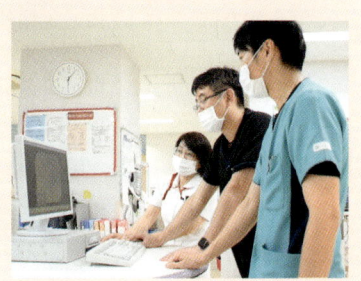

よい．VEでは通常の吸引管を用いて吸引場面を観察することもできるので，吸引チャンネルがなくても実用上不便はない．

(2) 光源，録画

CCDの性能にもよるが，録画する場合は光量調節機能のついた光源を選ぶほうがよい．録画せず簡便にみるだけの場合は，電源内蔵型のファイバースコープも手に入る．その場合は光量ができるだけ強いタイプを選択するとよい．

VEは名前のとおり録画をすることが前提である．録画するためにはCCDカメラと録画装置が必要である．医療用のものは性能はよいが高価である（電子スコープ，図1-3）．初期の頃，溝尻[11, 12]は小型軽量のVEシステムを独自に開発して在宅などで使用していた．当院で使用しているVEシステムをいくつか紹介する（図1-4）．

現在はタブレットやPCなどに映像を有線や無線で接続して直接タブレット端末に動画を撮影する機器が多く開発されている．代表的なものとして，iPad（アップル社）とWi-Fi接続して出力する「エアスコープ」（リブト株式会社，図1-5）や，WindowsPCとUSB有線接続できる「スコープキューブ」（リブト株式会社），「USBカメラS191」（PENTAX Medical社，図1-6），LED光源内蔵のポータブル電子内視鏡を直接パソコンにUSB接続できる「VEスコープ」（リブト株式会社）などが販売されており，施設や在宅で実施しやすいように携帯性や，動画データの録画，閲覧，編集などに優れた製品が入手可能となっている．

(3) 保守，洗浄・殺菌・消毒，衛生管理

ファイバースコープは大変デリケートな機器であり，慎重な取り扱いが必要である．特にレンズ面は傷をつけないようにしなければならない．また，フレキシブルなファイバー部（シャ

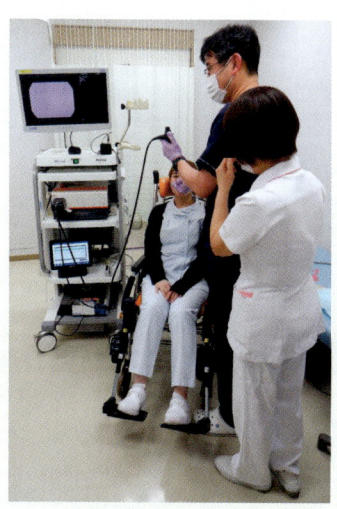

図1-3　電子スコープ

当院では外来に設置して主に外来患者で使用している．病棟患者も外来診察室にて実施する．画像はPACSに取り込まれ，電子カルテ上でいつでも参照できる．

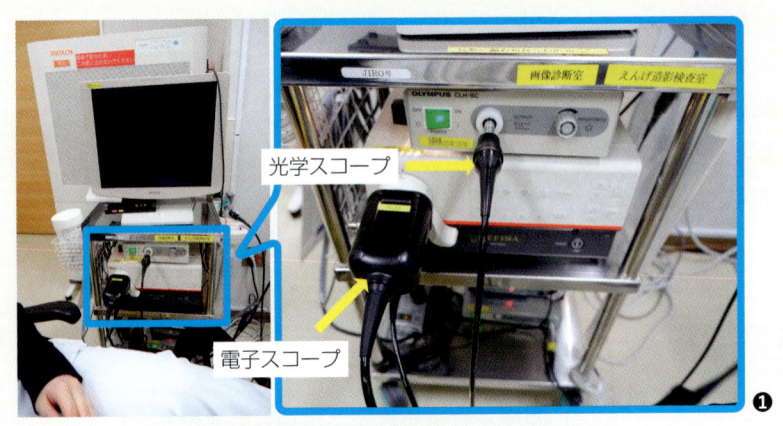

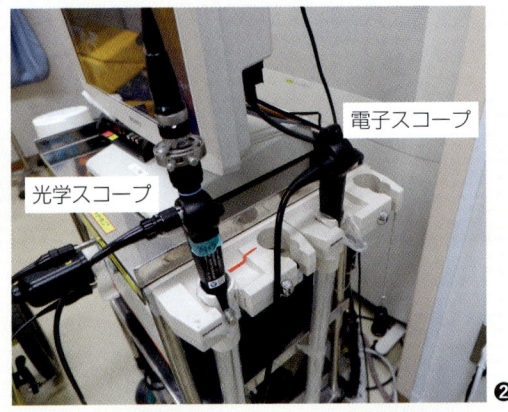

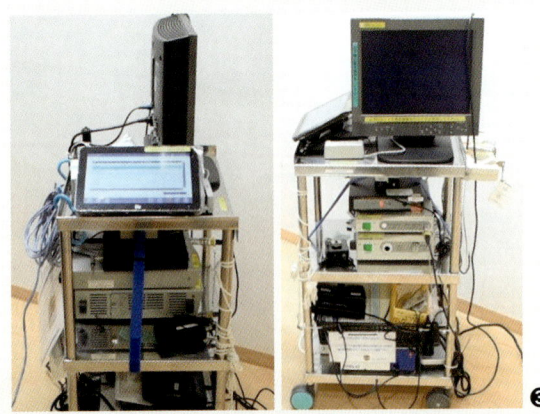

図1-4　当院で使用しているVEシステム

❶ VF室で使用しているVEのシステム：電子スコープと光学スコープが切り替えられる．連続して検査をするときにファイバー洗浄時間を気にせずに実施可能．ファイバーの外径も各種揃えてある．当院ではVF室でVF前後にVEを行っている．
❷ 電子スコープと光学スコープ．
❸ 病棟で使用しているVE：どこにでも持ち運び，休日でも夜でも検査ができる．画像はPACSに保存でき，電子カルテで参照可能．

フト部）は強く曲げると光ファイバーが折れて画像が劣化する危険がある．検査時以外はなるべく曲げないように取り扱うべきである．折れやすい部分はファイバーの付け根である．画面に黒い点が多数みえるようになった場合はファイバー繊維の一部が折れたためであることが多い（第1章「Column②」参照）．使用後はすぐに濡れたガーゼで粘液などの付着物を除去して洗浄する．ただし，強くしごきすぎると長期間使用するうちにファイバーを包む被覆部分の合成樹脂にしわができてしまうので注意する．付着物がついたまま乾燥すると汚れが取れにくく，画像劣化や傷みの原因となる．ただし，アルコール綿やアルコールを含むウエットティッシュでの清拭は行わないように注意が必要である．アルコールを使用すると，ファイバーに付着したタンパクが凝固したり，洗浄剤と反応したりして付着物が取れにくくなることがある．

　洗浄・殺菌・消毒は施設の状況によっても異なると思われるが，最近は感染対策の観点から操作部分も含めて全体を洗浄することが推奨されている（ 図1-7 ）．また，ガス滅菌するのもよい．ここでは吸引管のないファイバースコープについて，以前当院で用いていたベッドサイドなどでも手軽に行えるシャフト部だけの簡便な洗浄・殺菌・消毒法を紹介する．洗浄液は「ディスオーパ®」（ASP Japan合同会社製：0.55％フタラール），洗浄器は「鼻咽喉ファイバー洗浄器（#3090-93）」（高研製）を使用する．外部の汚れを中性洗剤付きのガーゼでよく除去した後，洗浄液に5分間浸し，3分間水で洗浄するという方法である．短時間で確実な洗浄が可能である．グルタールアルデヒド（ステリハイド®，ステリスコープ®）という洗浄液もよく用いられるが，殺菌に30分を要する．洗浄器では第一医科株式会社製のファイバー洗浄器もよく使用される．なお，感染防御の視点からは，汚染していないと思っても定期的にファイバースコープ全体を洗浄するか，ガス滅菌することが望ましい．

　吸引管付きファイバースコープの洗浄・殺菌・消毒では，吸引管内部の汚れを確実に落とすために専用の機材が必要である．一般の病院などでは内視鏡室に大型の洗浄器が配備されていることが多いので，そちらを使用する必要がある．大型の洗浄器を使用するとシャフト部以外

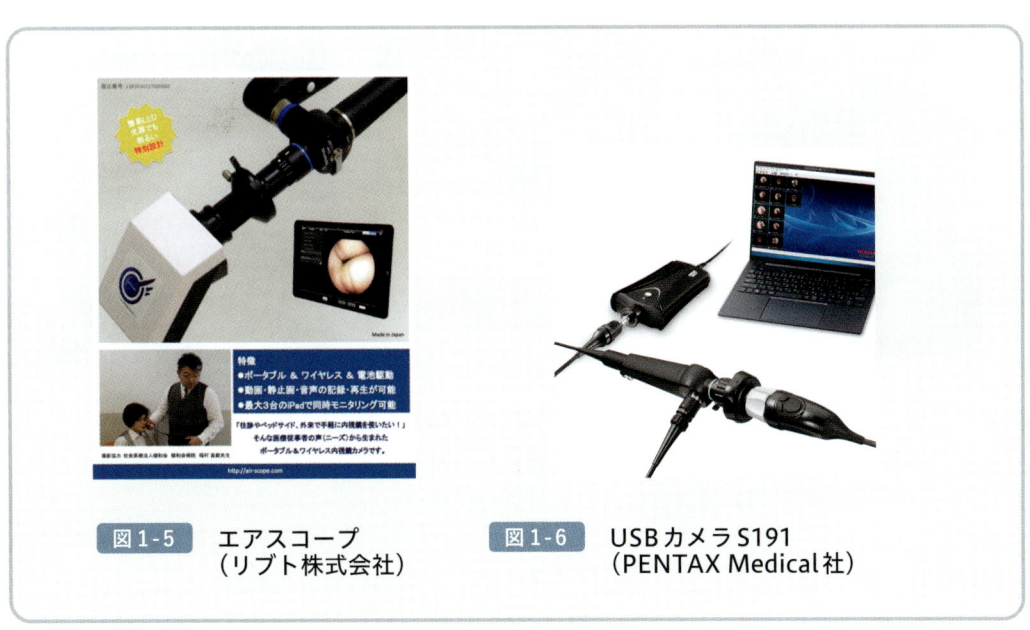

図1-5　エアスコープ（リブト株式会社）

図1-6　USBカメラS191（PENTAX Medical社）

のファイバースコープ全体を洗浄・殺菌・消毒できる．感染症などで操作部分が汚染された場合にも有効である．

洗浄・殺菌・消毒後は，水分をよく拭き取り乾燥させて安全な場所に保管する．ファイバースコープの持ち運びには付属のケースを利用する．ケースに入れるとき，ふたの部分でファイバーを挟んで破損することもあるので注意する．

2 ファイバースコープの持ち方，挿入法　図1-8

ファイバーは構造的に元々左手で持つように作製されている（▶1-2）．この把持法は，元々は鉗子などの操作を右手で行いやすいようにするための内視鏡の基本の持ち方であった．しかし，VEの場合は患者の検査体位に合わせて柔軟に持ち方を変えて行われる（▶1-3，▶1-4，図1-8❶，❷）．モニターをみながら行うときは釣り竿型（fish rod）で持つことも

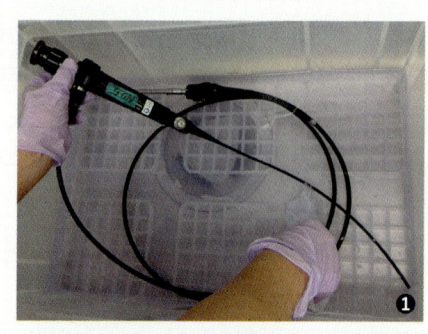

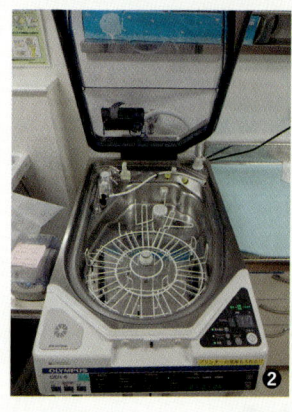
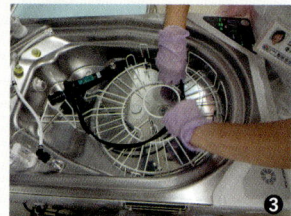
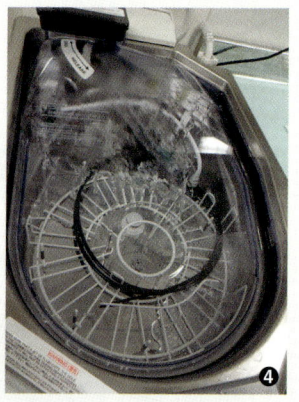

図1-7　当院におけるファイバーの洗浄方法
❶ 洗浄前に全体を消毒液（サイデザイム）に浸す
❷ 洗浄器（OLYMPUS製 OER-6）
❸ 洗浄器にファイバーを入れているところ
❹ 洗浄を始めたところ

多い（ 1-5 ， 図1-8❸，❹）．

挿入時には，鼻腔底をみながらファイバーを進めるとどの位置をみているか（オリエンテーション）を失わないとされる．一方，下鼻甲介を乗り越えて，中鼻甲介の前面を下に降りるように進めると痛みが少なく，鼻咽頭の観察が容易である．また，鼻中隔は強い痛みを感じるのでなるべくファイバーが接触しないようにするとよい（ 1-6 ， 1-7 ）．

3 鼻咽頭の観察 1-8

口蓋帆の動き，咽頭側壁の動きによる鼻咽頭閉鎖機能をみる．「アー」「エー」「パッパッパッ」「マッマッマッ」などの音声課題，空嚥下などを行う．

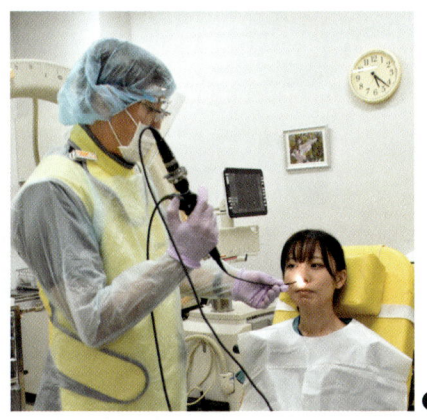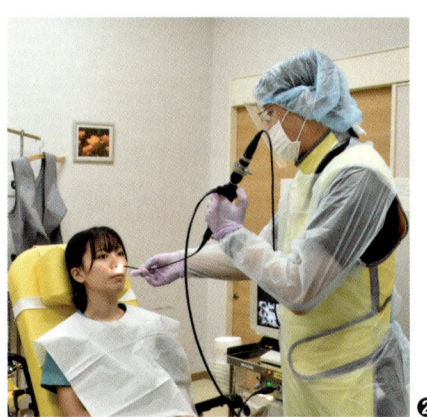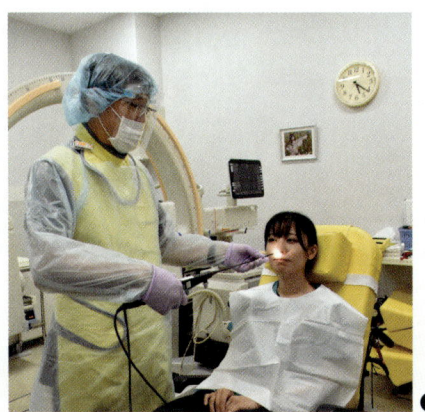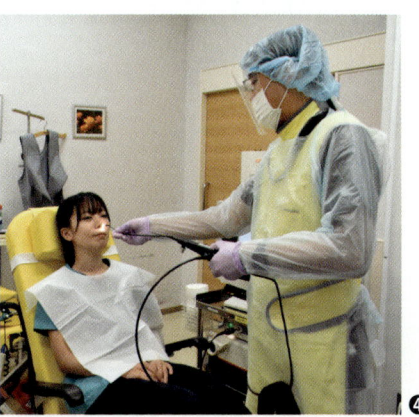

図1-8　ファイバーの持ち方，挿入法
❶　右手把持（右側から通常持ち）
❷　左手把持（左側から通常持ち）
❸　右手把持（右側から釣り竿持ち）
❹　左手把持（左側から釣り竿持ち）

4 鼻咽頭から中咽頭へのファイバースコープの進め方（▶1-8）

　口蓋帆が鼻咽頭を閉鎖しているときは，口を閉じて鼻呼吸をしてもらうと通路が開き，ファイバーを咽頭へ進めやすい．

▶1-2 　ファイバーの持ち方：左手把持

　患者の左側に立って検査する．介助者が吸引や，摂食介助をするときに有利となる術者の立ち位置である．

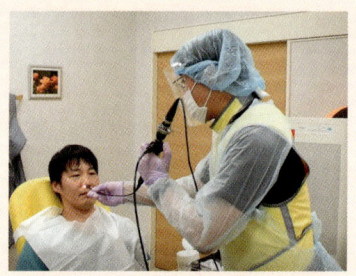

▶1-3 　ファイバーの持ち方：右手把持

　患者の右側に立って検査するときに用いるとよい．

▶1-4 　右手把持，左手把持でファイバーを挿入する場面

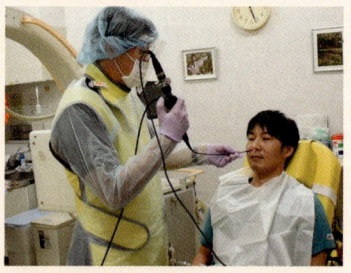

▶1-5 　ファイバーの持ち方：釣り竿型（fish rod）把持

　右手，左手でそれぞれ釣り竿型把持でVEを行っている場面．釣り竿型は患者が低い位置にいるときに，術者が腰を曲げずに検査ができるという利点がある．長時間の観察では術者の負担が極めて軽減される．

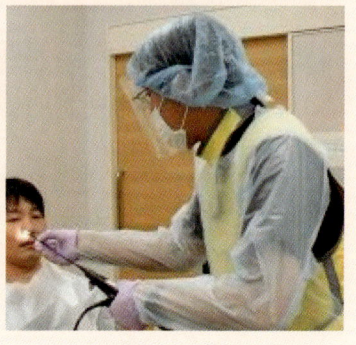

▶ 1-6　下鼻甲介の下からの挿入（VE）

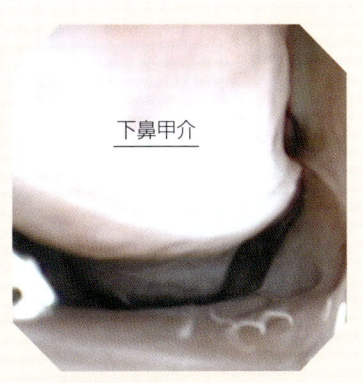

▶ 1-7　下鼻甲介の上から（総鼻道ルートともよばれる）の挿入（VE）

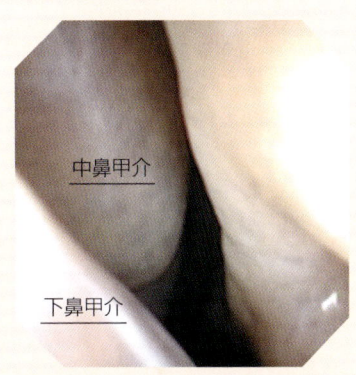

▶ 1-8　鼻咽頭から中咽頭へのファイバースコープの進め方

発声（パッパッパッ，マッマッマッ），呼気を行い，次いで空嚥下にて軟口蓋の動きをみる．中咽頭へ進めるときは口を閉じて鼻で息をしてもらうと軟口蓋が下方へ動き中咽頭へ進みやすくなる．

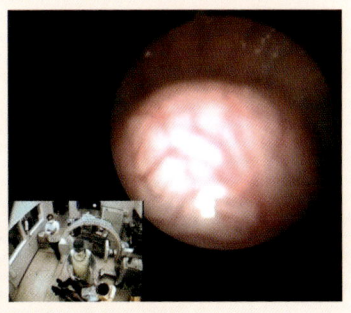

5　中咽頭から下咽頭の観察法（図1-9）　（第2章「① 咽頭・喉頭の構造」参照）

（1）と（2）は本書の核心部分である．

（1）高い位置からの観察

口蓋帆および口蓋垂のすぐ後ろあたりにファイバーを置くと中咽頭と下咽頭全体を見わたすことができる．分泌物貯留や粘膜の状態，腫瘍性病変などを見落とさないように注意する．高齢者では頸椎症による骨棘の隆起が咽頭後壁にしばしば観察される．この位置では舌根の動きや咽頭壁の動きを観察することができる．発声や空嚥下で組織の動き，頸部回旋や前屈などで構造がどのように変わるかを観察する．頸部をやや伸展させると喉頭蓋の向こうに披裂と声門

がみえる場合もあるが，個人差が大きい．

　食品の嚥下時には口腔から咽頭（喉頭蓋谷）へ食塊が送られてくる様子を観察することができる．嚥下の瞬間は咽頭腔が閉鎖されるので white out（図2-9 参照）となって何もみえない．しかし，これは正常の証でもある．嚥下反射時に white out がない場合は咽頭収縮が不良と判断する．

(2) 低い位置での観察

　喉頭蓋を乗り越えると披裂，披裂喉頭蓋ヒダ，喉頭前庭，声門，梨状窩などが観察できる．喉頭蓋は感覚が鋭敏であるので，十分注意してできるだけ喉頭蓋に当たらないようにファイバーを進める．このとき刺激で咳や嚥下が起こりやすく，喉頭が挙上するのでファイバー先端が喉頭内に入る危険がある．いつでも瞬間的に1 cm くらい引き抜けるようにしておく．

　低い位置でもまず分泌物の貯留や粘膜の状態，腫瘍性病変などを見落とさないように注意する．喉頭内の分泌物の貯留や声門下の状態もよく観察する．まず呼吸運動に伴う左右の披裂や声門の動きをみた後，発声での動きをみる．咳やハフィングをさせて気管内から痰や分泌物が

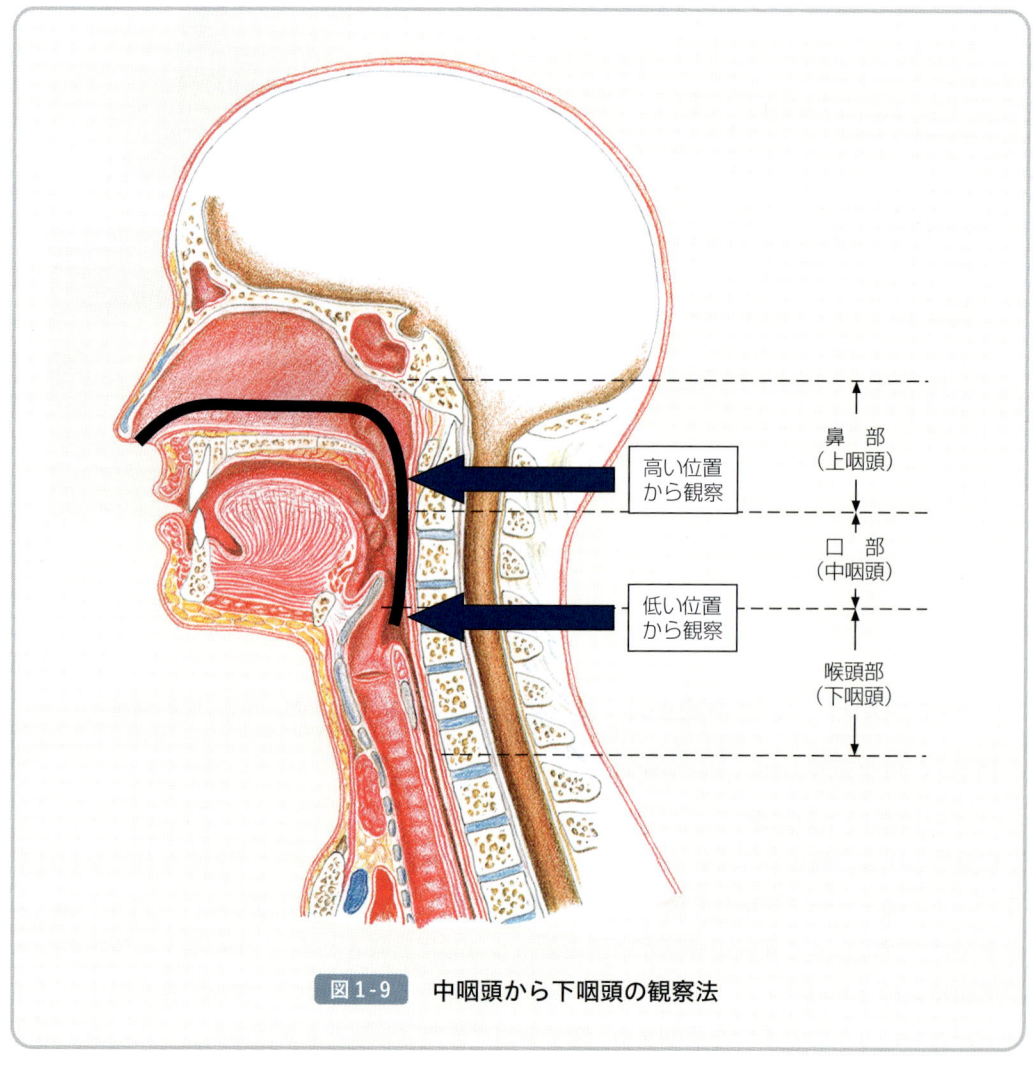

図1-9　中咽頭から下咽頭の観察法

喀出されないかどうかを観察する．

　通常，低い位置では食品の嚥下をさせることはしない．まず（1）で述べた高い位置で嚥下してもらい，下咽頭残留や喉頭侵入，誤嚥をみるために低い位置にファイバーを進めるようにする．

6　誤嚥・喉頭侵入の評価（第3章参照）

　VEは咽頭残留の検出に関してはVFより優れているが，誤嚥（特に嚥下中の誤嚥）・喉頭侵入の検出は見逃す恐れもあり注意を要する．特に少量の誤嚥物が下気道まで入ってしまった場合は見落とす危険性が高いので，まずそのことを認識しなければならない．誤嚥のリスクがある患者の場合は嚥下後に必ず咳やハフィングをしてもらい，気道から喀出されないかどうか，その痕跡はないかなどに細心の注意を払う．一方，唾液や分泌物の誤嚥・侵入や咽頭汚染，ごく少量の喉頭侵入に関してはVFでは評価できず，VEによる評価が優れている．

7　咽頭残留の評価（第4章参照）

　咽頭残留の評価はVFよりも鋭敏で優れている．直視下に何がどのくらい，どこに残っているかを観察して記載する．唾液などの分泌物の貯留・残留はVEでしか評価できない．また，どの食品・体位・リハビリテーション手技を用いて嚥下すれば残留がないか，残留を減らせるかについても検討することも忘れてはならない．

8　ファイバー挿入下の摂食嚥下の観察

　通常は摂食前の咽頭・喉頭所見をみた後，ファイバーを入れたまま食品を嚥下してもらい，誤嚥や残留などの所見をみる方法が行われる．しかし，ファイバー挿入下での摂食嚥下はかなりの苦痛であり，普段の状態とは異なる可能性があることを知っていなければならない．嚥下で咽頭が収縮するとファイバーを締め付けるようになり，過敏な咽頭壁にファイバー本体が強く押しつけられる．嚥下時に喉頭が挙上し，先端が喉頭蓋や披裂などに接触することもある．

　ファイバーを出し入れすることも苦痛であるが，筆者は基本的な観察を終えた後はファイバーを引き抜いて摂食してもらい，適当なときにファイバーを再挿入して観察を行っている．ファイバー操作に熟練すれば，挿入したまま観察するよりも出し入れしたほうが患者の苦痛は少なく，より自然な状況下で評価できる．

9　感覚テスト

　Avivら[13]は空気をパルス状に噴出（Air puff）して披裂内転反射や自覚的な感覚を調べて報告している（ 1-9 ）．また，筆者らはファイバーの先端で咽頭や喉頭粘膜に触れて感覚を調べてきた[14]．感覚低下は誤嚥性肺炎のリスクになる（ 1-9 ）．

嚥下における感覚評価は遅れており，筆者らはナイロン糸を用いた感覚テストを開発した[15]が，メーカーが対応できず現在は使用できない（ 1-10 , 1-11 ）．

10 VEとVFの併用

当院ではVF前・後にVEを施行している（図1-10）．VFで残留や誤嚥が確認されなくてもVEで所見を得ることも多い．また，VEで問題ないと思われても，臨床的に嚥下障害の症状が続くときは迷わずVFを行うと思わぬ所見を発見することもある．繰り返しになるが，両者は補完的に活用していくことが望ましい．

1-12 , 1-13 , 1-14 は両者をみることによって初めて病態が把握でき，対策が立てられた例である．これらは誤嚥（第3章）と残留（第4章）とも関連するので，そちらと合わせてみていただければ幸いである．

なお，一連のVE検査については 1-15 をご覧いただきたい．

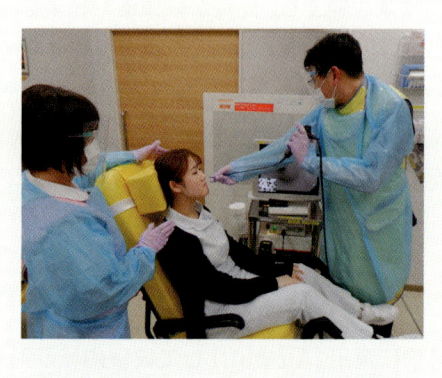

図1-10　VF前のVE検査場面

▶ 1-9　Air puffによる感覚テスト（VE）

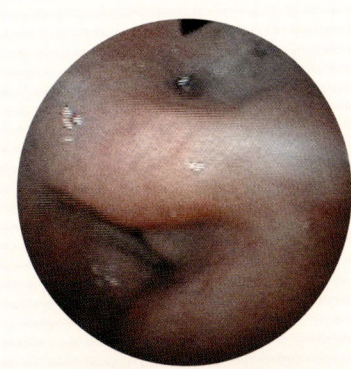

▶ 1-10　細いナイロン糸による感覚テスト：
　　　　喉頭蓋（VE）

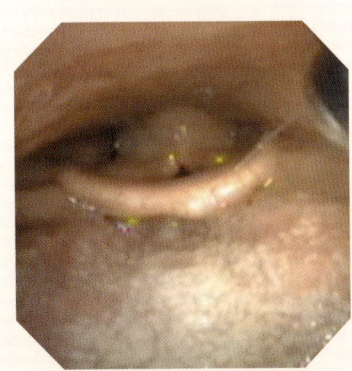

▶ 1-11　細いナイロン糸による感覚テスト：
　　　　右披裂（VE）

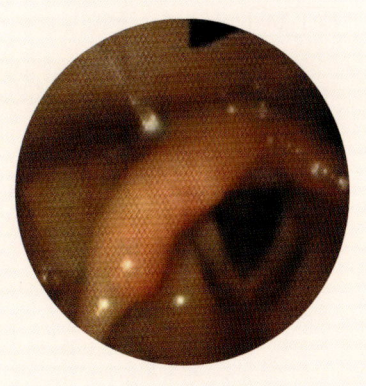

▶ 1-12　ゼラチンゼリーの誤嚥：痰除去前（VF）

ゼラチンゼリーが嚥下中に誤嚥されているが，通常の場合と異なり披裂間切痕部の上を滑るように気道に入っていくようにみえる

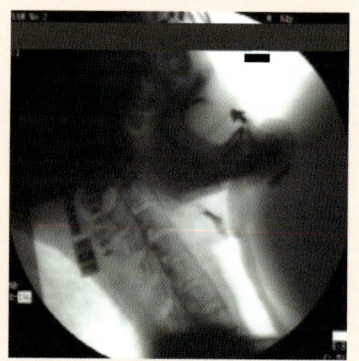

▶ 1-13　下咽頭の痰充満と吸引による除去（VE）

両側梨状窩から披裂間切痕部に痰が充満している

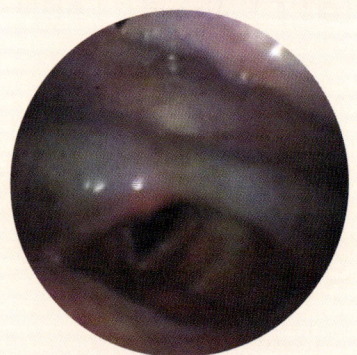

吸引で痰を除去している場面

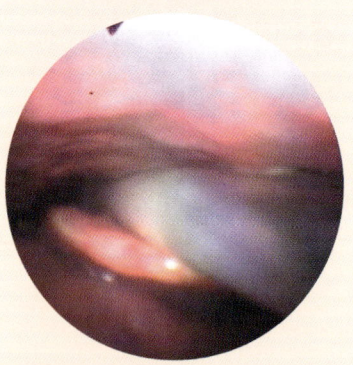

▶ 1-14　ゼラチンゼリー誤嚥なし：
　　　　痰除去後（VF）

痰の除去後，ゼラチンゼリーが痰の除去された梨状窩に一時とどまり，誤嚥なく嚥下された

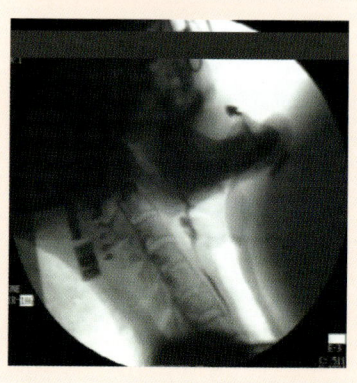

▶ 1-15　VE検査全体の流れ

（動画 1-15 は，嚥下障害実習研修会の予習用としてオリジナル作成したものを抜粋・編集して作成）

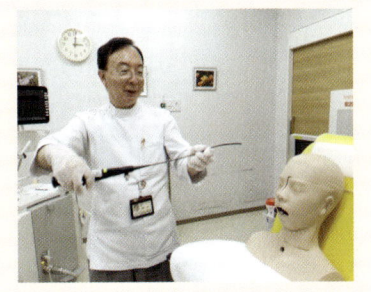

Column ②

ファイバーの悪い持ち方と破損

　ファイバーは精密機械である．図 1-11 のように強く折り曲げれば光ファイバーの繊維束は折れ，画像に黒点のようなものが出現する．ひどくなれば検査に支障をきたす．検査のために必要な屈曲以外はできるだけ曲げないように丁寧に扱うことが大切である．修理すれば高額となることを覚悟しなければならない．

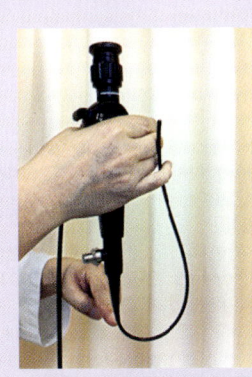 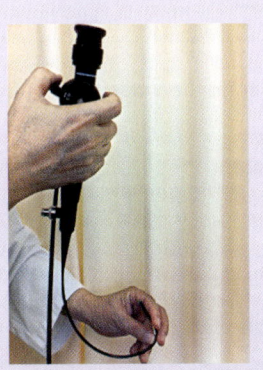

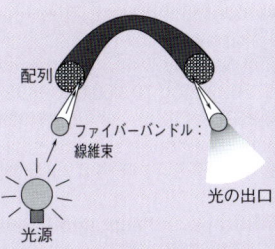 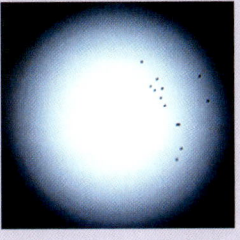

図 1-11　ファイバーの悪い持ち方と画像に出現する黒点

Column ③ VF画像の向き

多くの施設,教科書や文献では側面像を左向きでみている.しかし実際,介助者は患者に対して右から介助することが多い.VF画像をみるときも患者の右から画像をみたほうが自然である.そのため浜松市リハビリテーション病院ではVF画像は患者の右側から撮像している(図1-12).本書も同様である.

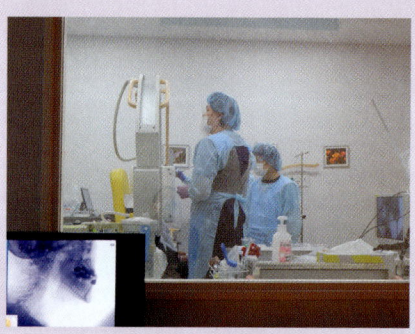

図1-12　当院のVF場面

文献

1) Logemann JA: Manual for the Videofluorografic Study of Swallowing, 2nd ed, PRO-ED. Austin, Texas, 1993.
2) 藤島一郎,谷口　洋:嚥下造影検査(VF)〔脳卒中の摂食嚥下障害　第3版〕.pp 118-134,医歯薬出版,2017.
3) 藤島一郎(監修):嚥下障害ビデオシリーズ　⑦嚥下造影と摂食訓練.医歯薬出版,2001.
4) 植松　宏(監修):摂食・嚥下障害のVF実践ガイド.南江堂,2006.
5) 瀬田　拓・他:特集　嚥下造影検査所見の解釈と対策.臨床リハ,31(10),2022.
6) Langmore SE(編著),藤島一郎(監訳):嚥下障害の内視鏡検査と治療.医歯薬出版,2002(Langmore SE: Endoscopic Evaluation and Treatmentof Swallowing Disorders. Thieme, NY, 2001).
7) 藤島一郎(監修):嚥下障害ビデオシリーズ　①嚥下の内視鏡検査.医歯薬出版,1998.
8) 嚥下造影の検査法(詳細版)日本摂食嚥下リハビリテーション学会医療検討委員会2014年度版.日摂食嚥下リハ会誌,18(2):166-186,2014. https://www.jsdr.or.jp/wp-content/uploads/file/doc/VF18-2-p166-186.pdf
9) 日本摂食嚥下リハビリテーション学会医療検討委員会:嚥下内視鏡の標準的手順2021改訂.日摂食嚥下リハ会誌,25(3):268-280,2021. https://www.jsdr.or.jp/wp-content/uploads/file/doc/endoscope-revision2021.pdf?0318
10) Ohno T, Tanaka N, Fujimori M, et al: Cough-Inducing Method Using a Tartaric Acid Nebulizer for Patients with Silent Aspiration. Dysphagia, 37 (3): 629-635, 2022. doi: 10.1007/s00455-021-10313-4.
11) 溝尻源太郎:ビデオ内視鏡検査(VE)〔日本嚥下障害臨床研究会(監修):嚥下障害の臨床〕.pp 137-141,医歯薬出版,1998.
12) 溝尻源太郎:在宅・地域医療における耳鼻咽喉科の役割〔金子芳洋,千野直一(監修):摂食・嚥下リハビリテーション〕.pp 252-255,医歯薬出版,1998.
13) Aviv JE, Martin JH, Keen MS, et al: Air pulse quantification of supraglottic and pharyngealsensation: A new technique. Ann Otol Rhinol Laryngol, 102 (10): 777-780, 1993.
14) 佐藤新介,藤島一郎,薛　克良・他:喉頭ファイバーを用いた喉頭感覚検査による嚥下障害評価.日摂食嚥下リハ会誌,6(2):158-166,2002.
15) 谷口　洋,藤島一郎,大野友久:内視鏡による探索子を用いた咽喉頭感覚の検査法の開発.耳鼻と臨床,52(補4):S256-S262,2006.

第2章
解剖，嚥下のメカニズム

　VF，VE所見をみるには咽頭・喉頭の構造と嚥下のメカニズムを理解する必要がある．本章では，解剖図と健常者のVF・VE所見をもとに解説していきたい[1]．

① 咽頭・喉頭の構造

図2-1 図2-2 に咽頭・喉頭の構造を示した．この解剖図とVFの側面像 図2-3 ，
2-1 ，VEの所見 図2-4 ，2-1 をよく見比べていただきたい．

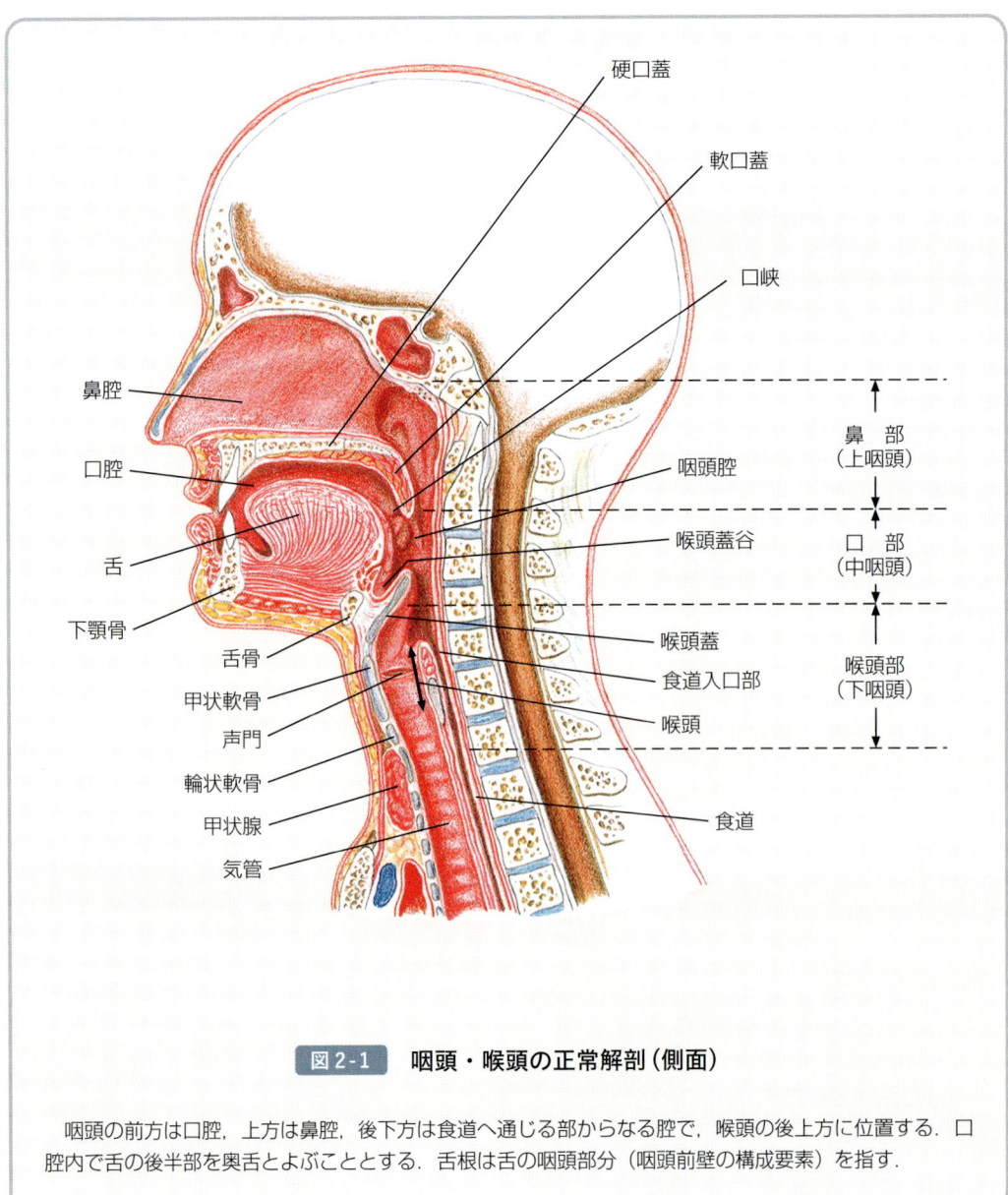

図2-1 咽頭・喉頭の正常解剖（側面）

咽頭の前方は口腔，上方は鼻腔，後下方は食道へ通じる部からなる腔で，喉頭の後上方に位置する．口腔内で舌の後半部を奥舌とよぶこととする．舌根は舌の咽頭部分（咽頭前壁の構成要素）を指す．

▶ 2-1　健常者の空嚥下（VF・VE同期）

健常者の空嚥下場面の VF, VE. 両者は同期させてある.
ファイバーの位置とみえ方の違いに注目. ファイバーは high position で中咽頭から下咽頭をみている.

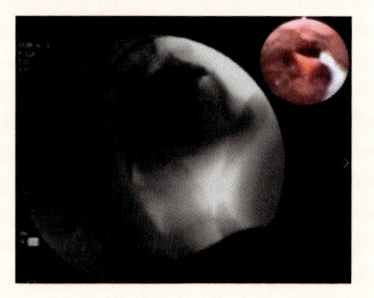

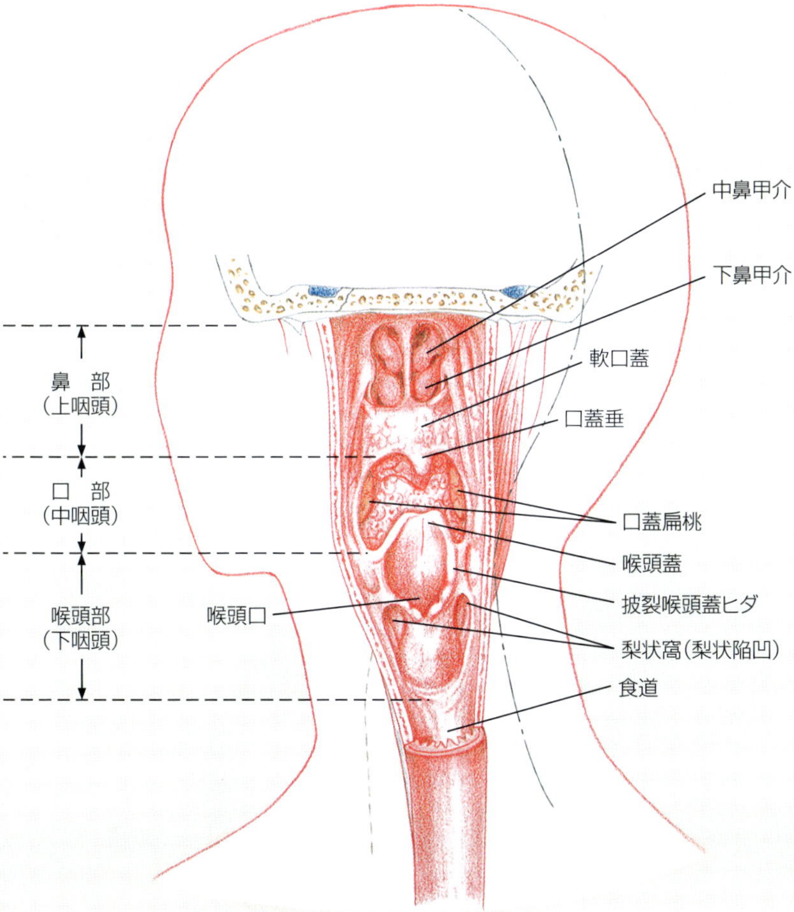

図 2-2　咽頭・喉頭の正常解剖（後面）

鼻部（上咽頭）：後鼻孔上端から口蓋垂基部まで，側壁に耳管咽頭孔が開く．
口部（中咽頭）：口峡から舌根部の高さ．
喉頭部（下咽頭）：舌根部から輪状軟骨下端まで．
咽頭は鼻部，口部，喉頭部のように分けられるが，解剖学的に明確な境界を示すものは存在しない．

第 2 章　解剖，嚥下のメカニズム

VFは，構造物が重なってしまうことや造影剤のない状態では，はっきり構造を判別しにくいという欠点がある．しかし，咽頭・喉頭だけでなく口腔から食道入口部まで視野に入れることができ，嚥下の一連の動きをとらえることができるという利点がある．一方，VEでは咽頭・喉頭を上から見下ろす形になるが咽頭と喉頭の構造がよくわかる．特に，VFでは評価ができない

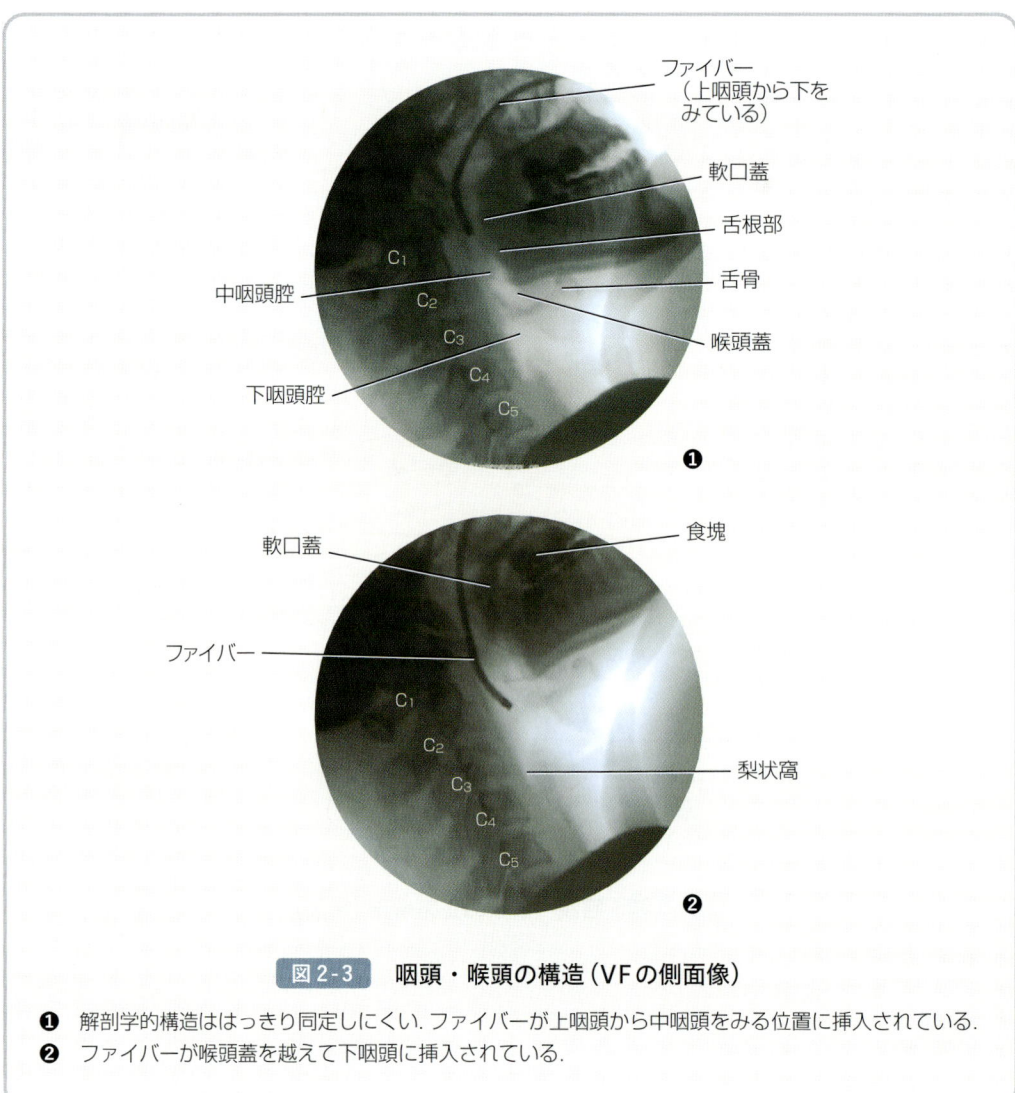

図2-3　咽頭・喉頭の構造（VFの側面像）

❶ 解剖学的構造ははっきり同定しにくい．ファイバーが上咽頭から中咽頭をみる位置に挿入されている．
❷ ファイバーが喉頭蓋を越えて下咽頭に挿入されている．

粘膜の状態（色，湿潤度合い，腫脹など）や分泌物の状態がよくわかる．健常者では，図2-4のようにほとんど分泌物は貯留していない．

咽頭の高い位置（high position）：上咽頭から全体を見下ろした場合（図2-4 ❶）．
咽頭の低い位置（low position）：喉頭に接近して喉頭内を拡大してみた場合（図2-4 ❷）．

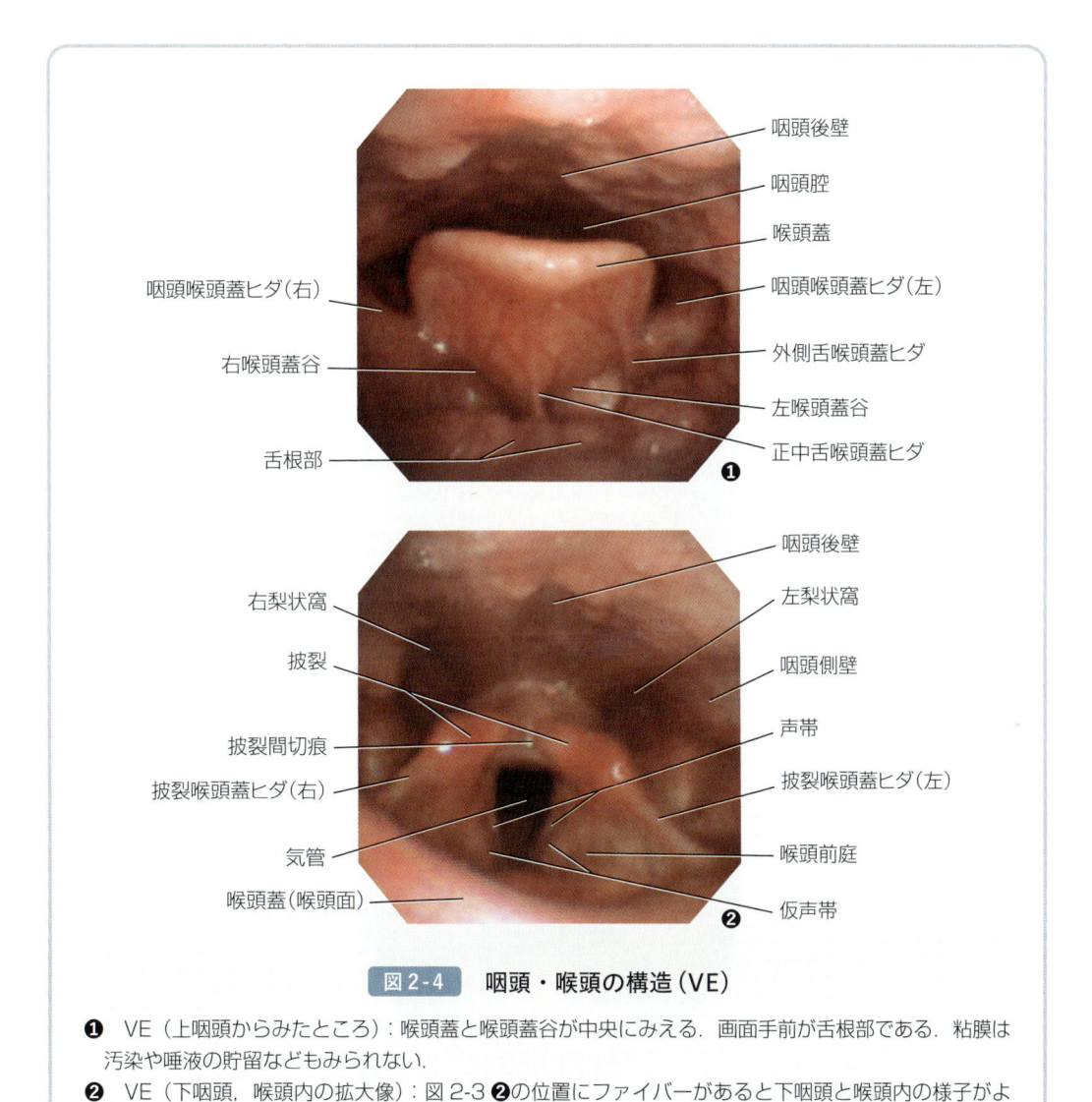

図2-4 咽頭・喉頭の構造（VE）

❶ VE（上咽頭からみたところ）：喉頭蓋と喉頭蓋谷が中央にみえる．画面手前が舌根部である．粘膜は汚染や唾液の貯留などもみられない．
❷ VE（下咽頭，喉頭内の拡大像）：図2-3 ❷の位置にファイバーがあると下咽頭と喉頭内の様子がよくわかる．個人差も大きいが，通常の座位では舌根部と喉頭蓋が咽頭後壁に接近していて喉頭や下咽頭がみえにくいことがある．さらに，顎を引いた状態ではその傾向が著明である．頸部はやや伸展し突出した姿勢（sniffing position）をとると，この図のように咽頭が広がり観察しやすくなる．健常者では，頸部を突出・伸展位にしないとファイバーが粘膜に触れやすいために違和感が強くなる．

② 鼻咽頭閉鎖

　嚥下時や発声時には軟口蓋が挙上し，咽頭壁が収縮することによって鼻咽頭が閉鎖される（図2-5 ❶，▶2-2）．この閉鎖が弱いと，発声における開鼻声が起こったり，嚥下時に鼻咽頭逆流が生じたりする原因となる．

　図2-5 ❷ は安静時の様子である．発声時（パッパッパッ，マッマッマッなど），口すぼめ呼

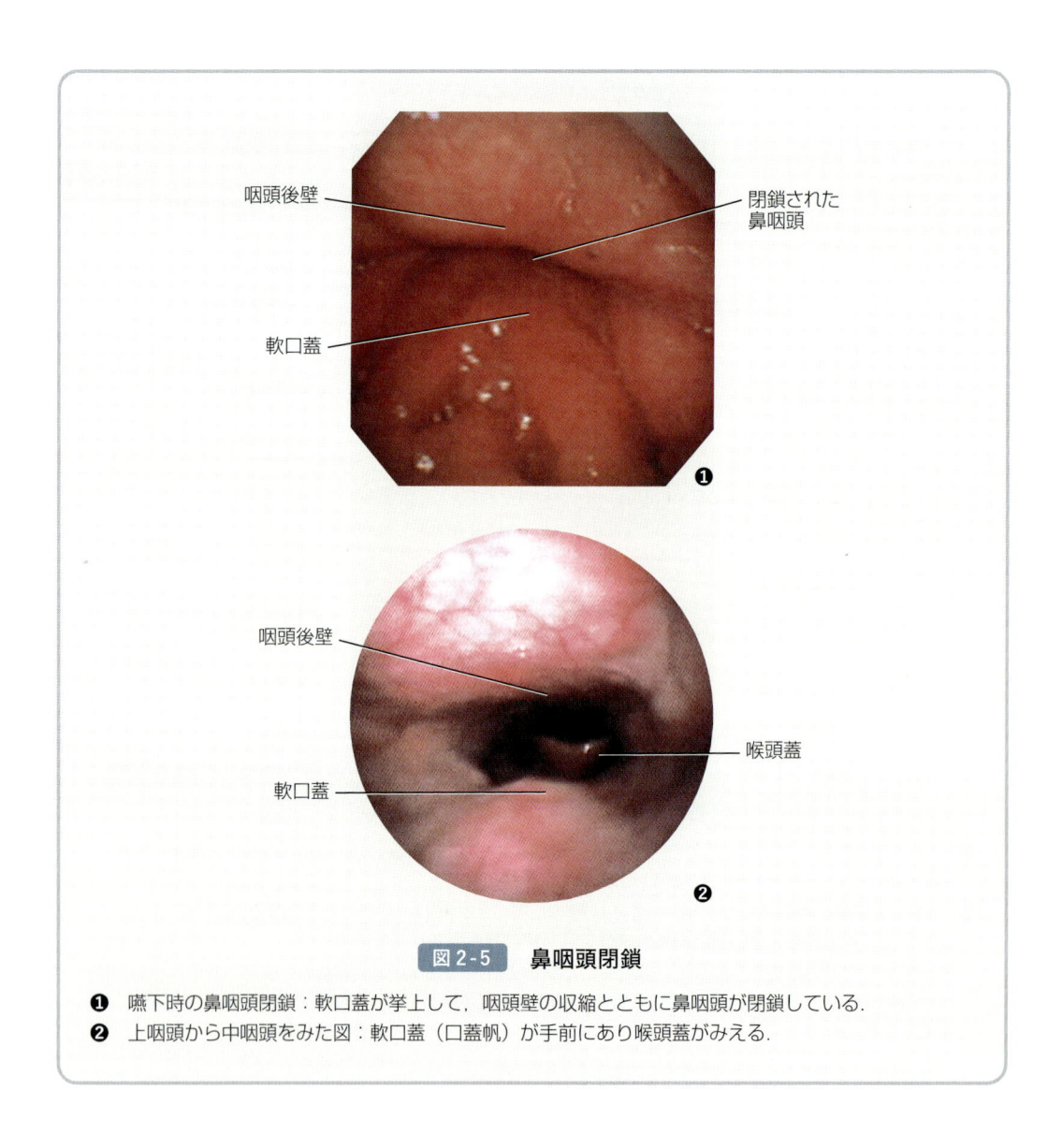

図2-5　鼻咽頭閉鎖

❶ 嚥下時の鼻咽頭閉鎖：軟口蓋が挙上して，咽頭壁の収縮とともに鼻咽頭が閉鎖している．
❷ 上咽頭から中咽頭をみた図：軟口蓋（口蓋帆）が手前にあり喉頭蓋がみえる．

気（ろうそくを吹き消すように息を吐く），嚥下時には 図2-5 ❶ のように軟口蓋が挙上する．球麻痺などでは左右差が著明となるが，健常者でもわずかな左右差がみられることがある．また，偽性球麻痺では，発声や口すぼめ呼気などの際に鼻咽頭閉鎖不全を示すが，嚥下では鼻咽頭閉鎖が良好となり嚥下時と発声時の乖離（Speech-Swallow Dissociation：SSD）をみとめることがある[2]（第6章 偽性球麻痺 6-12, 6-13 参照）．また，ファイバーが左右いずれかの鼻腔から入るために，左右差があるようにみえることもある．

2-2 健常者の発声，空嚥下時の鼻咽頭（VE）

軟口蓋や咽頭後壁の動き，鼻咽頭閉鎖機能をみる．

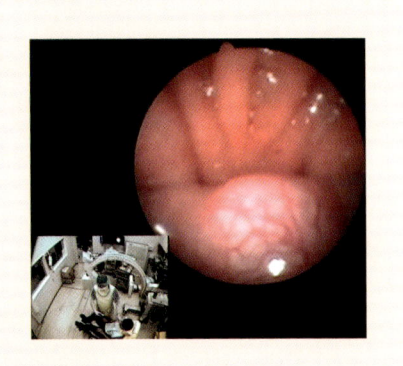

Column

VEと麻酔—外国人の鼻は大きい？

　VEを実施するときに鼻腔を麻酔するか[3]どうかが問題になるときがある．筆者らの施設では原則として鼻腔の局所麻酔は行わずにVEを実施している．以前，実施後に患者の感想を聞くと違和感や痛み，苦痛があるといった声があった．それでは麻酔をすればよいではないかと思い，VEを始めた当時は麻酔をしていた．ところが，じつは麻酔をすると2時間ほど鼻腔の違和感が残る．筆者自らの経験でも，その場だけ我慢するほうが結局は楽であるという結論に達し，現在は麻酔をしないでVEを実施するようになった．キシロカインスプレー®やキシロカインゼリー®で麻酔をするのは，①鼻腔が非常に狭いとき，②入り口に挿入した時点で過敏なとき，③痛みの訴えが強いときなどである．文献でも患者の快適さは麻酔と無麻酔で差がないことになっている．しかし，これは体格の大きい欧米人の結果とみるべきではないかと思われる．欧米人に比べて日本人は体格が華奢で鼻腔も狭いため，VE時の苦痛はより大きいと考えておいたほうがよい．日本人でも身体の大きな男性は鼻腔も広くファイバーの挿入が容易である．なお，鼻粘膜が浮腫状になっていたり極端に狭かったりするときはナシビン®など収斂剤（しゅうれんざい）を使用することもある．

③ 舌根部の動きと咽頭収縮

　母音の種類により舌根部の動きが異なる（▶2-3）．「イー（ないしエー）」のとき（図2-6❶）は，高舌音（口腔内で舌が高い位置にある）で舌根部は前方に移動するため喉頭と下咽頭の観察が容易である．しかし「アー」のとき（図2-6❷）は低舌音（口腔内で舌が下の位置にある）であり舌根部が後退する（咽頭部に出てくる）ため，中咽頭が狭くなり観察が困難となる．「イー」と「アー」を繰り返し発声してもらうと，舌根部の動きがよく観察できる．また，緊張した高い音程で「イー」の発声を行うと咽頭壁の収縮がよく観察できる（図2-7）．低い音から徐々に高い音へ音程を上げて発声してもらう方法もよい（▶2-4 後半）．

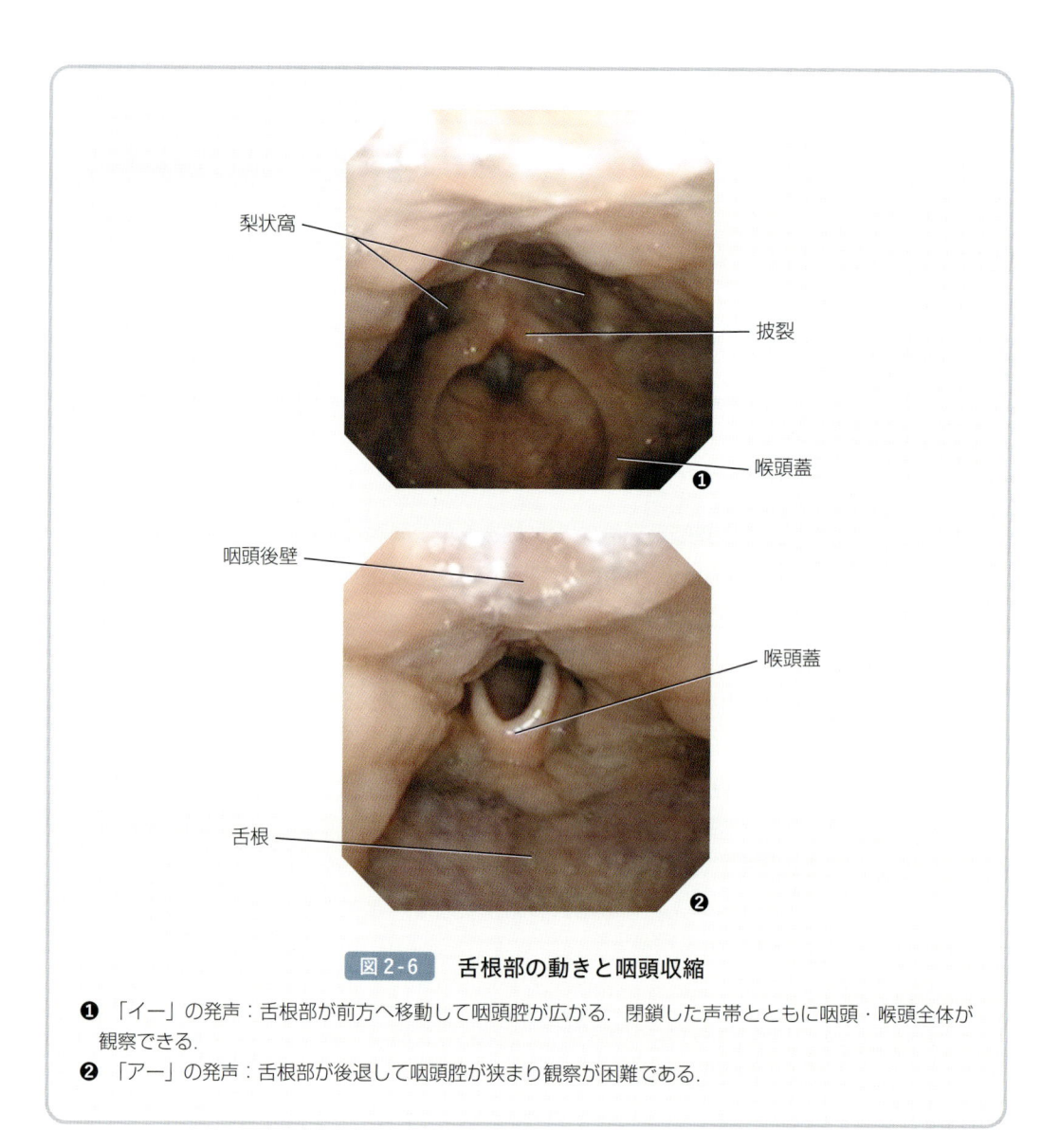

図2-6　舌根部の動きと咽頭収縮

❶ 「イー」の発声：舌根部が前方へ移動して咽頭腔が広がる．閉鎖した声帯とともに咽頭・喉頭全体が観察できる．
❷ 「アー」の発声：舌根部が後退して咽頭腔が狭まり観察が困難である．

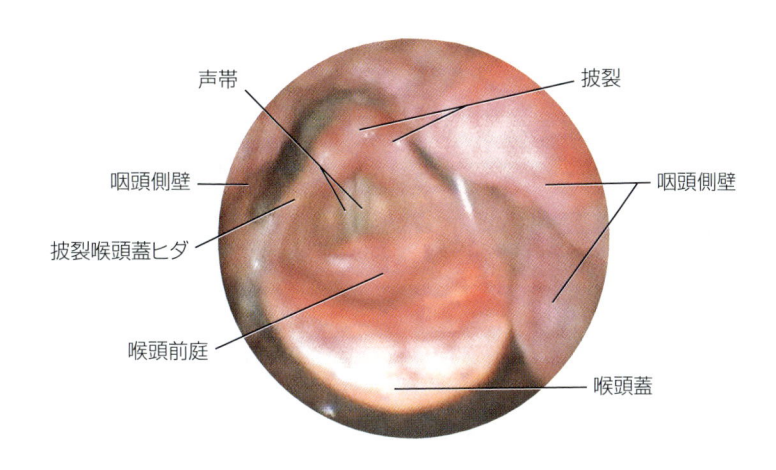

図 2-7 咽頭収縮の左右差

声帯／披裂／咽頭側壁／披裂喉頭蓋ヒダ／喉頭前庭／喉頭蓋

　緊張して高い音程で「イー」を発声しているところ.
　咽頭側壁が内方へ寄り収縮している様子がよく観察できる. ファイバーの位置にもよるが, 健常者でもこのように左右差がみられることがある.

▶ 2-3　各種母音の発声（VE）

　「イ」「エ」（高舌音）では中咽頭が広がる.「ア」「ウ」「オ」（低舌音）では中咽頭が狭くなる.

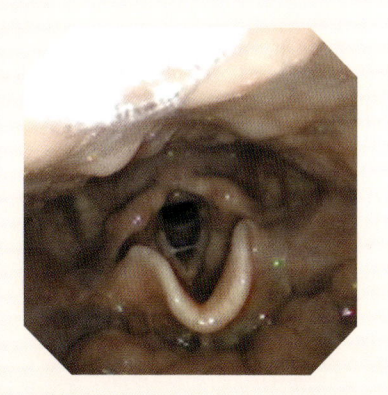

▶ 2-4　健常者の発声・呼吸（VE）

　「イー」の発声で中咽頭が広がり, 披裂が内転し声門も閉じる. 披裂と声門は吸気で開大し, 呼気で狭まる. 低音～高音の「イー」で咽頭側壁の動きがよくわかる.

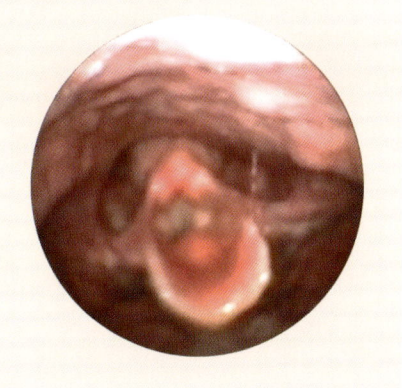

第 2 章　解剖, 嚥下のメカニズム

④ 呼吸時の所見

披裂軟骨，声帯は呼吸によりゆっくりした動きがみられる．吸気では披裂が外転するとともに声門も開大する（図2-8 ❶）．呼気時には声門は 図2-8 ❷ のように半分閉鎖している（ ▶ 2-4 中盤）．

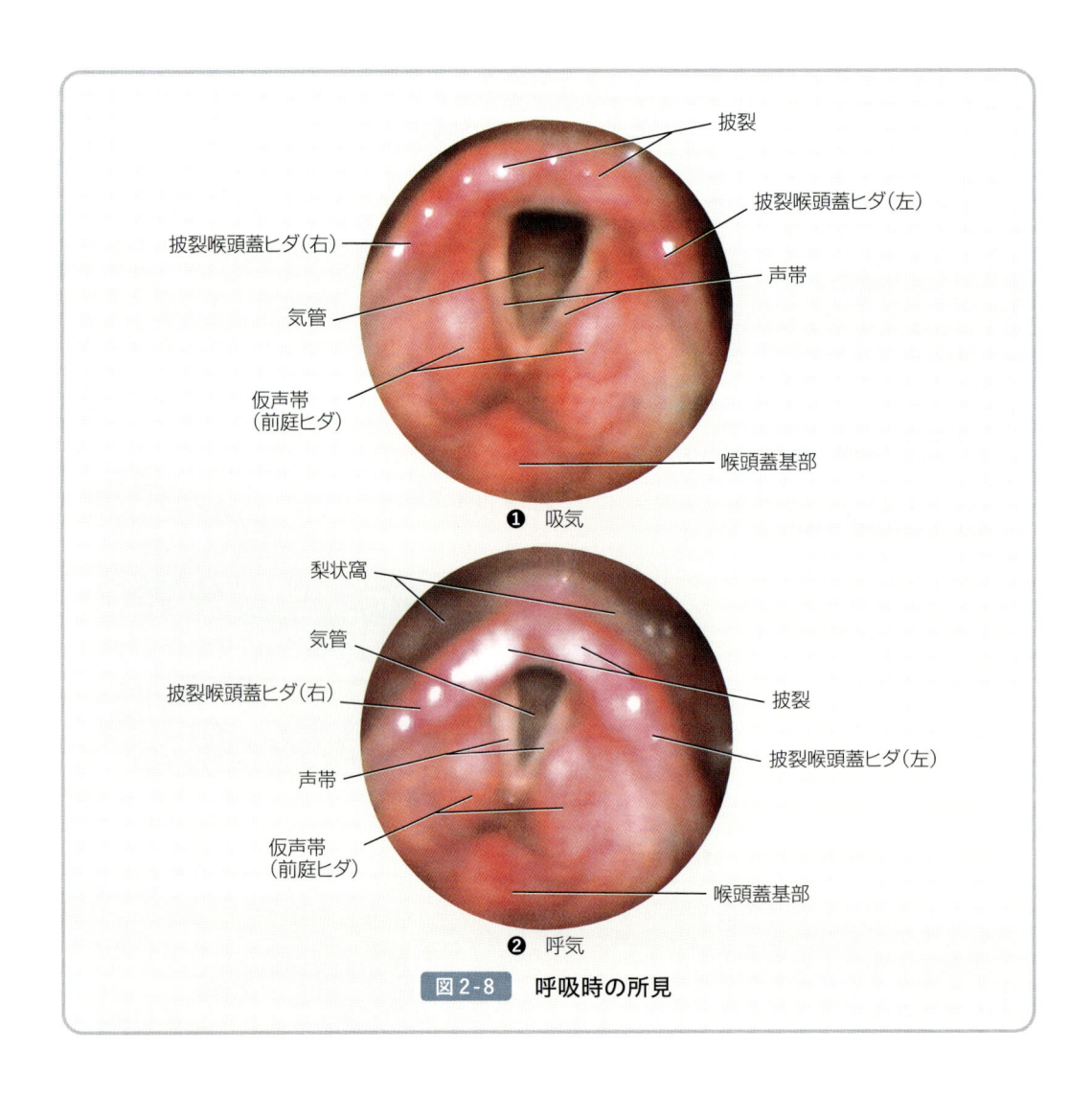

❶ 吸気
- 披裂
- 披裂喉頭蓋ヒダ（左）
- 披裂喉頭蓋ヒダ（右）
- 声帯
- 気管
- 仮声帯（前庭ヒダ）
- 喉頭蓋基部

❷ 呼気
- 梨状窩
- 気管
- 披裂喉頭蓋ヒダ（右）
- 披裂
- 披裂喉頭蓋ヒダ（左）
- 声帯
- 仮声帯（前庭ヒダ）
- 喉頭蓋基部

図2-8　呼吸時の所見

⑤ 嚥下時の所見

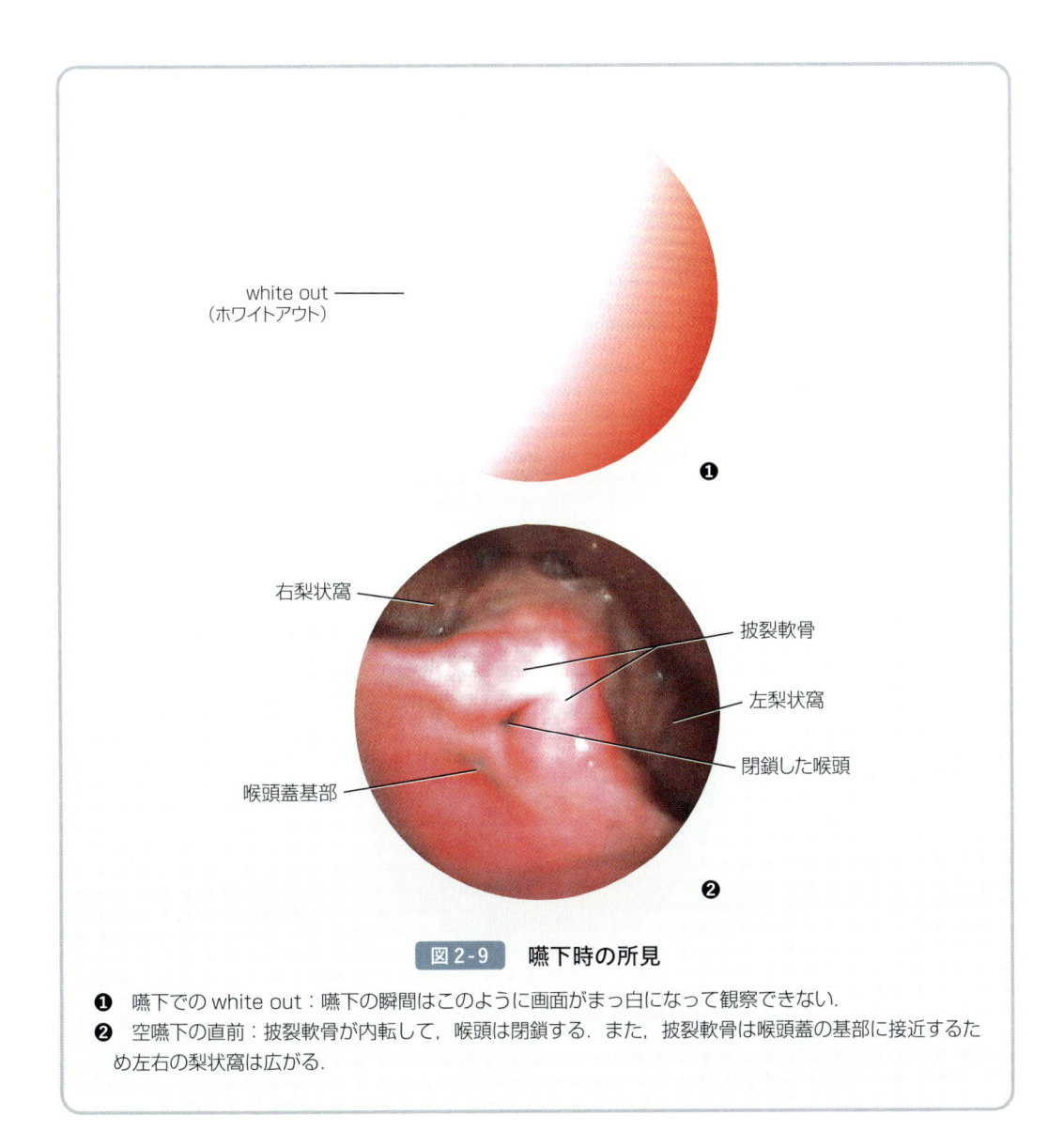

　嚥下反射においては咽頭が収縮して閉鎖するため，VEでは嚥下の瞬間をみることができない．嚥下の瞬間に視野が消えることをwhite out（ホワイトアウト）とよんでいる（図2-9 ❶，▶2-5）．嚥下直前（図2-9 ❷）には披裂軟骨が内転して喉頭蓋基部に接近し，喉頭が閉鎖している．▶2-1ではVFとVEを同期しており，両者の違いがよくわかる．

図2-9　嚥下時の所見

❶ 嚥下でのwhite out：嚥下の瞬間はこのように画面がまっ白になって観察できない．
❷ 空嚥下の直前：披裂軟骨が内転して，喉頭は閉鎖する．また，披裂軟骨は喉頭蓋の基部に接近するため左右の梨状窩は広がる．

第2章　解剖，嚥下のメカニズム

嚥下の直後は，反転した喉頭蓋が元の位置に戻るのが観察されることがある（ 図2-10❶ ）．
 2-6 ， 2-7 では一気に飲んだ水が健常者の喉頭に一瞬侵入する場面をとらえている．
　食品（固形物）を咀嚼して嚥下する場合，嚥下前に喉頭蓋谷に食塊が集積されることが知られている（stage Ⅱ transport）[4]． 2-8 をみると，よくわかる．VEでもこの様子がよく観察できる（ 図2-10❷ ， 2-1 ）．

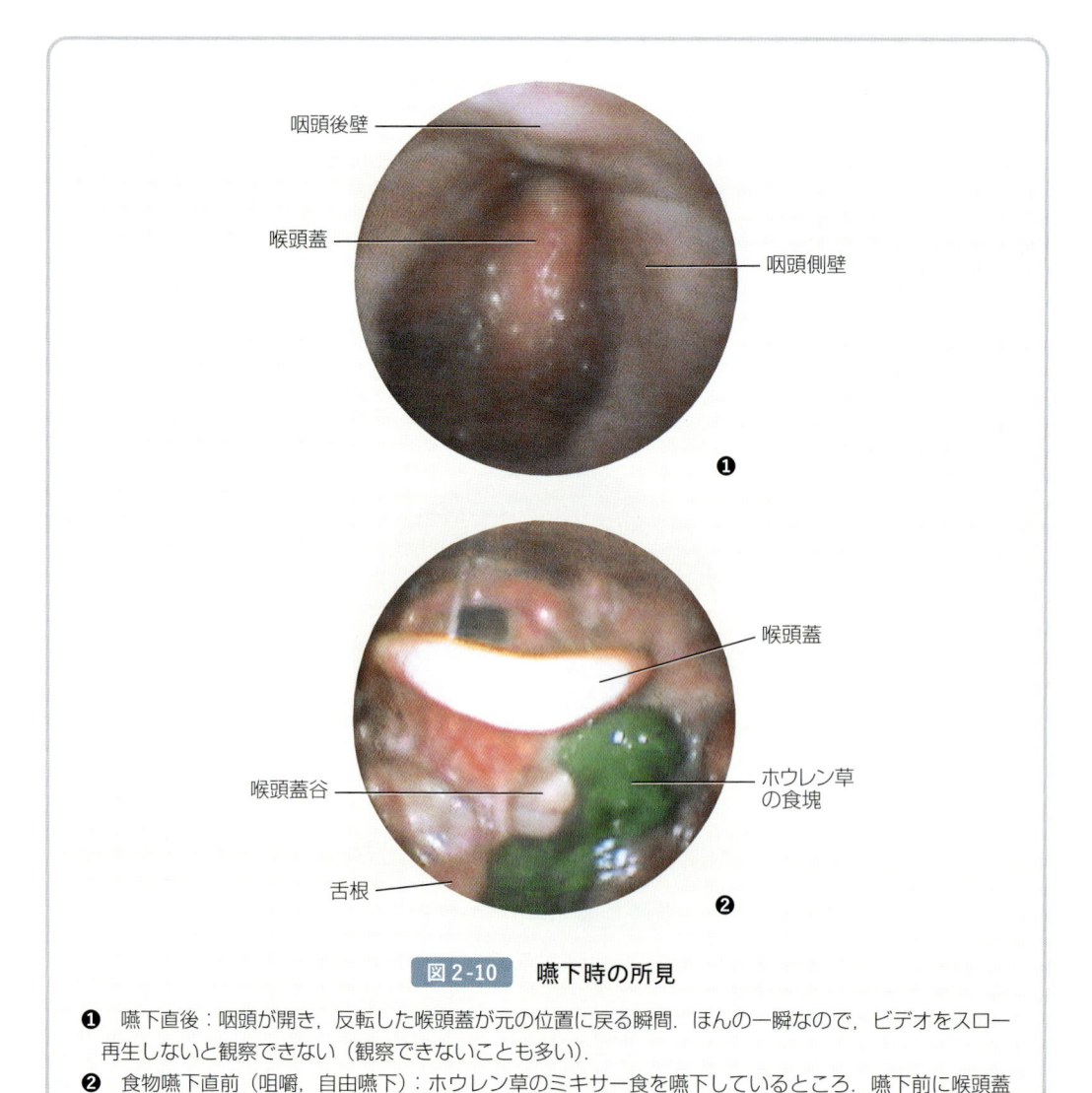

図2-10　嚥下時の所見

❶　嚥下直後：咽頭が開き，反転した喉頭蓋が元の位置に戻る瞬間．ほんの一瞬なので，ビデオをスロー再生しないと観察できない（観察できないことも多い）．
❷　食物嚥下直前（咀嚼，自由嚥下）：ホウレン草のミキサー食を嚥下しているところ．嚥下前に喉頭蓋谷に食塊が集積される．このように送り込みに左右差があることも多い．

▶ 2-5　健常者の空嚥下（VE）

　嚥下の瞬間に画面が真っ白になる white out（ホワイトアウト）が確認できる．

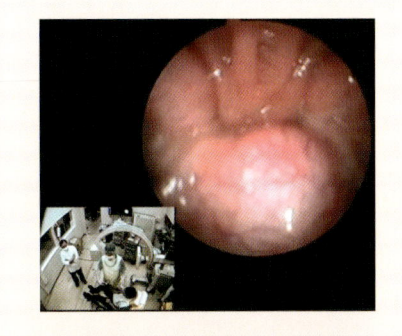

▶ 2-6　健常者の水嚥下（VF）

　PAS2 の喉頭侵入あり．健常者でも PAS2 レベルの喉頭侵入をみとめることはある．

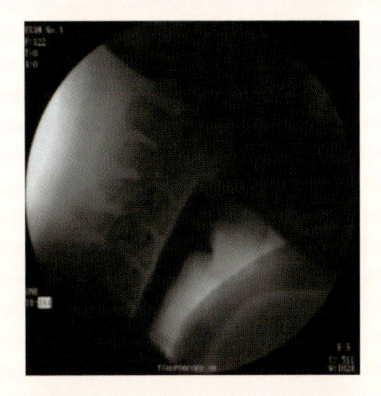

▶ 2-7　健常者の水嚥下・スロー再生（VF）

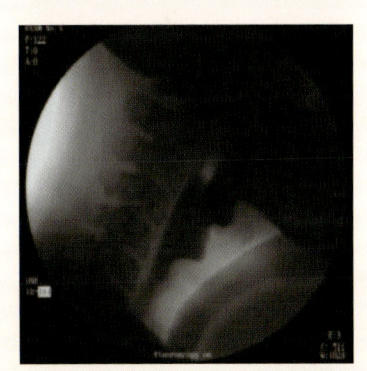

▶ 2-8　窒息しかかった症例の豪快な飲み方（VF）

　喉頭蓋谷で食塊を集積するという説明が十分納得できるが，本症例ではこのように豪快に飲むことが窒息の原因になったと考えられた．一般高齢者は餅でよく窒息事故を起こすが，大口で食べる人の多くがこのような飲み込み方をしているのではないかと思われる．

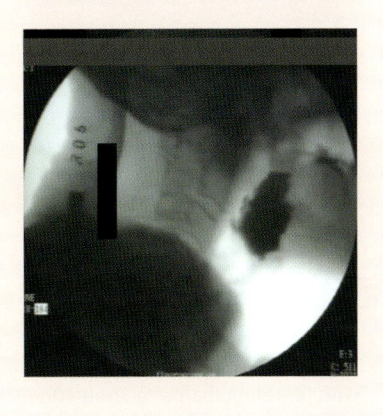

第 2 章　解剖，嚥下のメカニズム

文献

1) 藤島一郎：嚥下障害の評価―内視鏡を中心に．第1回　内視鏡による基本所見．臨床リハ, 12(1)：4-7, 2003.
2) Miyagawa S, Yaguchi H, Kunieda K, et al: Speech-swallow dissociation of velopharyngeal incompetence with pseudobulbarpalsy: evaluation by high-resolution manometry. Dysphagia, 39(6): 1090-1099, 2024.
3) Langmore SE(編著), 藤島一郎(監訳)：嚥下障害の内視鏡検査と治療．pp 75-76, 医歯薬出版, 2002 (Langmore ES: Endoscopic Evaluation and Treatment of Swallowing Disorders, Thieme, 2001).
4) Palmer JB: Integration of oral and pharyngeal bolus propulsion: A new model for the physiology of swallowing. 日摂食嚥下リハ会誌, 1: 15-30, 1997.

第3章
誤嚥・侵入[1-3]

　従来，誤嚥の評価にはVFがゴールドスタンダード（gold standard）とされてきたが，VEでもVFに匹敵する感度で誤嚥の検出が可能という報告がなされている[4,5]．両者にはそれぞれ特徴があり，ここでは誤嚥と喉頭侵入（侵入）についてVFと比較しながらVEの利点・欠点などを解説する．VEでは，誤嚥するところをとらえられる場合もあるが，誤嚥物を喉頭や気管内に発見したり咳などで喀出されたりするところを観察して誤嚥を推定するという方法を知っておくことが大切である．表3-1に誤嚥と侵入に関するVEとVFの比較を示した．

表3-1　誤嚥と侵入に関するVEとVFの比較

	VE	VF
唾液・分泌物の誤嚥・侵入	◎	×*
少量の誤嚥・侵入	○	△
誤嚥物のみえる範囲		
気管上部までの誤嚥	○	◎
気管下部から気管支への誤嚥	×**	◎
誤嚥のタイミング		
嚥下前	○	◎
嚥下中	△	◎
嚥下後	◎	○

* 唾液に造影剤が混ざったときは推定可能なことがある
**喉頭や気管内の痕跡，嚥下の咳による喀出などを観察して推定可能な場合もある

① 唾液・分泌物の誤嚥・侵入

唾液・分泌物の誤嚥・侵入の評価は，VEが最も得意とするもののひとつである．図3-1 ❶, ❷ は披裂間切痕から唾液が流入している場面である．静止画では動きがわかりにくいが，▶3-1 をみるとより鮮明に評価できる．図3-1 ❸ では喉頭への唾液流入がはっきりしないが，図3-1 ❹, ▶3-2 のようにVFの後に造影剤（40％硫酸バリウム）が残った状態でみるとはっきりする．▶3-2 で示した程度の少量では，VFでは検出することができない．バリウム以外にメチレンブルーなどの色素を用いるのもよい方法である．濃い色素の食品の摂食後にも評価が容易となる．

図3-2 は，泡沫状の唾液が喉頭と気管内に充満しているところをとらえた画像である．このような病態はVFではとらえられず，VEを用いて初めて観察できる．臨床的には唾液が嚥下できず，喀出や吸引が必要な状態である．

▶3-1　唾液誤嚥（VE）

咽頭に貯留した唾液を含む分泌物が呼吸とともに誤嚥されている場面．

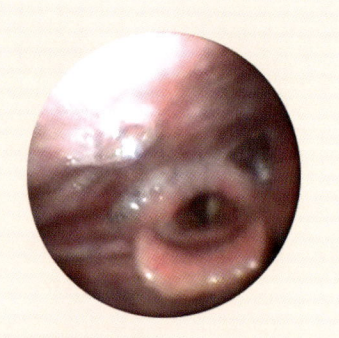

▶3-2　VFで誤嚥（−）としたが，VEで誤嚥が証明された例

少量の誤嚥（特に白いバリウム）はVEのほうが検出が高いことがある．

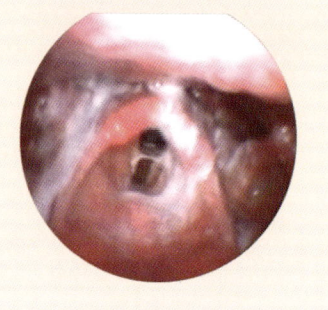

第3章 誤嚥・侵入

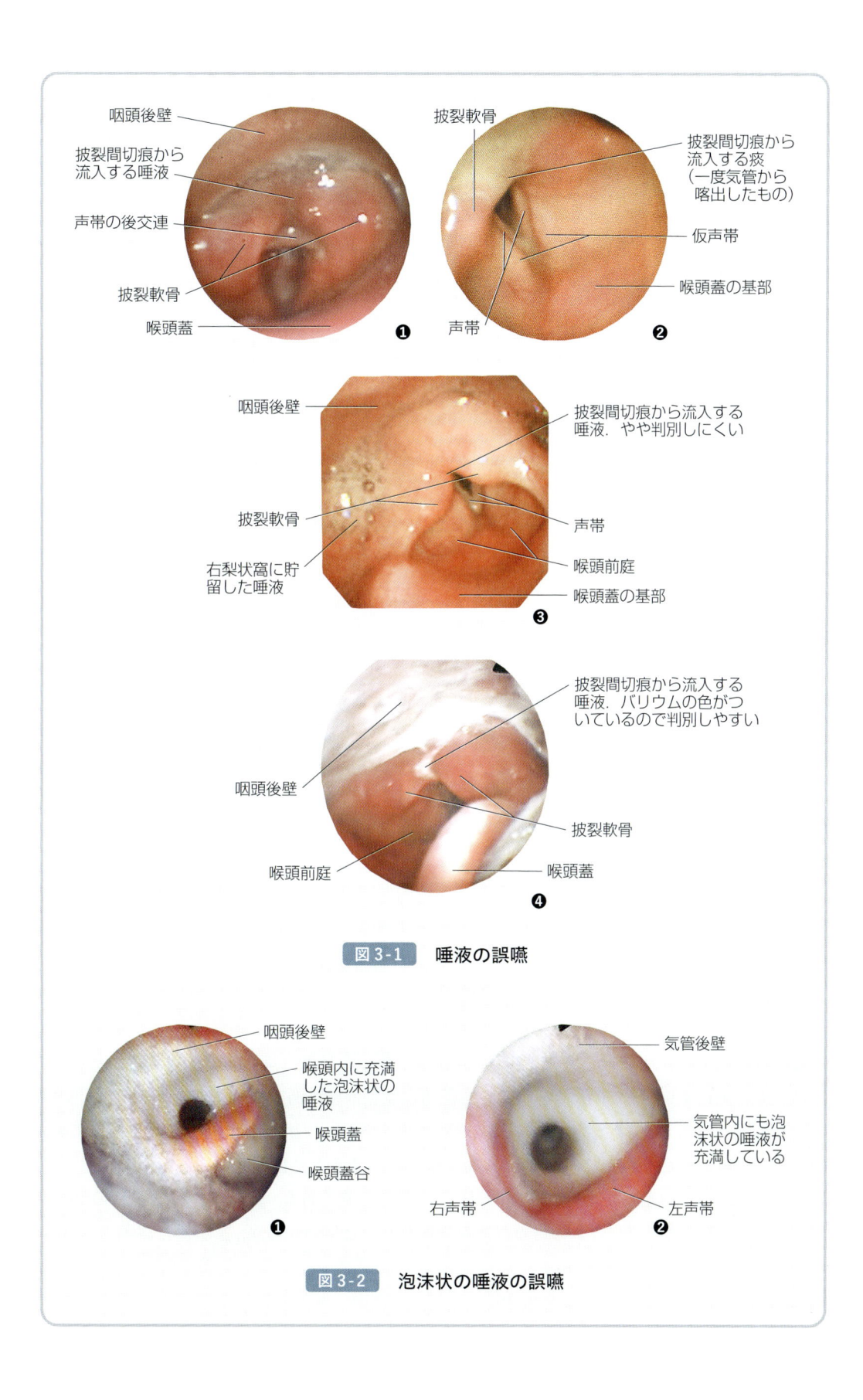

図3-1 唾液の誤嚥

❶
- 咽頭後壁
- 披裂間切痕から流入する唾液
- 声帯の後交連
- 披裂軟骨
- 喉頭蓋

❷
- 披裂軟骨
- 披裂間切痕から流入する痰（一度気管から喀出したもの）
- 仮声帯
- 喉頭蓋の基部
- 声帯

❸
- 咽頭後壁
- 披裂間切痕から流入する唾液．やや判別しにくい
- 披裂軟骨
- 声帯
- 右梨状窩に貯留した唾液
- 喉頭前庭
- 喉頭蓋の基部

❹
- 披裂間切痕から流入する唾液．バリウムの色がついているので判別しやすい
- 咽頭後壁
- 披裂軟骨
- 喉頭前庭
- 喉頭蓋

図3-2 泡沫状の唾液の誤嚥

❶
- 咽頭後壁
- 喉頭内に充満した泡沫状の唾液
- 喉頭蓋
- 喉頭蓋谷

❷
- 気管後壁
- 気管内にも泡沫状の唾液が充満している
- 右声帯
- 左声帯

② ごく少量の誤嚥・侵入

　ごく少量の誤嚥・侵入についてもVEの検出力は優れている．健常者では誤嚥と侵入はみられないため※，ごく少量でも誤嚥ないし侵入（PAS3）があるということは異常と判定できる．図3-3 や 3-2 で示した程度の少量では，VFでは検出できない．

※PAS2ではみられるが，PAS3は異常と判断する．

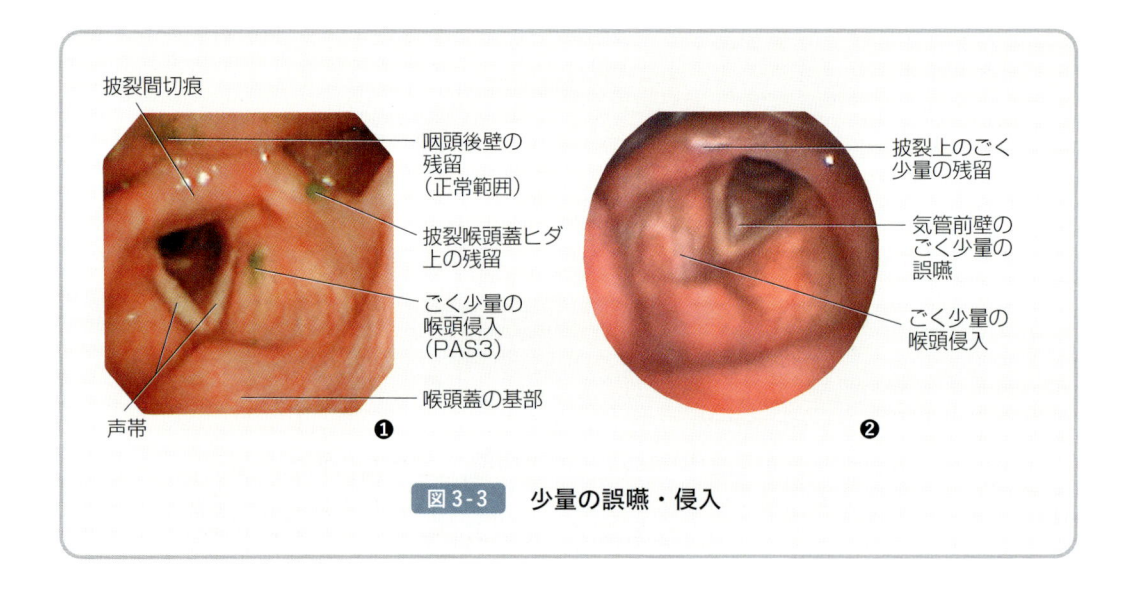

図3-3 少量の誤嚥・侵入

③ 誤嚥物のみえる範囲，誤嚥量，深さ

　ファイバーの先端を慎重に喉頭内に入れて気管内を観察することにより，誤嚥はより正確に確認できる．しかし，非協力的な患者や感覚が鋭敏な患者では十分に接近できないこともある．逆に，感覚が低下したり脱失したりしている場合は，図3-2❷ のように声門を越え気管内に入って観察することができる．また，図3-4 に示したようにVEは気管の前壁の観察が容易である反面，後壁（特に声門の後交連直下）はみえにくい．
　図3-5❶, ❷ はVFでとらえた誤嚥物であるが，図3-5❶ は声門の後交連直下にありVEでは大変みえにくい．また，図3-5❷ の誤嚥物は気管前壁にあり観察可能であるが，すぐに図3-5❸ のように気管下部に落ちてしまう．VEで嚥下後に誤嚥物が確認されたとしても，誤嚥量と誤嚥の深さ（どこまで入ったか）を正確に判定することは困難である．図3-6 のように気管支内まで誤嚥した場合は通常のVEでは評価不能である．図3-7 は同患者のVE所見である．気管前壁にバリウムの付着があり誤嚥したことはわかるが，誤嚥量と誤嚥の深さはわからない．
　なお，誤嚥と侵入に関しては，Rosenbekらによる誤嚥・侵入スケール（第5章参照）がよく整理されている[6]．

図 3-4 VEで観察しやすい範囲

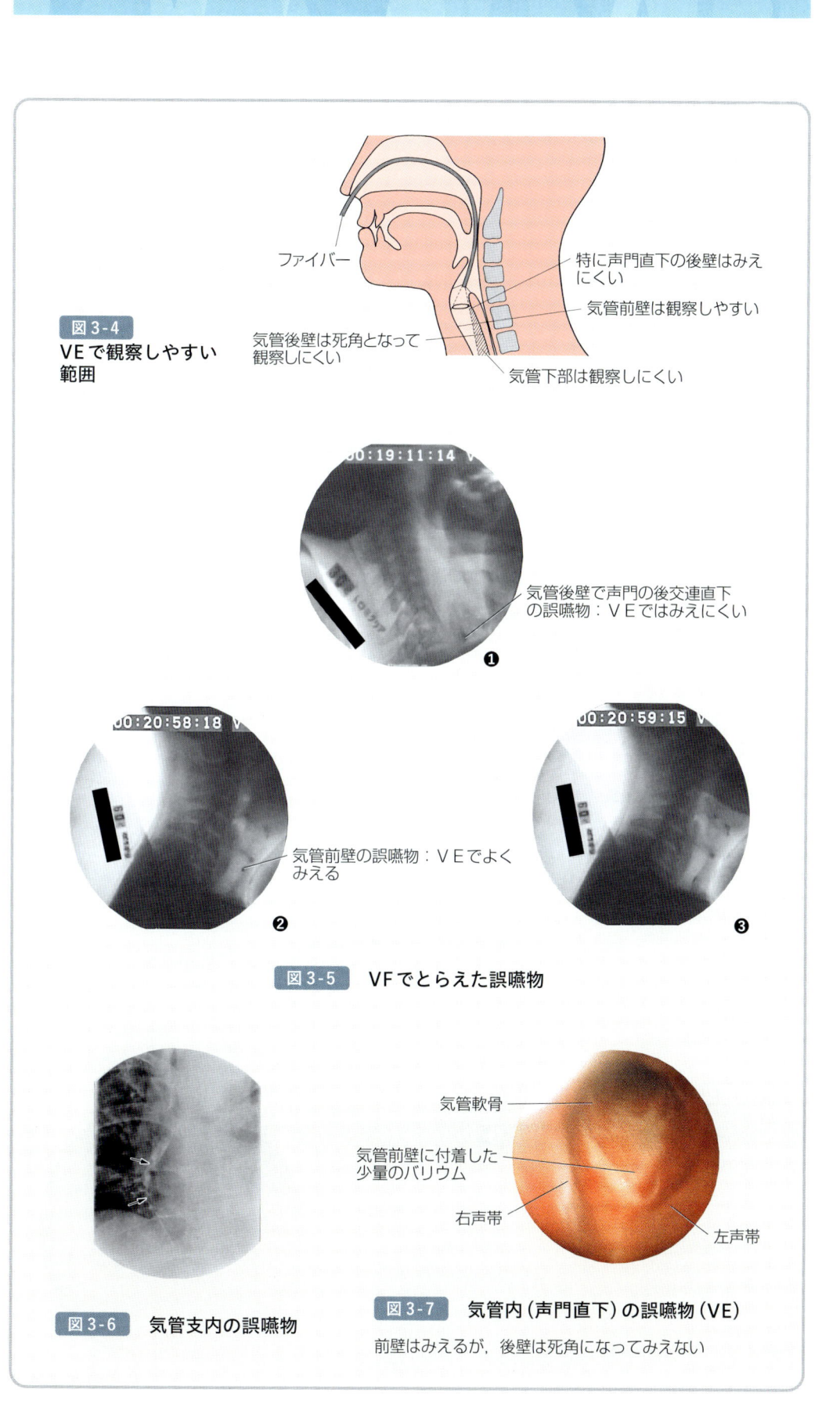

- ファイバー
- 特に声門直下の後壁はみえにくい
- 気管前壁は観察しやすい
- 気管後壁は死角となって観察しにくい
- 気管下部は観察しにくい

❶ 気管後壁で声門の後交連直下の誤嚥物：VEではみえにくい

❷ 気管前壁の誤嚥物：VEでよくみえる

❸

図 3-5 VFでとらえた誤嚥物

図 3-6 気管支内の誤嚥物

図 3-7 気管内（声門直下）の誤嚥物（VE）
前壁はみえるが，後壁は死角になってみえない

- 気管軟骨
- 気管前壁に付着した少量のバリウム
- 右声帯
- 左声帯

④ 誤嚥のタイミング

　誤嚥には①嚥下前の誤嚥，②嚥下中の誤嚥，③嚥下後の誤嚥があり，どのタイミングで誤嚥されるかにより分類される[6]．VEで最もよく観察できるのは，嚥下前と嚥下後の誤嚥である．VFと異なり被曝の問題がないので，比較的長時間観察できるためである．しかし，長時間といっても患者の負担や苦痛を考慮すればできるだけ短時間に検査は終わらせたいし，認知症患者などの場合では協力が得られず，長時間の観察は困難なこともある．また，ファイバーの違和感で嚥下のパフォーマンスが悪くなり誤嚥が起こりやすくなるという点があることも忘れてはならない．図3-8 ❶ は梨状窩に貯留したバリウムが呼吸（吸気）とともに誤嚥される場面である．図3-8 ❷，▶3-3 は患者に発声してもらい，誤嚥物が吹き出るところをとらえたものである．

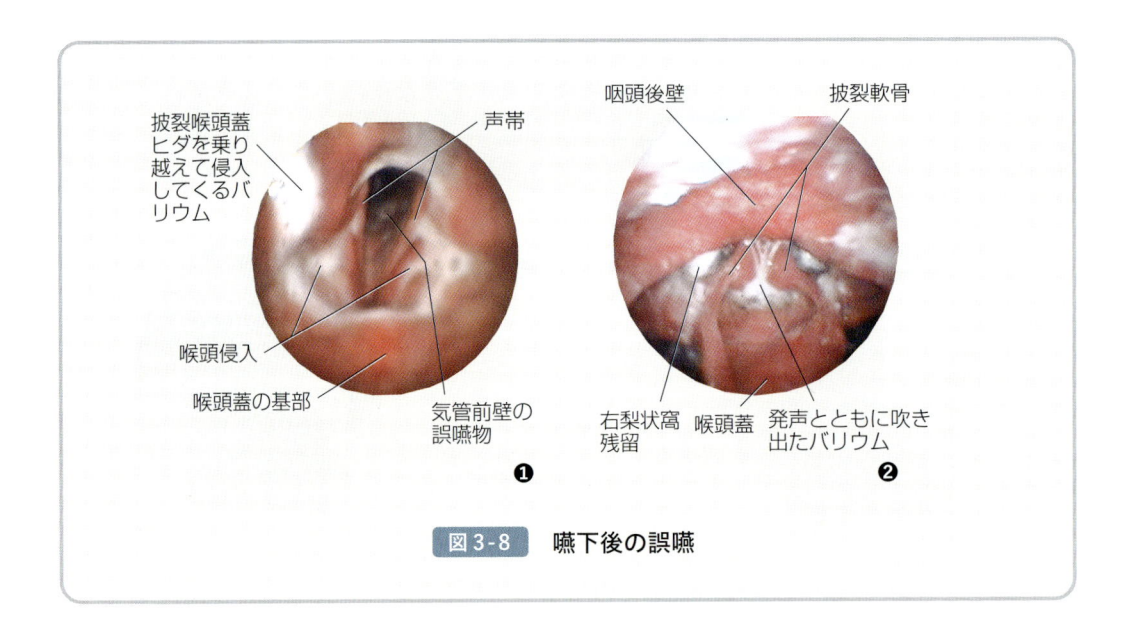

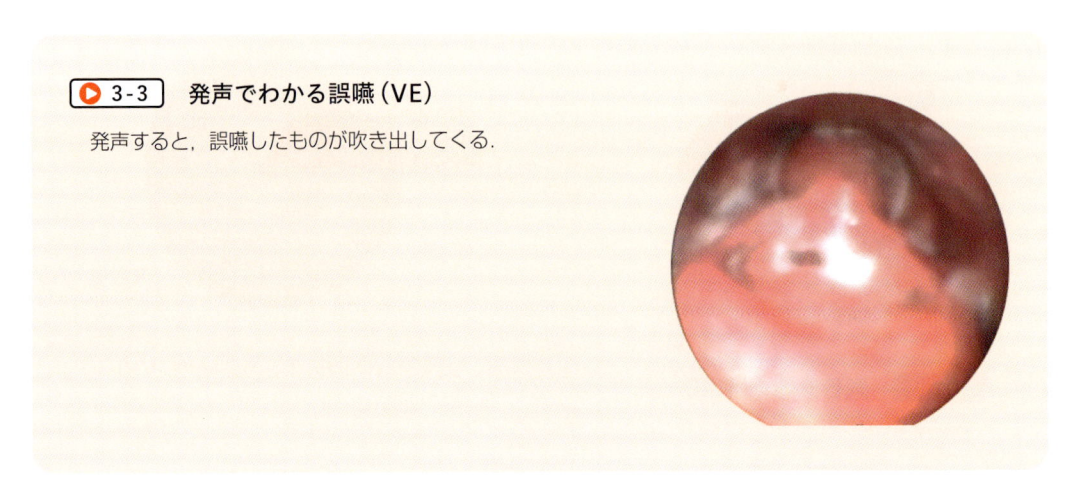

図3-8 嚥下後の誤嚥

❶ 披裂喉頭蓋ヒダを乗り越えて侵入してくるバリウム／声帯／喉頭侵入／喉頭蓋の基部／気管前壁の誤嚥物

❷ 咽頭後壁／披裂軟骨／右梨状窩残留／喉頭蓋／発声とともに吹き出たバリウム

▶3-3 発声でわかる誤嚥（VE）

　発声すると，誤嚥したものが吹き出してくる．

嚥下前の誤嚥は，理屈ではVEで十分観察できるはずであるが，喉頭蓋の傾きや咽頭の形状，体位，咀嚼運動に伴う舌根部の運動などによって十分な視野が確保できず，観察しにくいことも多い．また，silent aspirationであれば判定は容易であるが，入りかかってすぐにむせる場合はむせに伴う咽喉頭の動きのために視野が確保できず，最終的に誤嚥されたか否かがはっきり判別できないことがある．図3-9，▶3-4はプリンが嚥下前に誤嚥される場面をとらえたものである．VFで嚥下前の誤嚥をみたのが▶3-5，▶3-6である．

　▶3-7はVFでみた嚥下後の誤嚥である．また，咽頭残留があり次々と摂食してもらう場合には，前の残留と後からきた食塊が一緒になるため，嚥下前の誤嚥なのか嚥下後の誤嚥なのかが判定できないこともある．そのようなときは，嚥下と嚥下の間の誤嚥（嚥下間の誤嚥）と考える．▶3-8，▶3-9をみると，この表現が納得できるのではないだろうか．

　図3-10，▶3-10は，VFでみた嚥下中の誤嚥である．VEではwhite outになるため嚥下中の誤嚥はみることができない．しかし，▶3-11のように嚥下前と嚥下後の気管の様子を注意深くみることによって，VEでも嚥下中の誤嚥の発生を推測することができる．

　▶3-2はVFでは誤嚥がないと思われた症例であったが，VF後のVEで誤嚥が検出された．

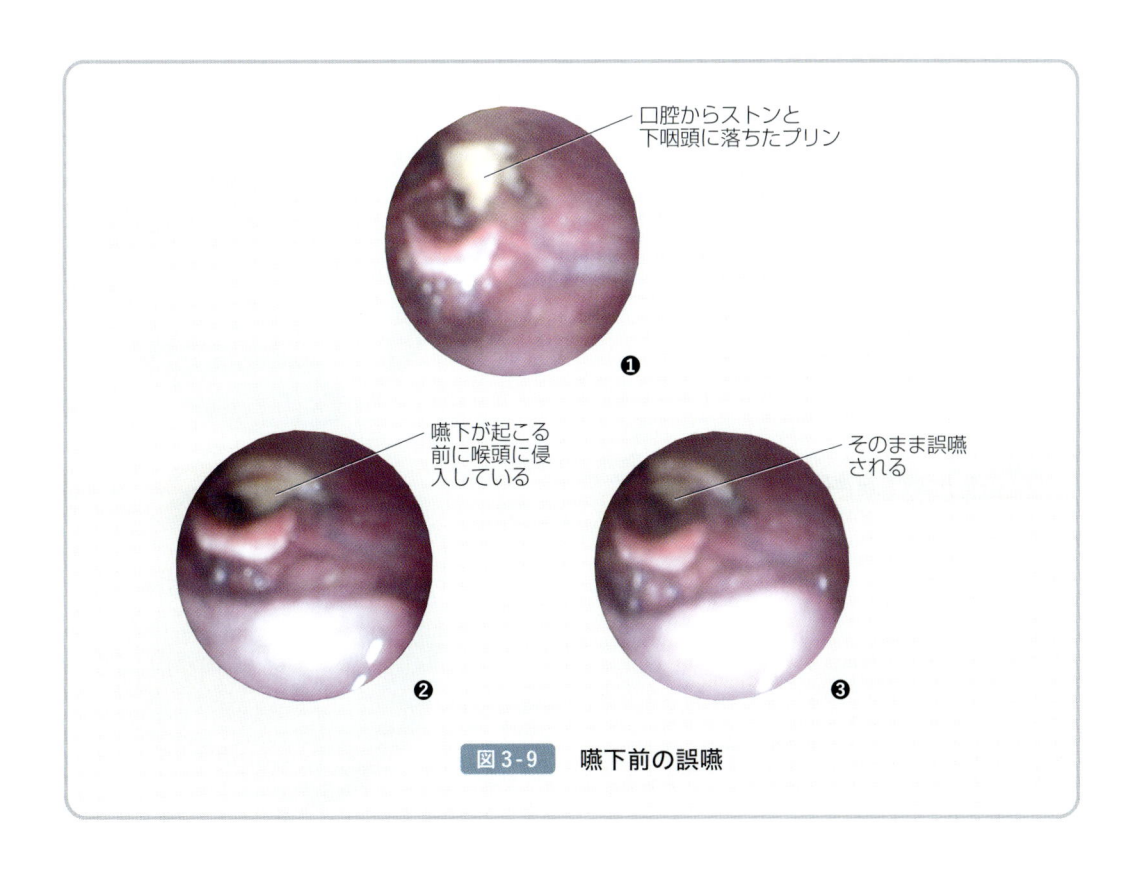

図3-9　嚥下前の誤嚥

❶ 口腔からストンと下咽頭に落ちたプリン
❷ 嚥下が起こる前に喉頭に侵入している
❸ そのまま誤嚥される

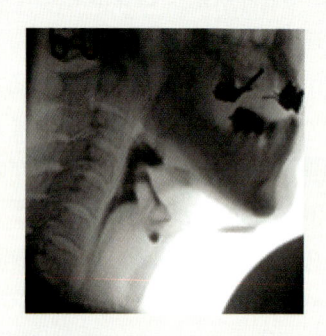

図 3-10　嚥下中の誤嚥(VF)

▶ 3-4　嚥下前誤嚥(VE)

誤嚥された後は何も残らず,誤嚥された痕跡もない.

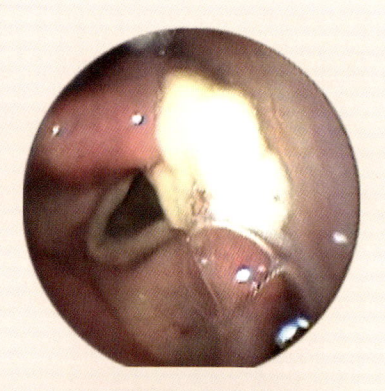

▶ 3-5　嚥下前誤嚥(VF)

ゼラチンゼリー山型食塊が喉頭蓋の裏側と披裂間切痕から誤嚥される場面.

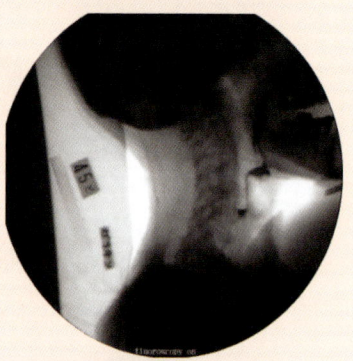

▶ 3-6　嚥下前誤嚥(VF)

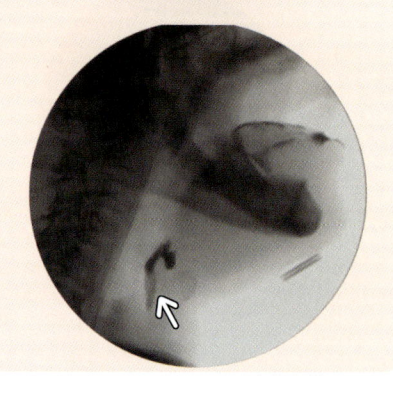

▶ 3-7　嚥下後誤嚥（VF）

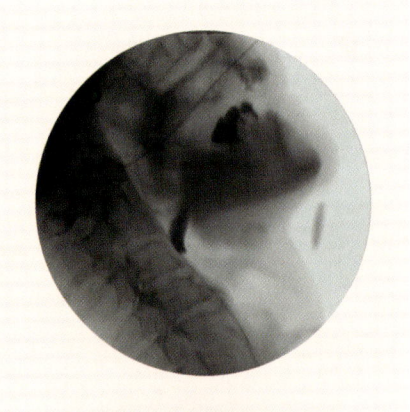

▶ 3-8　嚥下後・嚥下間の誤嚥（VE）
　咽頭残留したものが誤嚥される場面．嚥下後の誤嚥とも，嚥下間の誤嚥とも考えられる．

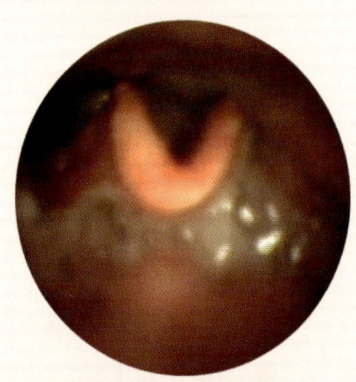

▶ 3-9　嚥下後・嚥下間の誤嚥（VF）
　VFでみた嚥下後の誤嚥．次の嚥下のために口に食塊を入れる前に誤嚥が起こる．嚥下間の誤嚥ともいえることがよくわかる．

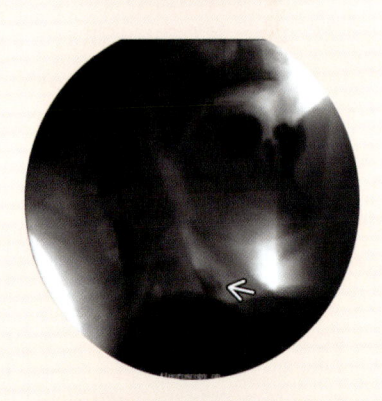

▶ 3-10　嚥下中誤嚥（VF）

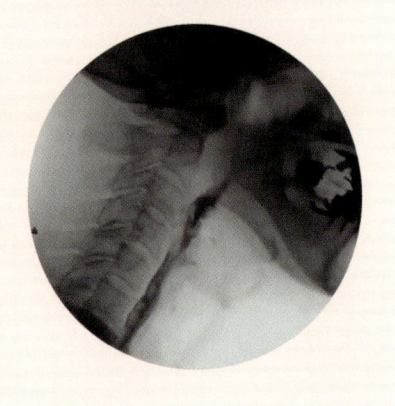

▶ 3-11　嚥下中誤嚥（VE）

嚥下前に気管内が一瞬みえるが，そのときはきれいだった気管（前壁）が，嚥下後にバリウムで白くなることから，嚥下中（White out 中）の誤嚥があったことがわかる．

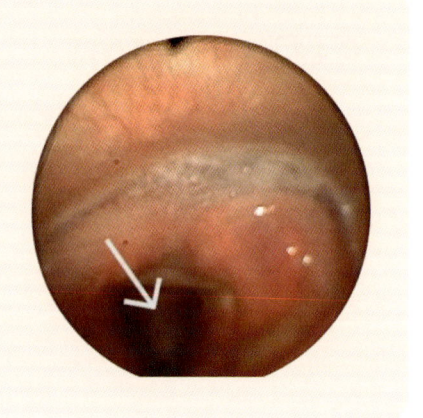

⑤ 誤嚥物の喀出

　誤嚥が確認されたときは，咳やハフィングで誤嚥物を喀出する必要がある．VFやVE中に咳やハフィングをしてもらう方法は，嚥下中の誤嚥があったかどうかを確認する手段としても有用である．　図3-11　は気管後壁に粥が誤嚥されているところ（❶）であるが，ハフィングで喀出された（❷）．▶ 3-12　では誤嚥物の喀出の様子をVE・VFの両方でとらえている．

　反射的ないし随意的に咳嗽やハフィングができない患者の場合に，筆者らはCiTA[8]（第1章Column①参照）を用いて咳を誘発し，喀出可能かどうかを検討して検査や訓練に活かしている（▶ 3-13）．外来患者では，より利便性を考慮して酢酸を使用している．

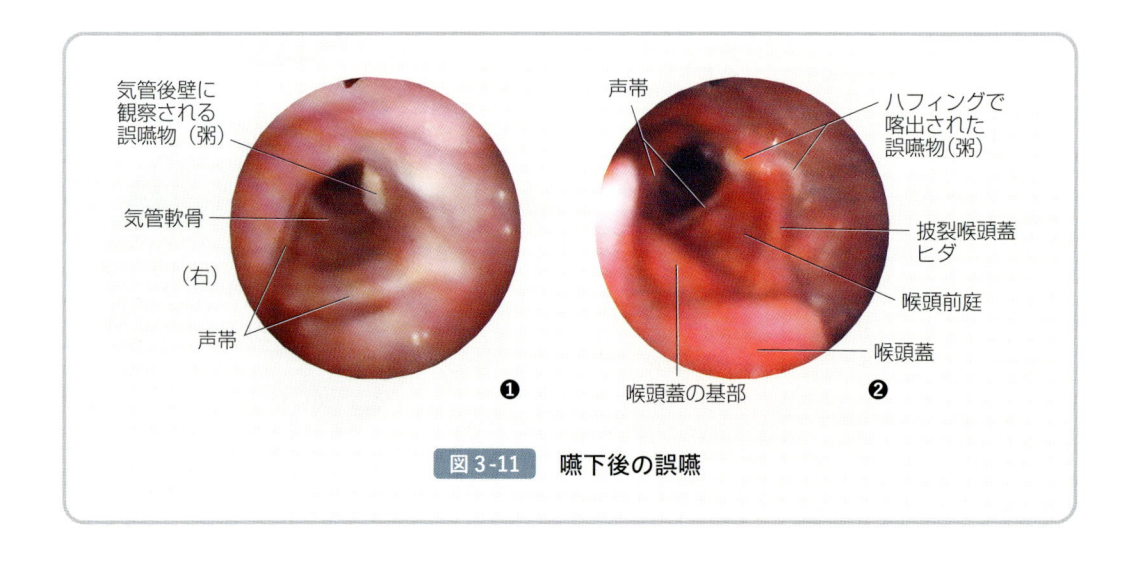

❶ 気管後壁に観察される誤嚥物（粥）／気管軟骨／（右）／声帯

❷ 声帯／ハフィングで喀出された誤嚥物（粥）／披裂喉頭蓋ヒダ／喉頭前庭／喉頭蓋／喉頭蓋の基部

図3-11　嚥下後の誤嚥

第3章 誤嚥・侵入

▶ 3-12　咳による誤嚥物の喀出（VE と VF）

　気管に少量の食塊があるが，随意的な咳で喀出．このような患者には，食事中に時々咳をするよう指導する．

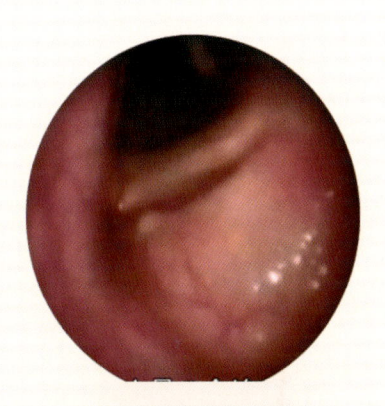

　誤嚥が認められるが，随意的な咳で喀出．一口ごとの軽い咳と時々のハフィングをするよう指導した．

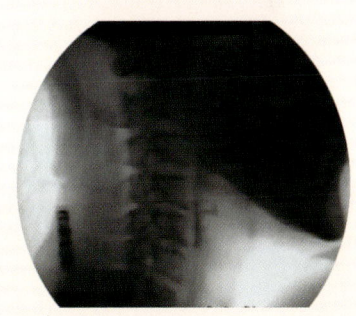

▶ 3-13　CiTA による誤嚥物の喀出（VE）

　CiTA のネブライザー吸入を用いて咳を誘発することにより，誤嚥物が喀出される．

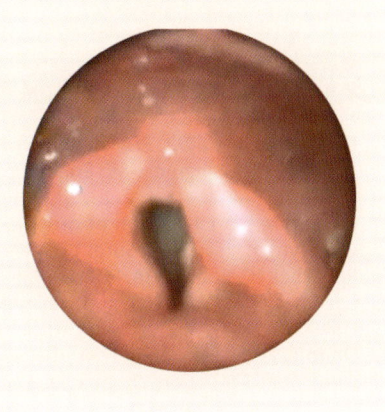

> 文献

1) 藤島一郎（監修）：嚥下障害ビデオシリーズ ①嚥下の内視鏡検査. 医歯薬出版, 1998.
2) 藤島一郎（監修）：嚥下障害ビデオシリーズ ⑦嚥下造影と摂食訓練. 医歯薬出版, 2001.
3) 藤島一郎, 薛 克良, 高橋博達・他：嚥下障害の評価—内視鏡を中心に. 第5回 誤嚥・喉頭侵入の評価. 臨床リハ, 12(5)：384-387, 2003.
4) Langmore SE（編著）, 藤島一郎（監訳）：嚥下障害の内視鏡検査と治療. pp 113-115, 138-139, 144-145, 医歯薬出版, 2002 (Langmore SE: Endoscopic Evaluation and Treatment of Swallowing Disorders, Thieme, NY, 2001).
5) Langmore SE: Evaluation of oropharyngeal dysphagia: which diagnostic tool is superior? Curr Opin Otolaryngol Head Neck Surg, 11: 485-489, 2003.
6) Rosenbek JC, Robbins JA, Roeck EB, et al: A penetration-aspiration scale. Dysphagia, 11(2): 93-98, 1996.
7) Logemann JA: Evaluation and Treatment of Swallowing Disorders. pp 66-67, PRO-ED, San Diego: College Hill, 1983.
8) Ohno T, Tanaka N, Fujimori M, et al: Cough-Inducing Method Using a Tartaric Acid Nebulizer for Patients with Silent Aspiration. Dysphagia, 37 (3): 629-635, 2022. doi: 10.1007/s00455-021-10313-4. Epub 2021 May 11.

第4章

咽頭残留[1]

　咽頭残留は，VEで最も正確に評価できる所見である．白色の硫酸バリウムを用いる場合は，VFで検出できないような少量の粘膜面の付着や残留もはっきり同定できる．しかし，感度がよすぎるため健常者でもみとめられる所見を咽頭残留として異常ととらえてしまう危険（over estimation）がある．なお，VFで無色透明な非イオン系水溶性造影剤を用いる場合は，VEの感度は逆に落ちる可能性がある．軽度の咽頭残留をみとめたときは異常所見であるかどうかを慎重に判断する必要がある．用語として咽頭に入った食塊が嚥下後に残っている場合を残留（residue）とよび，嚥下が起こらずそのまま残っている場合は貯留（pooling）と区別する場合がある．食事の途中に観察した場合には，両者が混在してはっきり区別できないこともある．

① 咽頭全体に広がる残留

図4-1 ❶ はVFでとろみ調整剤※を含んだバリウムが咽頭全体に広がるように残留している様子をとらえたものである。図4-1 ❷ はVE所見である。VFでは把握できない三次元的な広がりをとらえることができる。VFで咽頭全体の残留をみるためには側面像だけでは不十分で、正面像をみなければならない（▶4-1）。VFからは想像できないほどの著明な残留が、VEで確認できることは多い（▶4-2, ▶4-3）。

※以前は「増粘剤」とよばれていたが、最近は「とろみ調整剤」とよばれるようになっている。

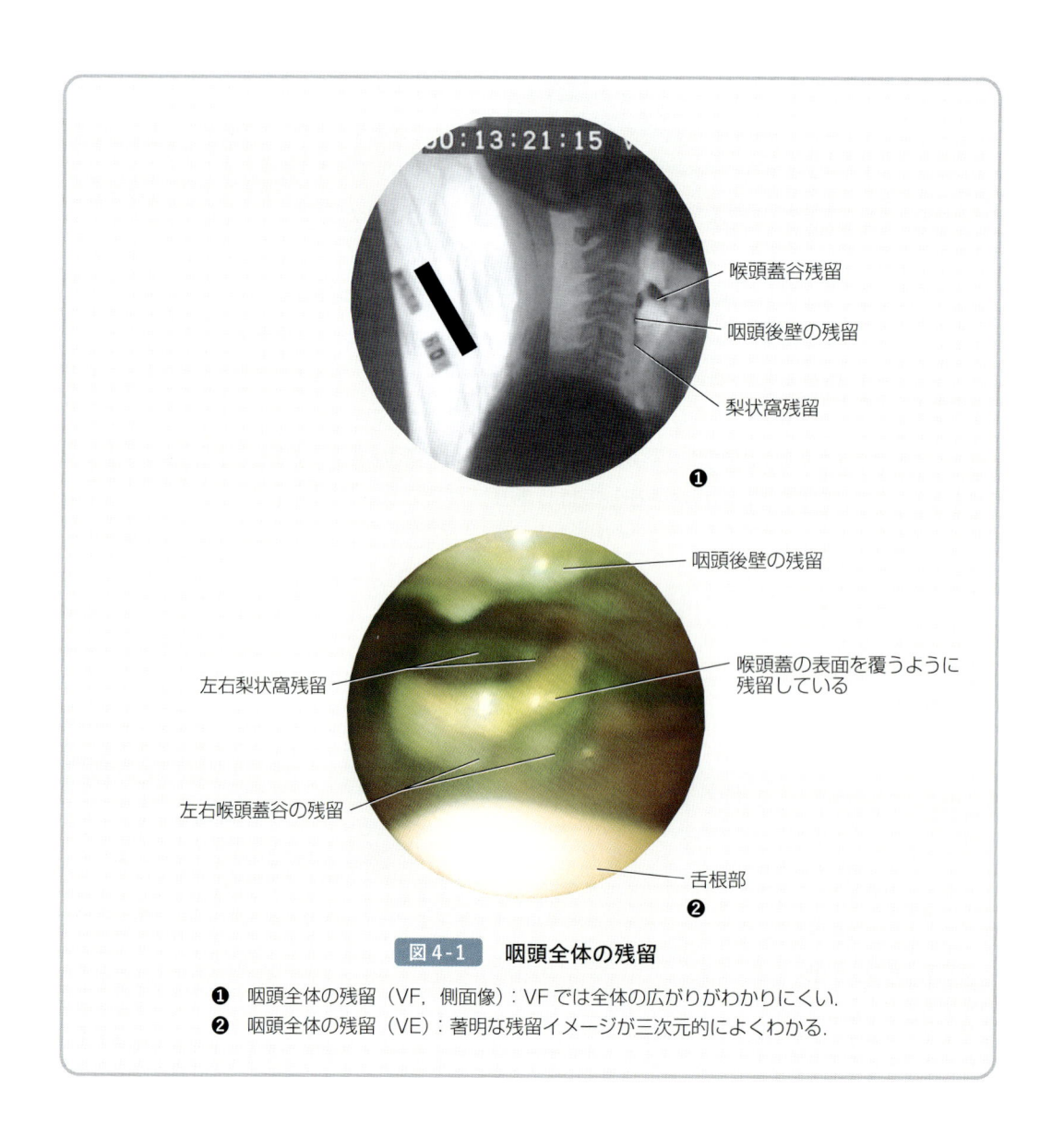

図4-1 **咽頭全体の残留**
❶ 咽頭全体の残留（VF, 側面像）：VFでは全体の広がりがわかりにくい。
❷ 咽頭全体の残留（VE）：著明な残留イメージが三次元的によくわかる。

▶ 4-1　咽頭残留（VF①）

　咽頭収縮が弱く多量の梨状窩残留をみとめたが，VF 側画像では左右ないし両側に残留しているかの判断は難しい．正面像では両側梨状窩に残留していることがよくわかる．

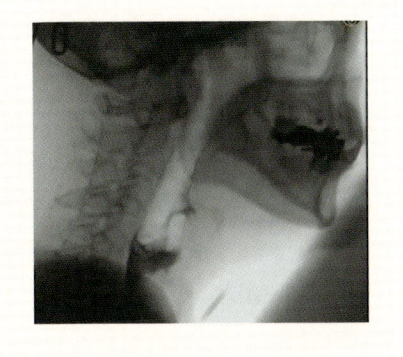

▶ 4-2　咽頭残留（VF②）

　VF の最後にはそれほど残留が多いとは思われないが，次の VE（動画 4-3）をみると VF からは想像もできない量の残留があることがわかる．

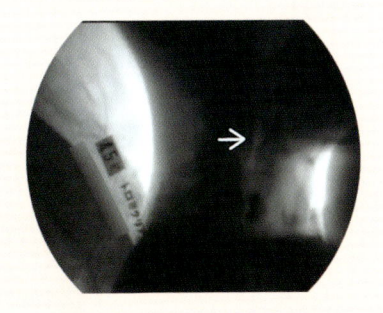

▶ 4-3　咽頭残留（VE）

　VF（動画 4-2）後の咽頭全体に著明な残留がある．ゼラチンゼリーとの交互嚥下で残留が除去されていく様子がわかる．誤嚥はみられない．

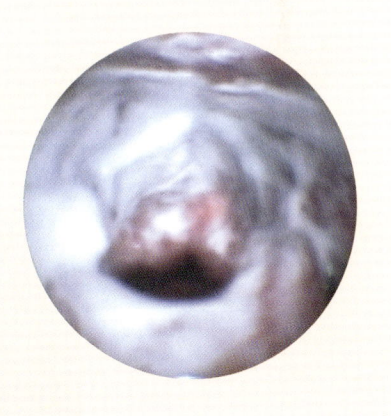

② VEの咽頭残留に対する感度と問題点

　VFの直後にVEをみると，VFではほとんどないと判断されたバリウムが粘膜の表面に残留していることがある．バリウム原液や希釈液は，健常者でも口腔や咽頭粘膜表面に付着するように残留しやすい．VEは咽頭残留に関して大変感度がよいため，食品の特性を理解して評価しないと通常レベルの残留を異常と判定してしまうことがある． 図4-2❶ は一塊となったバリウムゼリーが喉頭蓋谷に明らかに残留したものであるが， 図4-2❷ は健常者がバリウム原液を飲んだ後にみられた所見である．

　なお，無色透明な非イオン性造影剤を用いた場合は，VEで少量の残留を検出することは困難である．

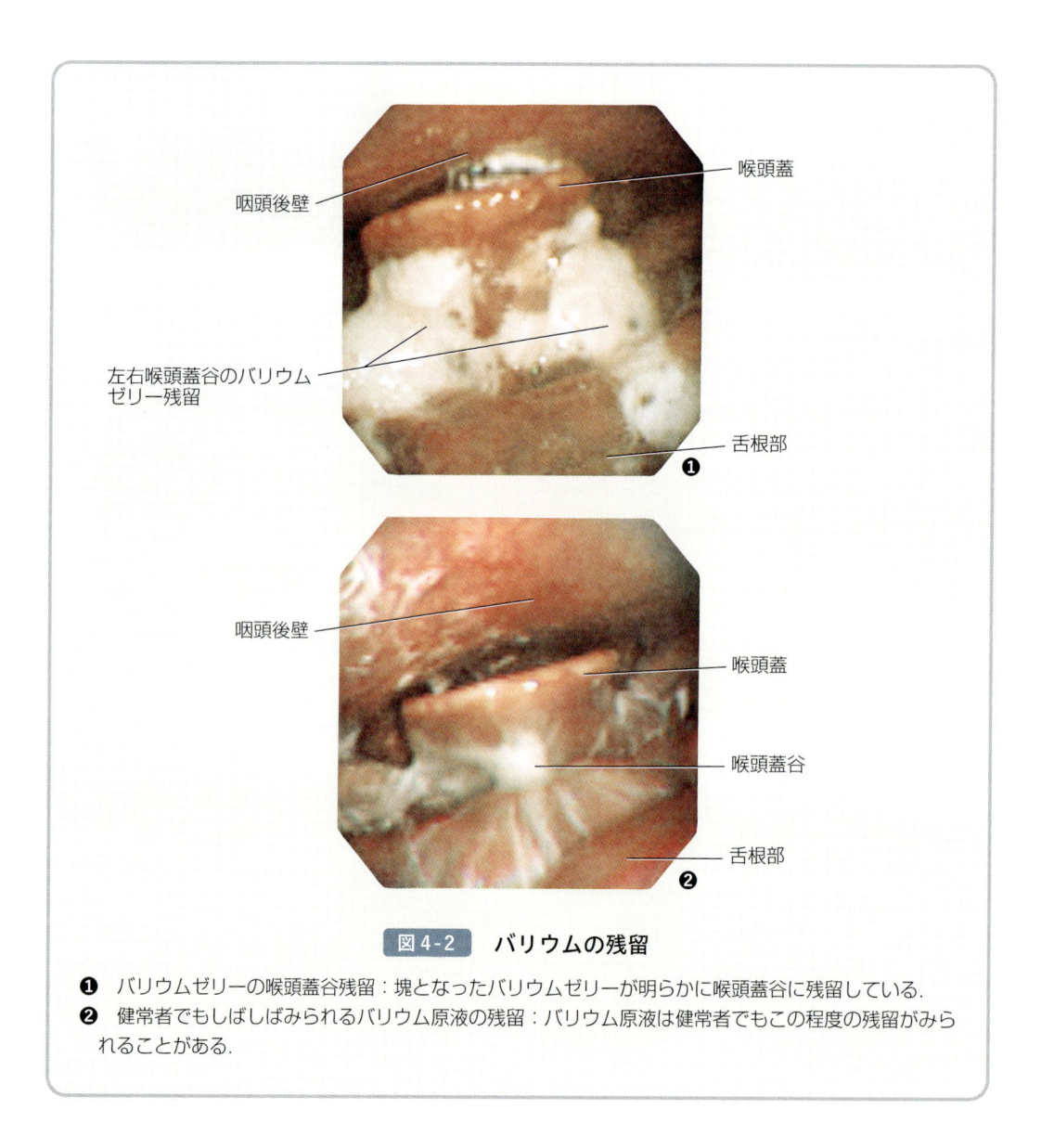

図4-2　バリウムの残留

❶　バリウムゼリーの喉頭蓋谷残留：塊となったバリウムゼリーが明らかに喉頭蓋谷に残留している．
❷　健常者でもしばしばみられるバリウム原液の残留：バリウム原液は健常者でもこの程度の残留がみられることがある．

▶ 4-4 , ▶ 4-5 は健常者のVE所見である．プリンと海苔の佃煮がごく少量咽頭残留しているが，お茶との交互嚥下で除去される．

▶ 4-4 健常者のVE（プリンの少量残留を交互嚥下で除去）

プリンがごく少量残留→お茶との交互嚥下できれいになる．

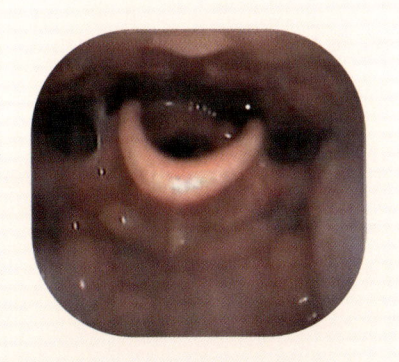

▶ 4-5 健常者のVE（海苔の佃煮の少量残留を交互嚥下で除去）

海苔の佃煮がごく少量残留→お茶との交互嚥下できれいになる．

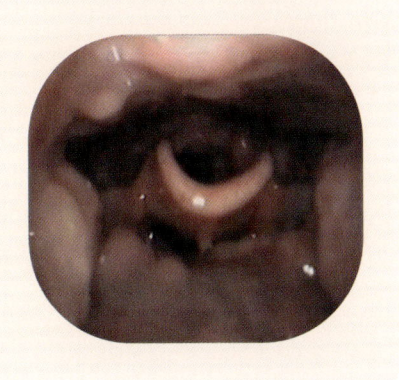

③ 咽頭残留の分類

　筆者らは厚生科学研究により，FOOD TESTとしてプリン，粥，液状食品の咽頭残留のVE評価[2]を行った．表4-1，表4-2はその際に用いた咽頭残留の分類である．判定は1回の嚥下後に行うが，直後に自動的に空嚥下が起こった場合（automatic double swallow）はその後で判定する．

表4-1　VEにおける咽頭残留の分類（固形物，半固形物）

な　し：全く残留がない
軽　度：残留は1カ所*でごく少量（かけら）
中等度：残留は2カ所*以内，中等度の塊となったものが残留
高　度：残留は3カ所*以上，ないし大きな塊となったものが残留

*左右喉頭蓋谷，左右梨状窩，咽頭壁など

表4-2　VEにおける咽頭残留の分類（液状物）

な　し：全く残留がない
軽　度：膜状（コーティング状）に少量残留
中等度：残留は2カ所*以内，膜状より厚みをもって残留
高　度：残留は3カ所*以上，ないし量的に多量に残留

*左右喉頭蓋谷，左右梨状窩，咽頭壁など

④ プリンの残留

プリンは，健常者ではほとんど咽頭に残留しない．しかし，稀に 図4-3❶ のように軽度の残留がみられることがある．この場合の残留は空嚥下で消失する．複数回の空嚥下で消失しない場合は異常と判断される． 図4-3❷ は中等度残留である．喉頭蓋谷の中等度残留は嚥下障害患者でしばしばみられる所見であり，直接誤嚥につながることは少ない． 図4-3❸，❹ は高度残留であり，誤嚥の危険がとても高い． ▶4-6 には「残留なし」，「軽度残留」，「中等度残留」，「高度残留」の4例を示してある．

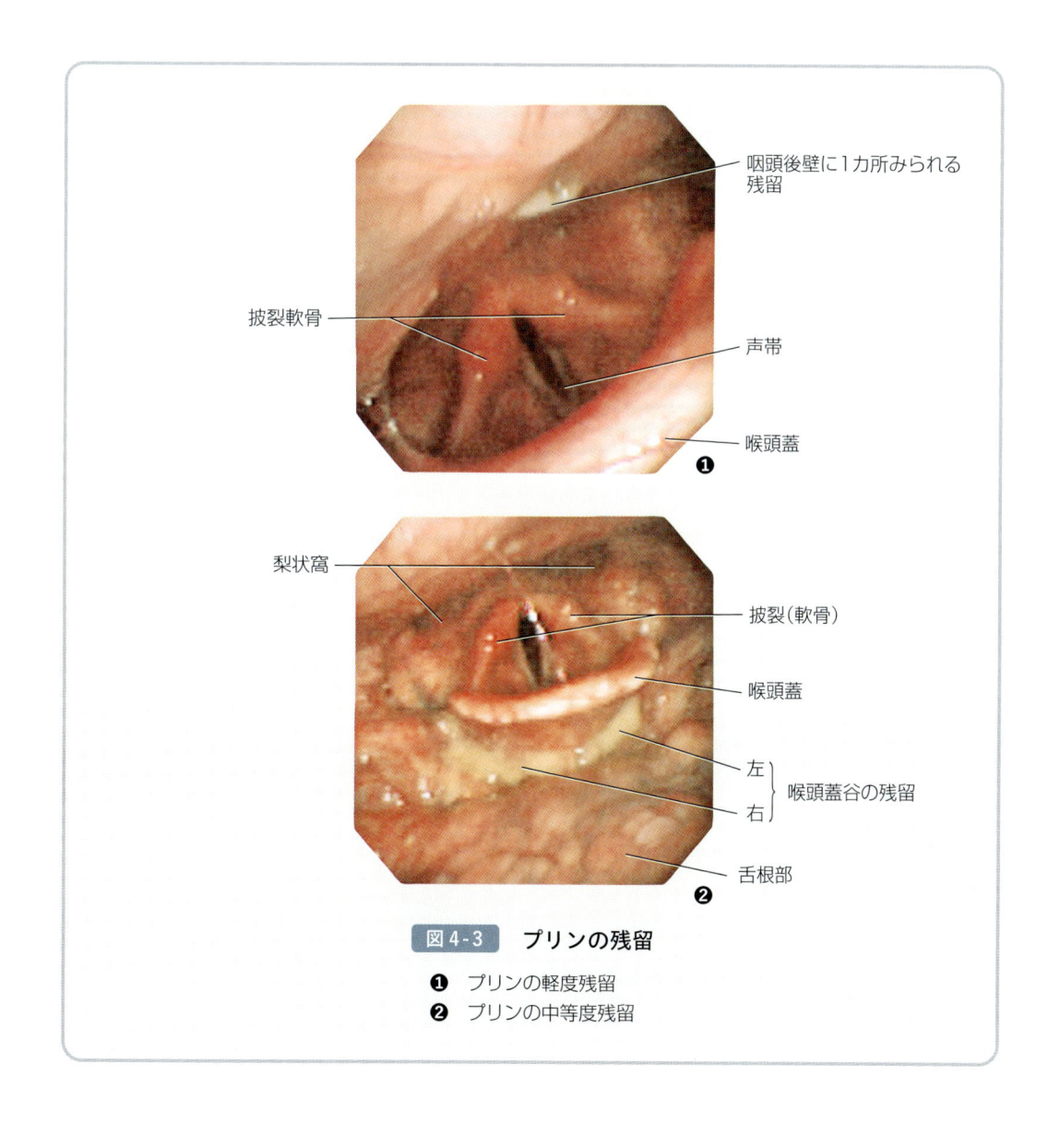

図4-3　プリンの残留
❶　プリンの軽度残留
❷　プリンの中等度残留

図4-3 プリンの残留（つづき）

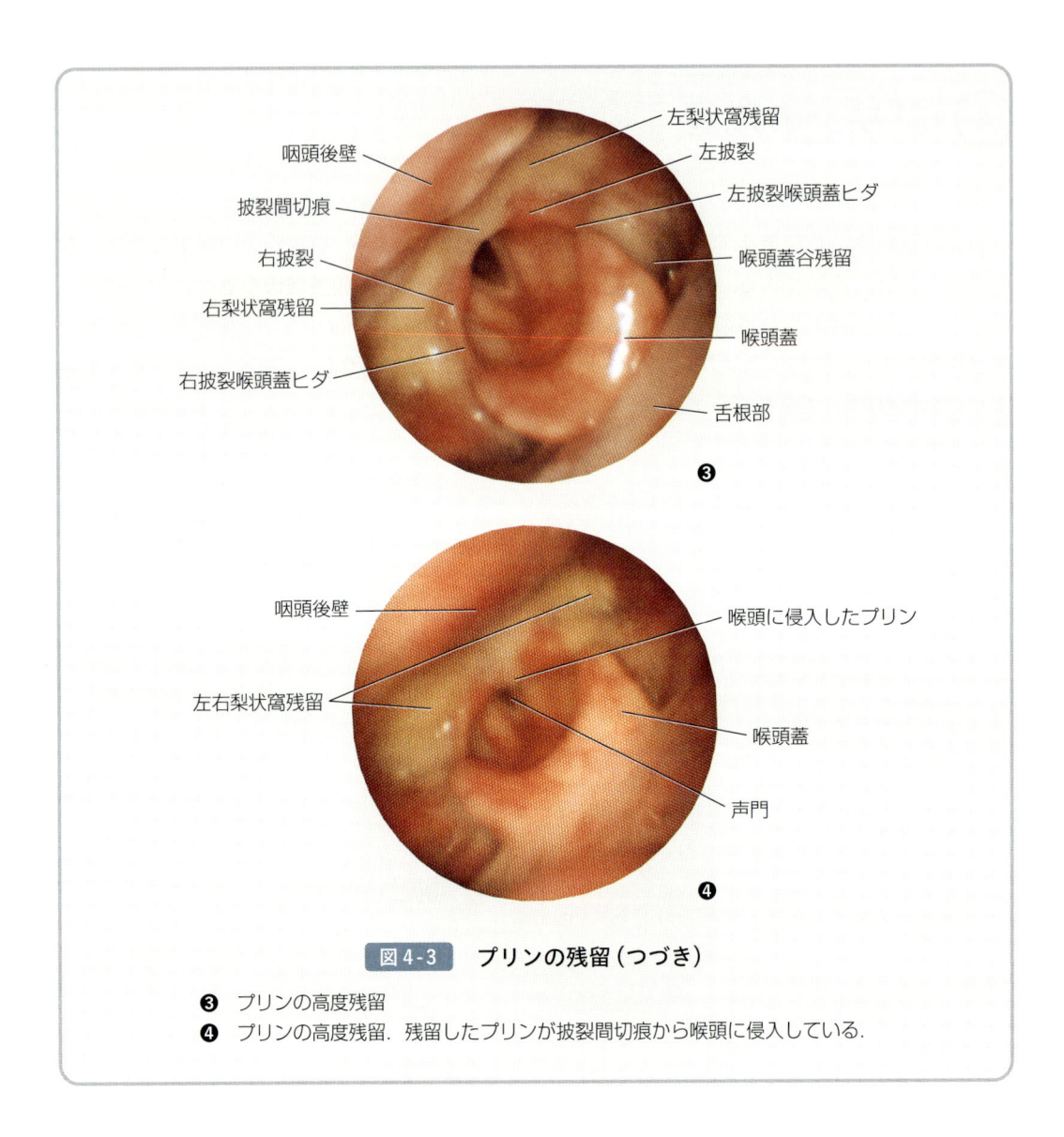

❸ プリンの高度残留
❹ プリンの高度残留．残留したプリンが披裂間切痕から喉頭に侵入している．

▶ 4-6　プリンの残留（VE）

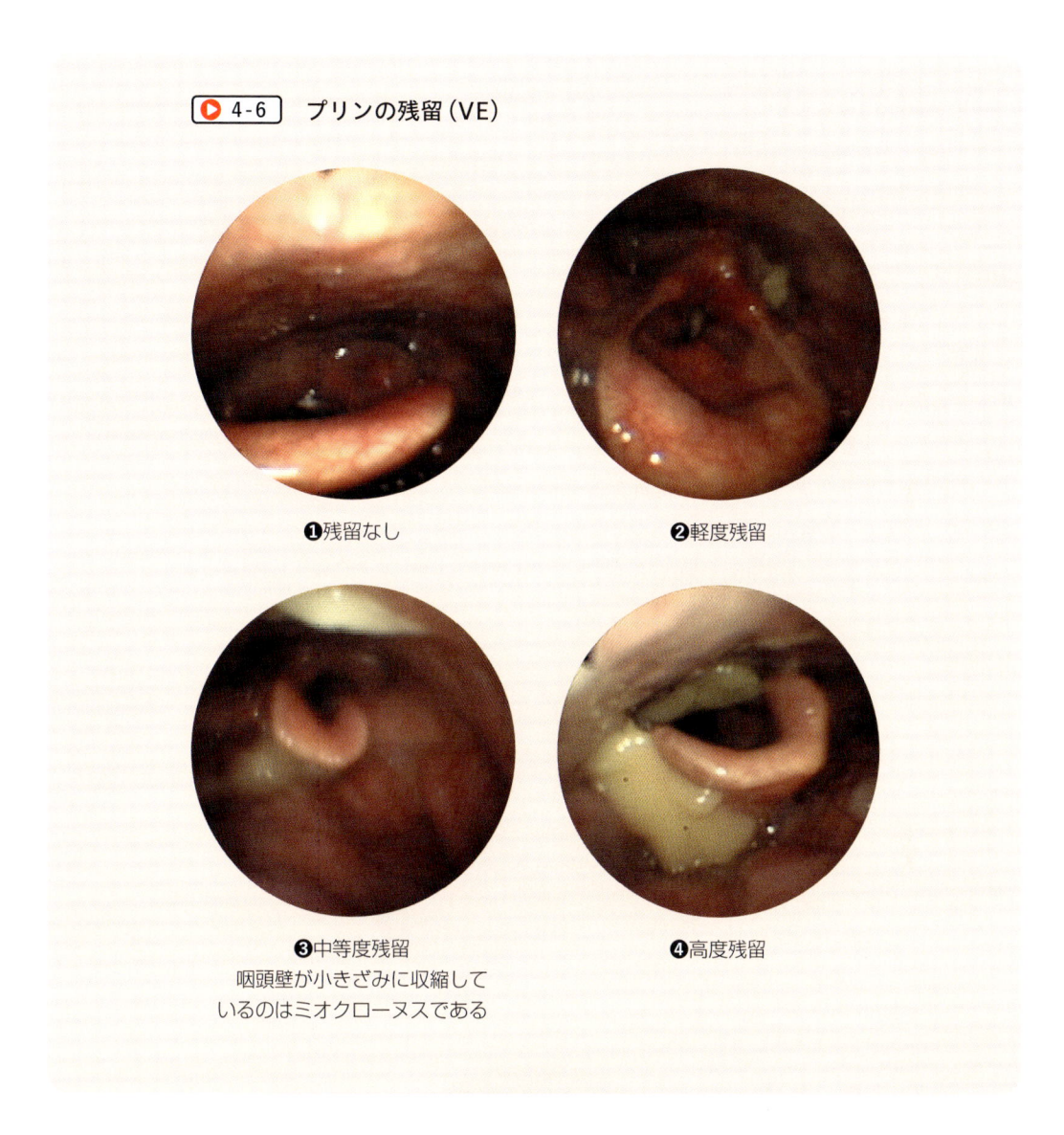

❶残留なし

❷軽度残留

❸中等度残留
咽頭壁が小きざみに収縮して
いるのはミオクローヌスである

❹高度残留

第4章　咽頭残留

⑤ 粥の残留

　一般的に粥は，プリンよりも残留しやすい．健常者でも 図4-4① 程度の残留はよくみられる．しかし，中等度以上の残留は異常である．中等度の残留と判定しても，残留部位によって誤嚥のリスクが異なる． 図4-4② は左右喉頭蓋谷に残留したものであるが，嚥下障害患者にはしばしばみられる所見であり，この残留が直接誤嚥につながるリスクは低い．一方， 図4-4③ は梨状窩に残留したものであるが，動きによって披裂間切痕に残留物が移動し，みていて誤嚥しないかハラハラすることもある． 図4-4④，⑤ は 表4-1 の分類による高度残留である．この場合も，残留する部位によって誤嚥のリスクに差がある． 図4-4④ は喉頭蓋谷への著明な残留であるが，この残留が直接誤嚥につながるリスクはあまり高くない．この所見をみたときは，筆者らは餅などによる窒息や錠剤の残留のリスクが高いと考える．

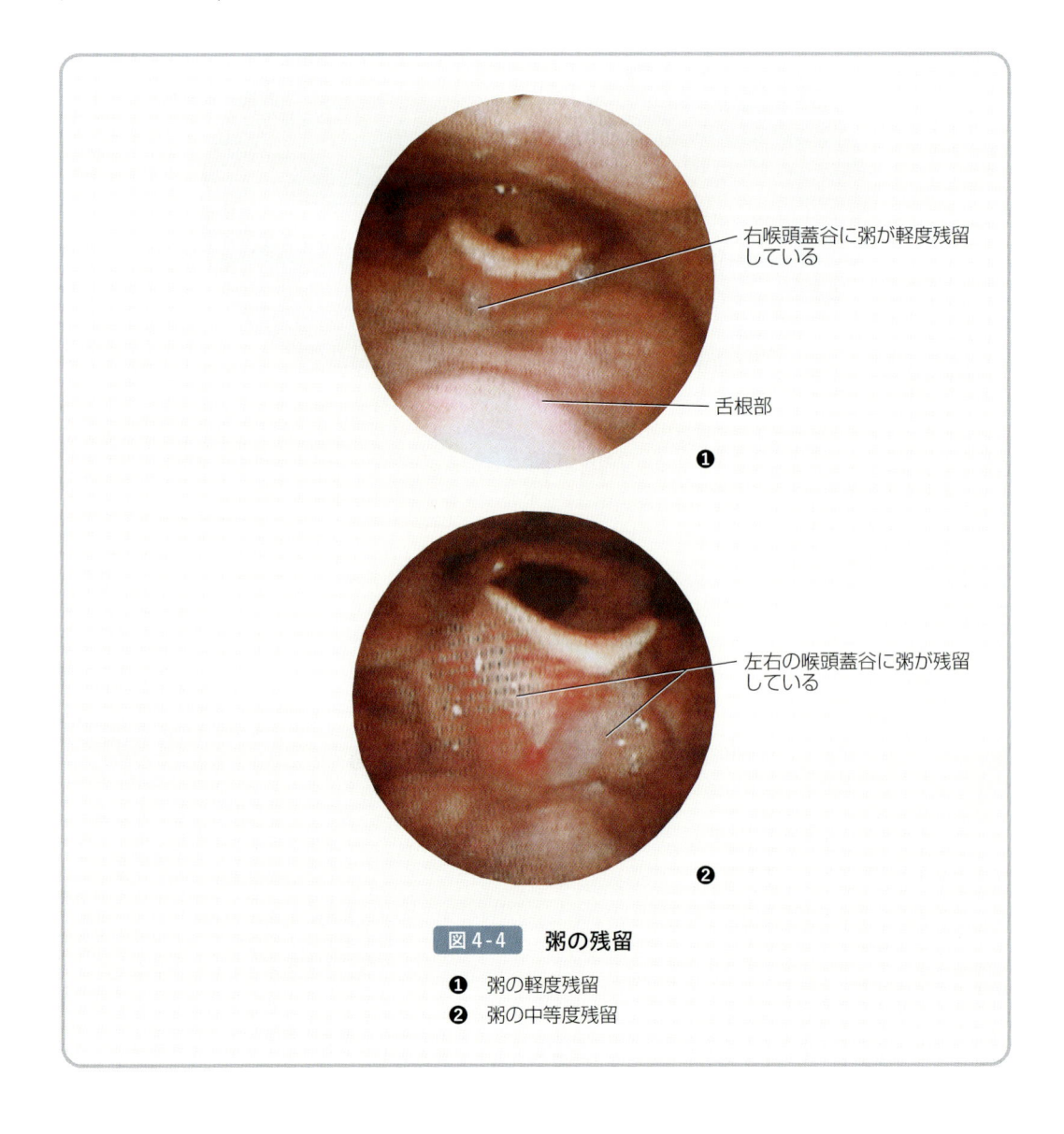

右喉頭蓋谷に粥が軽度残留している

舌根部

❶

左右の喉頭蓋谷に粥が残留している

❷

図4-4　粥の残留
❶ 粥の軽度残留
❷ 粥の中等度残留

第4章 咽頭残留

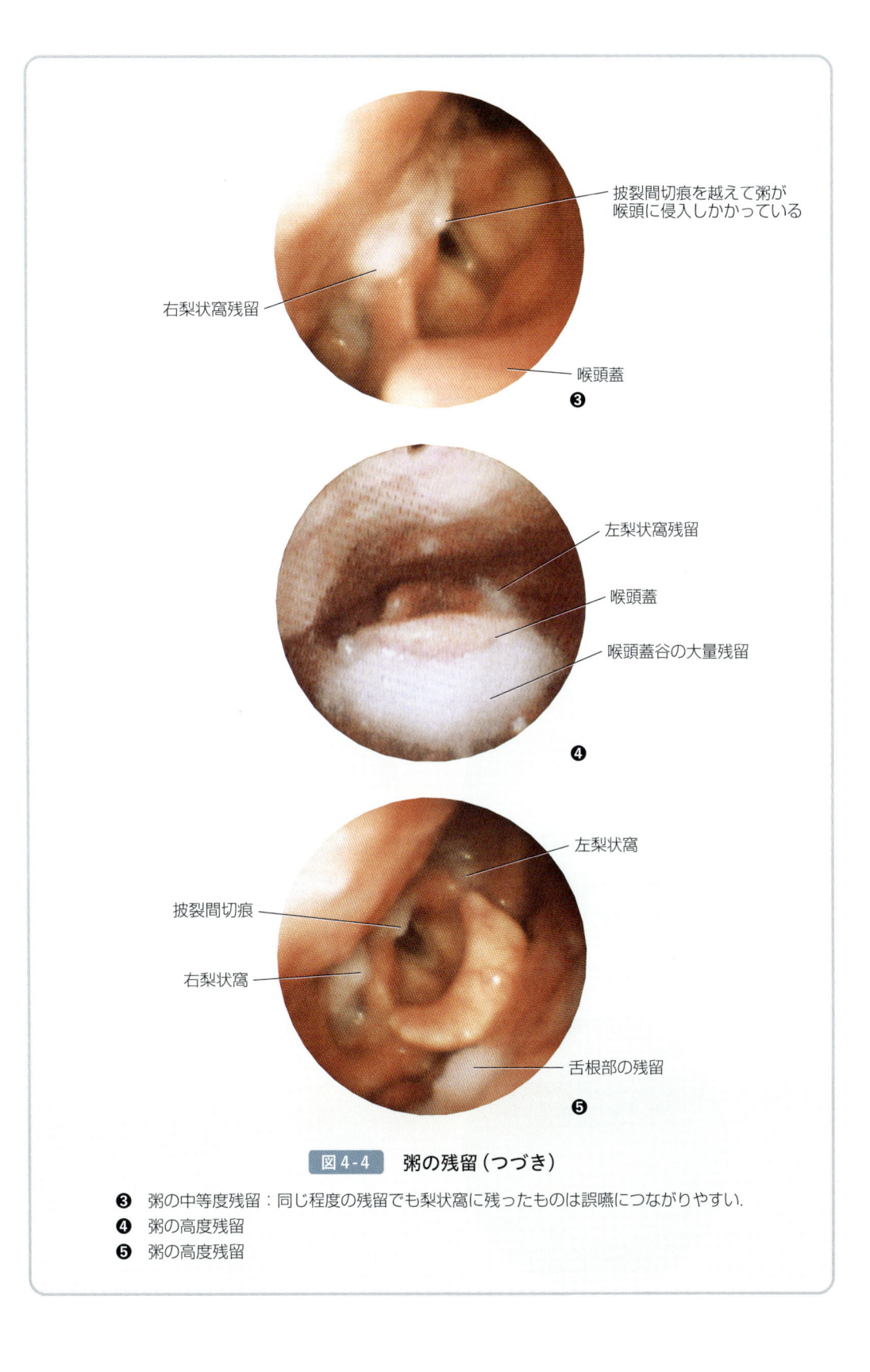

図4-4 粥の残留（つづき）

❸ 粥の中等度残留：同じ程度の残留でも梨状窩に残ったものは誤嚥につながりやすい．
❹ 粥の高度残留
❺ 粥の高度残留

一方，図4-4❺のように咽頭全体に散らばるような残留は誤嚥につながるリスクが高い．
▶4-7 には「残留なし」，「中等度残留」，「高度残留（貯留）」の3例を示してある．

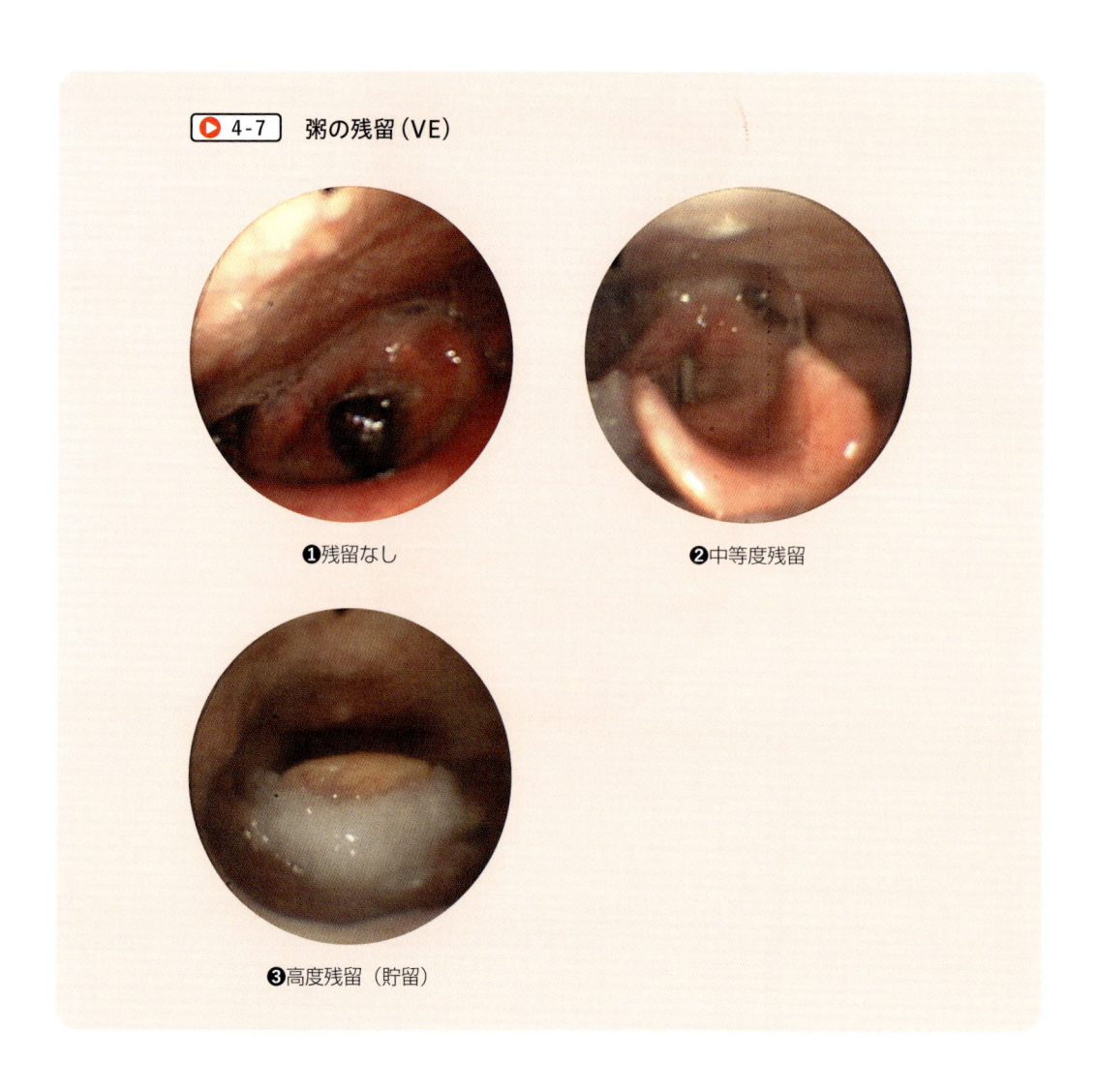

▶4-7　粥の残留（VE）

❶残留なし　　　　　　　　　　❷中等度残留

❸高度残留（貯留）

⑥ 液状食品の残留

　液状食品の残留は評価が難しい．牛乳やバリウムは，健常者でもしばしば粘膜表面に広がり，コーティング状に残留する（図4-5❶）．軽度の残留は，健常者でもしばしばみられることを常に念頭において判断する必要がある．特に硫酸バリウム原液（120〜160％）や40％希釈液でも 図4-2❷ のように残留がみられることが多い． 図4-5❷，❸ はともに中等度の残留である．咽頭の形状のみえ方には個人差があり，喉頭蓋も 図4-5❷ のように立ったようなものから 図4-5❸ のようにやや倒れたようにみえるものもある． 図4-5❹，❺ は高度残留である． 図4-5❺ のように色素を入れておくと残留の判定がしやすい． 図4-5❺ では披裂間切痕や披裂喉頭蓋ヒダ上に残留がみられ，誤嚥につながるリスクが高い． ▶4-8 には「残留なし」，「軽度残留」，「中等度〜高度残留」の3例を示してある．

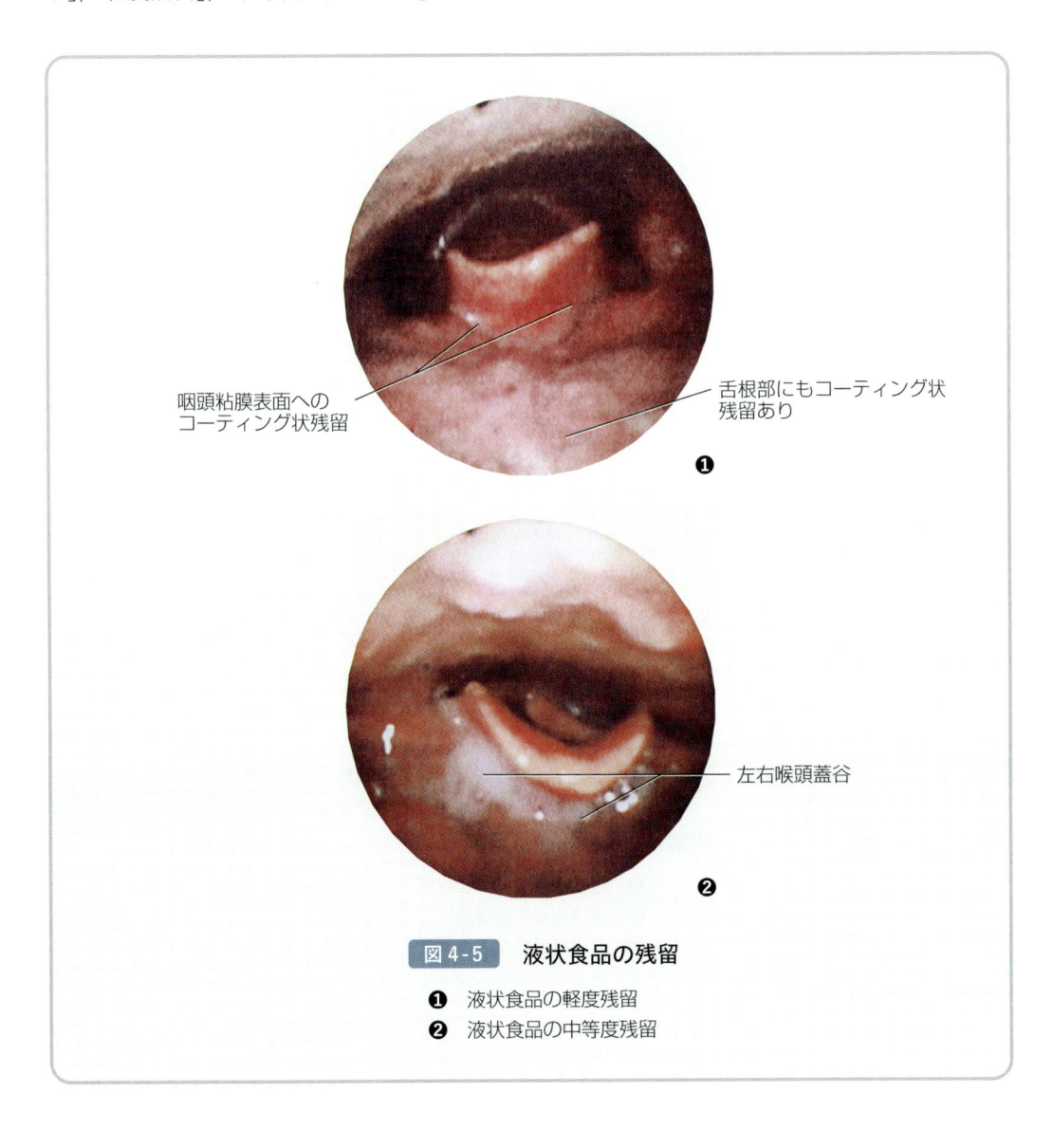

図4-5　液状食品の残留
❶ 液状食品の軽度残留
❷ 液状食品の中等度残留

(画像内ラベル)
❸ 左右喉頭蓋谷

❹ 左梨状窩残留
左右喉頭蓋谷残留

❺ 左梨状窩残留
披裂喉頭蓋ヒダ上の残留
右梨状窩残留
披裂間切痕

図 4-5　**液状食品の残留（つづき）**

❸ 液状食品の中等度残留
❹ 液状食品の高度残留
❺ 液状食品の高度残留

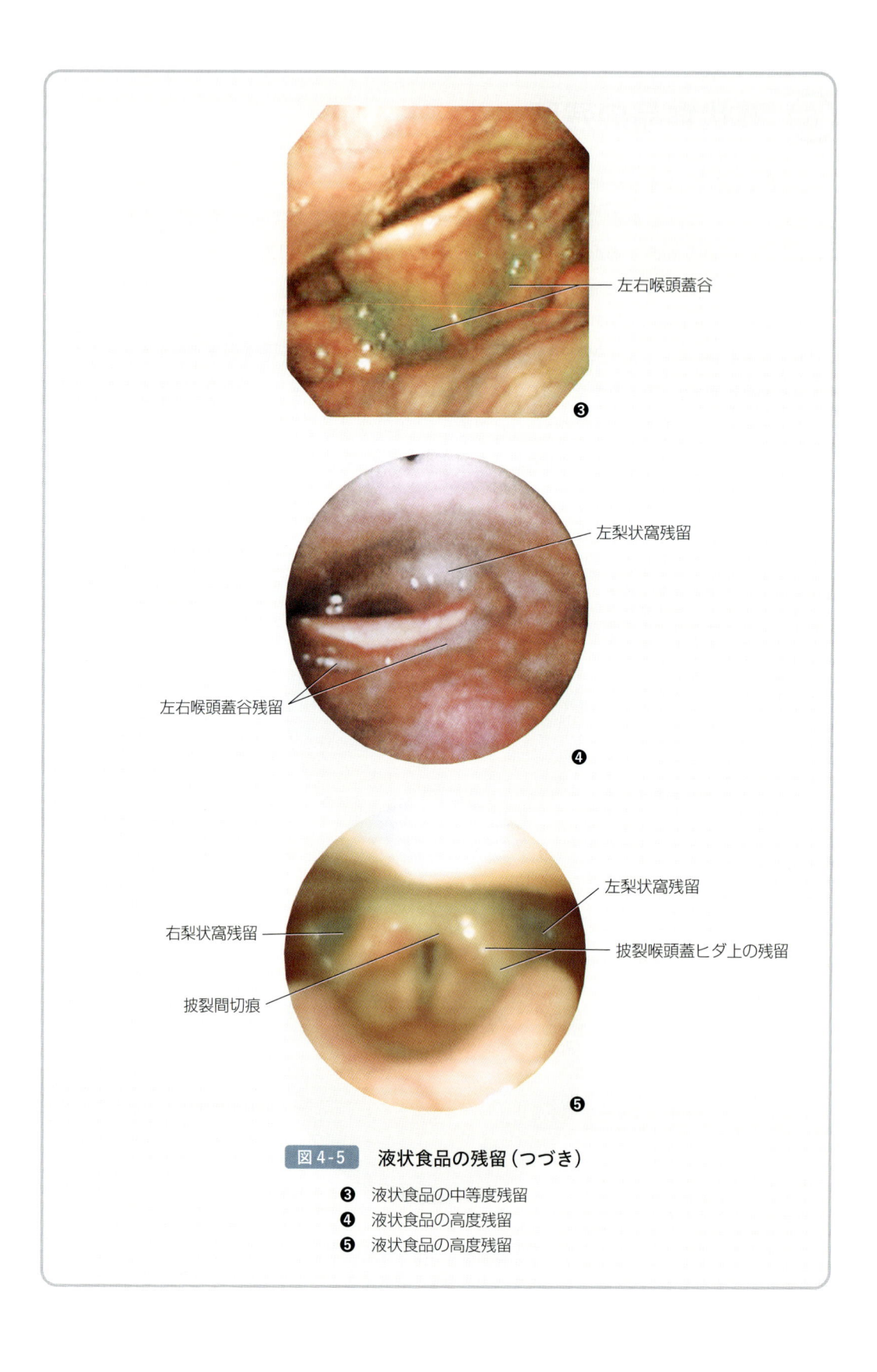

▶ 4-8　飲料の残留（VE）

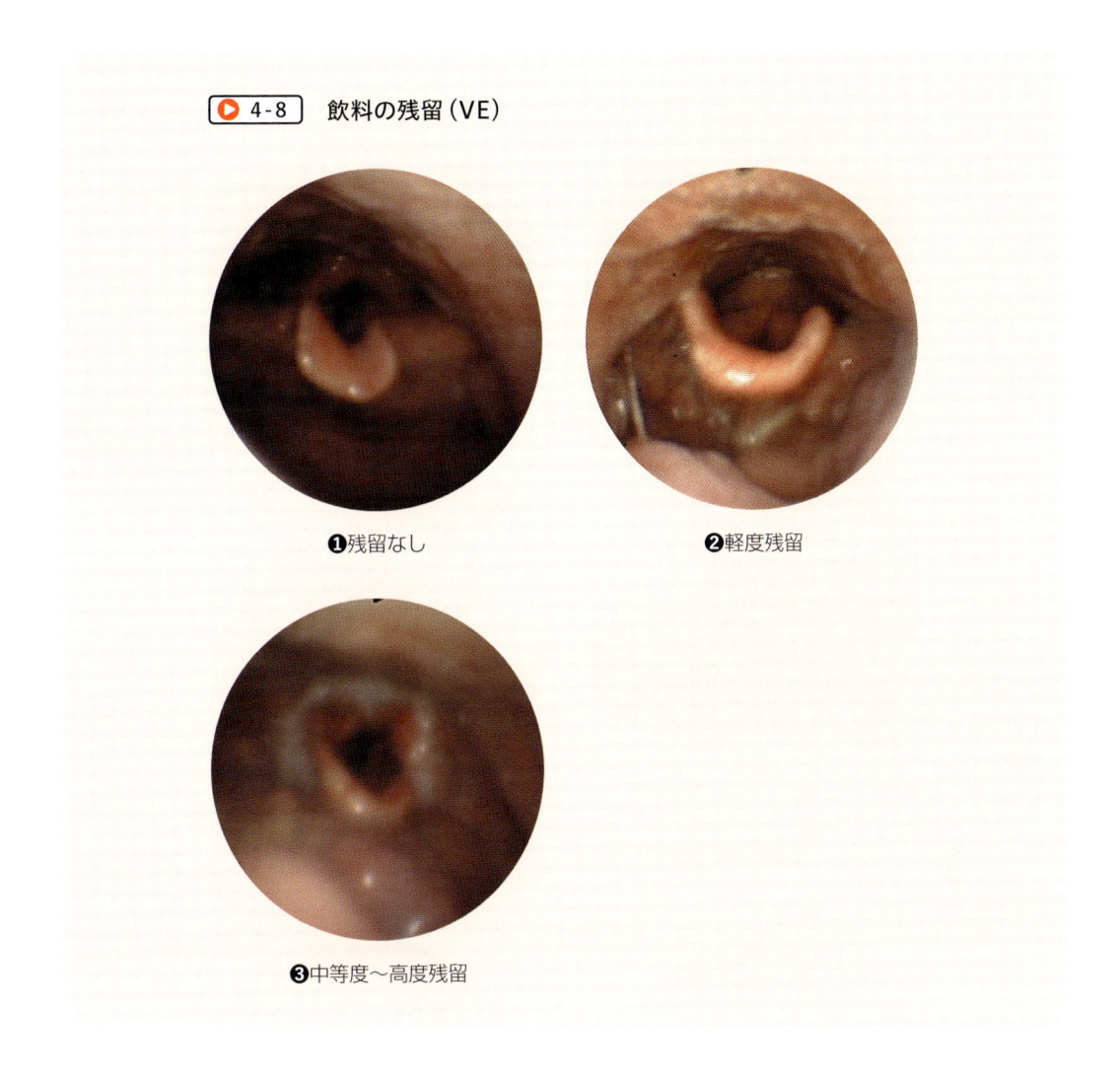

❶残留なし　　　　　　　　❷軽度残留

❸中等度〜高度残留

⑦ 分泌物の貯留と咽頭の汚染

　VEを行っていると唾液などの分泌物の貯留をしばしばみとめる．▶ 4-9 には「貯留なし」，「軽度貯留」，「中等度貯留」，「高度貯留」の4例を示してある．咽頭貯留は放置すると咽頭の汚染につながる．複数回嚥下や交互嚥下，横向き嚥下（▶ 4-10 ）により，可能な限り除去することが望ましい．また，摂食することでかえって口腔や咽頭がきれいになることがある．本来きれいにしてから食べるべきであるが，▶ 4-11 は咽頭が汚染された状態でお茶ゼリーを食べることにより咽頭がきれいになっていく場面をとらえたものである．

第4章　咽頭残留

▶ 4-9　分泌物の貯留（VE）

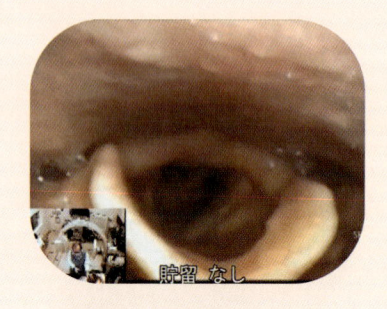

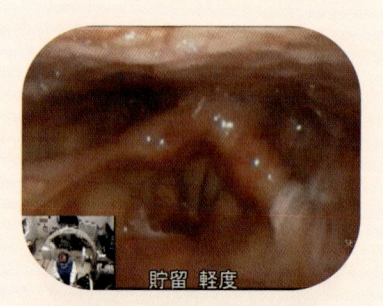

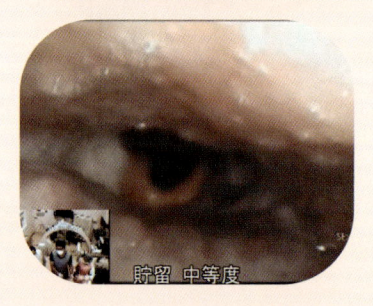

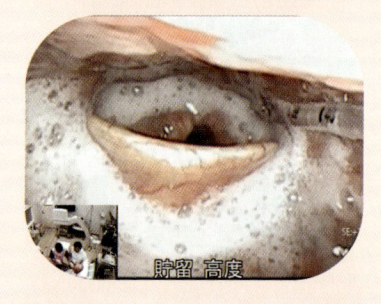

貯留 なし

貯留 軽度

貯留 中等度

貯留 高度

▶ 4-10　横向き嚥下による分泌物の貯留除去（VE）

▶ 4-11　摂食による分泌物の貯留除去（VE）

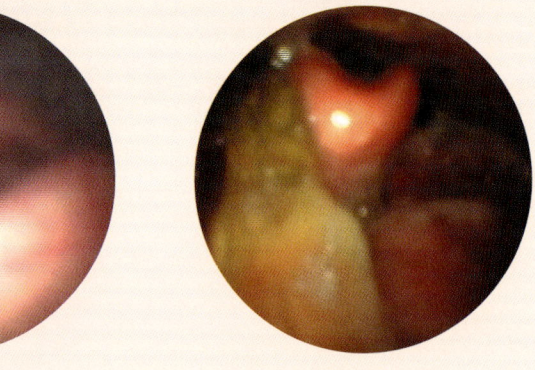

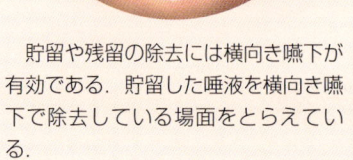

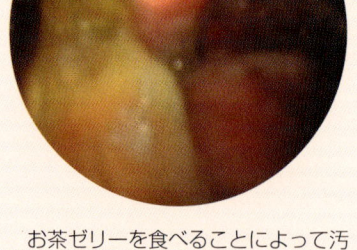

貯留や残留の除去には横向き嚥下が有効である．貯留した唾液を横向き嚥下で除去している場面をとらえている．

お茶ゼリーを食べることによって汚れた咽頭がきれいになっていく場面．

⑧ 咽頭残留量の評価

　筆者らの行った研究による分類（表4-1，表4-2）をもとに日本摂食嚥下リハビリテーション学会では，評価としてVEでの基準（なし，少量，中等量以上）（嚥下内視鏡検査の手順2021改訂[3]）とVFでの基準（3：残留なし，2：少量，1：多量）[4]を示している．中等量の基準が難しいが，近年ではImageJを用いたthe Normalized Residue Ratio Scale（NRRS）があり，VFでの定性評価が可能である[5]．また，VEでは，喉頭蓋谷や梨状窩残留をそれぞれ5段階（A：なし，B：トレース状，C：軽度，D：中等度，E：重度）（図4-6，図4-7）で評価した論文があるため参考にしていただきたい[6]．

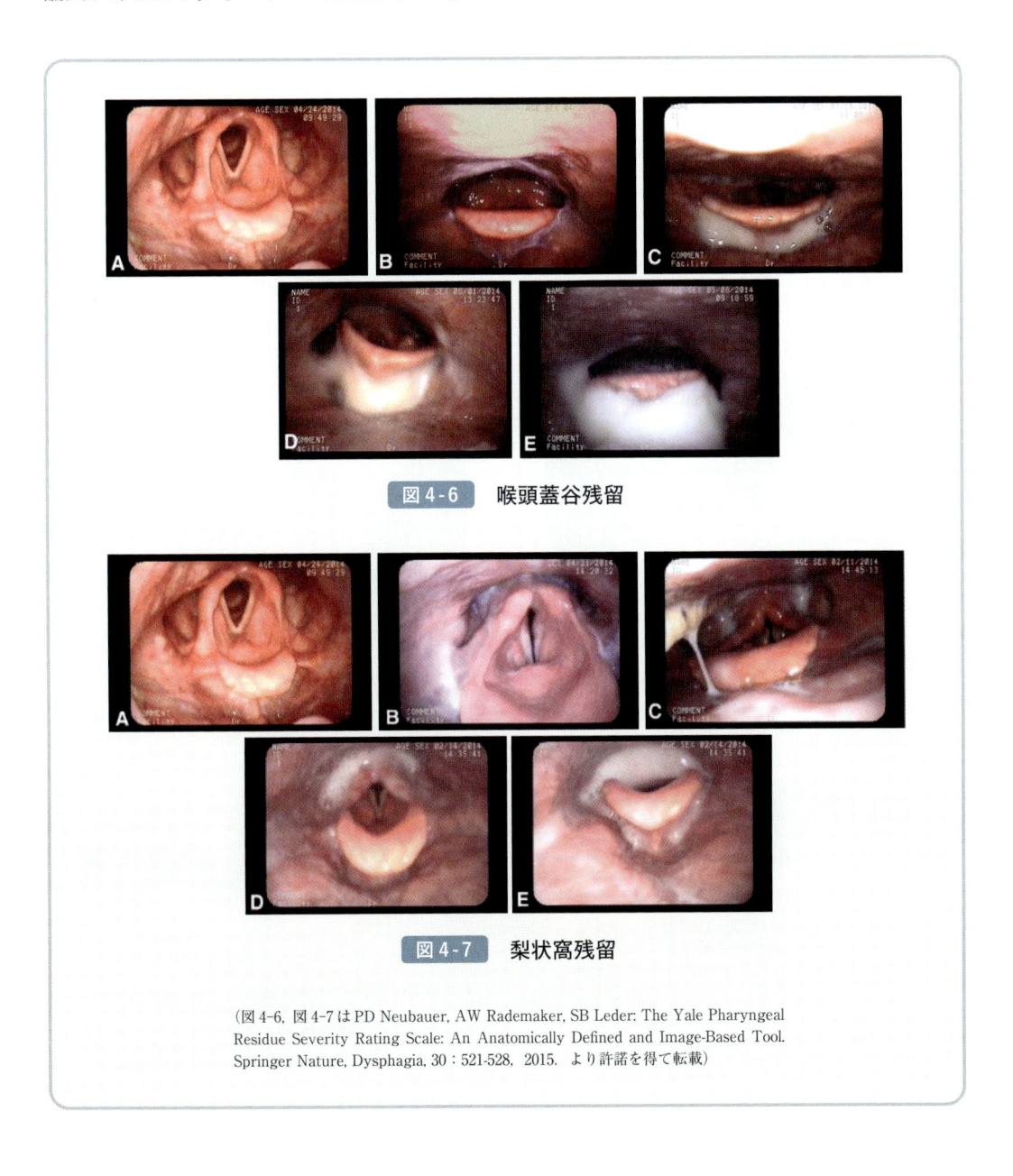

図4-6　喉頭蓋谷残留

図4-7　梨状窩残留

（図4-6，図4-7はPD Neubauer, AW Rademaker, SB Leder: The Yale Pharyngeal Residue Severity Rating Scale: An Anatomically Defined and Image-Based Tool. Springer Nature, Dysphagia, 30：521-528，2015．より許諾を得て転載）

⑨ 咽頭残留を確認する意義

　咽頭残留は，誤嚥につながる可能性がある．VEではVFと異なり，被曝の問題がないため長時間残留を観察することができる．残留したものが誤嚥される（嚥下後の誤嚥：誤嚥のなかで最も頻度が高い[7]）のか，次の嚥下で消失するのかを確認することが大切である． ▶4-12 では咽頭残留したものが誤嚥される場面をとらえている．また，咽頭残留をみとめたとき，患者に咽頭残留の感覚があるかないかを聞くことも忘れてはならない[8, 9]．咽頭残留の感覚がないときは「無症候性の咽頭残留」ともよべる状態であり，摂食訓練に際して注意が必要である．なお，筆者らの研究では，口腔内に食物残留をみとめる患者の約80％に咽頭残留をみとめている[10]．VEが施行できないときにも口腔内残留がある患者は高率に咽頭残留があると考えて対処する必要がある． ▶4-13 は咽頭に蜘蛛の巣状に分泌物がこびりついてしまった例である． ▶4-14 は喉頭蓋谷と梨状窩にやや乾燥して粘稠な分泌物がこびりついている状態の動画である．このような例では咽頭だけでなく口腔内も汚染されていることが多い．

▶4-12　残留物の誤嚥と横向き嚥下（VE）

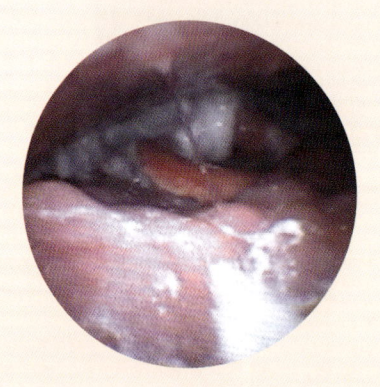

咽頭残留したものが誤嚥されている場面．横向き嚥下で残留を減らす手技を行っている．

▶4-13　蜘蛛の巣状の残留物：吸引除去（VE）

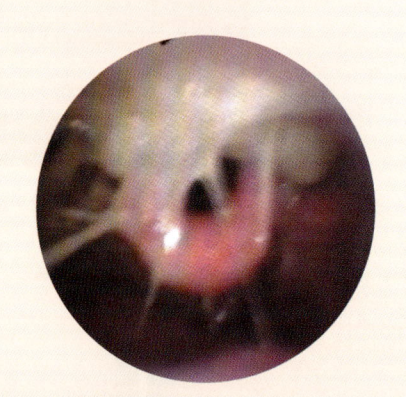

残留・貯留した分泌物が粘稠性を増して咽頭に蜘蛛の巣状にこびりついてしまい，それを吸引している場面．本症例は口腔内の汚染もひどかった．

▶4-14　咽頭にこびりついた分泌物（VE）

VF前のVE所見である．やや乾燥し，粘稠な分泌物が喉頭蓋谷と梨状窩にこびりついている．

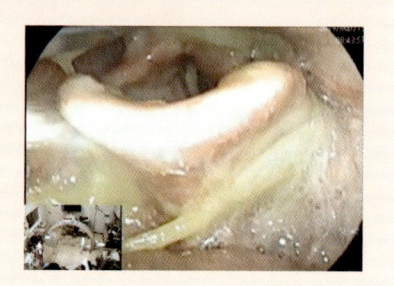

Column

VF, VEができないとき

 嚥下障害が難しいのは嚥下がみえないからである．みえない嚥下をみえるようにするのがVFでありVEであるが，それができないときどうするかというのは大きな問題である．しかし，実際に多くの臨床現場（施設や在宅など）では十分な検査ができないし，設備の整った病院でも患者の状態によっては検査ができない．そのようなときは手も足も出ないのか?!というと必ずしもそうではない[11]．

 まず，検査はあくまでも検査であって検査結果がすべてではないということを知っていなければならない．検査で安全と思われても誤嚥することもあれば，検査結果が悪くても摂食可能となる症例もある．筆者らは検査結果を念頭に置きながらも，常に臨床場面での観察を重視しながら摂食（訓練）を進めている．むせや声の変化，バイタルサイン，実際の摂食量，体重，尿量，血液生化学検査のデータなどこそが最も信頼できるパラメータである．

 検査ができないときはまず詳細なスクリーニングテスト[12]を実施し，最も安全と思われる条件で摂食を試みる．たとえば「体幹角度30°，頸部前屈，スライス型ゼラチンゼリーの丸飲み．パルスオキシメータでモニターしながら，一口ごとに咳をして，頸部聴診を実施，時には吸引する」などである．もちろん患者の状態に応じて臨機応変に条件を変える．とにかくよく観察することが大切である．このようにすることでかなりの症例で問題を切り抜けることができる．

 VF，VEの絶対適応は①病態が全くわからない，②悪性疾患，器質的疾患が強く疑われる，③どうしてもうまくいかないなどが挙げられる．画像の威力は大きく，患者，家族への説明，スタッフへの教育，治療方針の決定など検査を契機として一気に問題が解決することも多い．筆者はなるべく多くの現場で必要な検査が必要なときに受けられるようになることが大切であると考えている．そのために本書を執筆しているといっても過言ではない．

文献

1) 藤島一郎・他：嚥下障害の評価―内視鏡を中心に. 第4回 咽頭残留の評価. 臨床リハ, 12(4)：292-295, 2003.
2) 藤島一郎, 薛　克良：嚥下障害治療における内視鏡（鼻咽腔喉頭ファイバースコープ）検査―FOOD TESTにおける咽頭残留の評価. 平成12年度厚生科学研究費補助金長寿科学研究「摂食・嚥下障害の治療に関する統合的研究」（主任研究者：才藤栄一）, 平成12年度厚生科学研究費補助金研究報告書. pp17-45, 2001.
3) 日本摂食・嚥下リハビリテーション学会医療検討委員会：嚥下内視鏡の標準的手順2021改訂. 日摂食嚥下リハ会誌, 25(3)：268-280, 2021. https://www.jsdr.or.jp/wp-content/uploads/file/doc/endoscope-revision2021.pdf?0318
4) 日本摂食・嚥下リハビリテーション学会医療検討委員会：嚥下造影の検査法（詳細版）. https://www.jsdr.or.jp/wp-content/uploads/file/doc/VF18-2-p166-186.pdf
5) Pearson WG Jr, Molfenter SM, Smith ZM, et al: Image-based measurement of post-swallow residue: the normalized residue ratio scale. Dysphagia, 28: 167-177, 2013. https://doi.org/10.1007/s00455-012-9426-9
6) Neubauer PD, Rademaker AW, Leder SB: The Yale Pharyngeal Residue Severity Rating Scale: An Anatomically Defined and Image-Based Tool. Dysphagia, 30: 521-528, 2015. https://doi.org/10.1007/s00455-015-9631-4
7) Langmore SE（編著）, 藤島一郎（監訳）：嚥下障害の内視鏡検査と治療. p144, 医歯薬出版, 2002.（Langmore SE: Endoscopic Evaluation and Treatment of Swallowing Disorders, Thieme, NY, 2001）.
8) Langmore SE（編著）, 藤島一郎（監訳）：嚥下障害の内視鏡検査と治療. pp139-140, 医歯薬出版, 2002.（Langmore SE: Endoscopic Evaluationand Treatment of Swallowing Disorders, Thieme, NY, 2001）.
9) 一般社団法人日本耳鼻咽喉科学会（編）：嚥下障害ガイドライン2018. pp18-20, 金原出版, 2018.
10) 藤島一郎, 薛　克良：嚥下障害治療における内視鏡（鼻咽腔喉頭ファイバースコープ）検査―FOOD TESTにおける咽頭残留の評価. 平成13年度厚生科学研究費補助金長寿科学研究「摂食・嚥下障害の治療に関する統合的研究」（主任研究者：才藤栄一）, 平成13年度厚生科学研究費補助金研究報告書. pp43-54, 2002.
11) 藤島一郎, 高橋博達：実践講座　嚥下障害　第3回　摂食訓練の展開. 総合リハ, 32(3)：257-260, 2004.
12) 藤島一郎, 高橋博達, 薛　克良・他：嚥下障害のスクリーニングテスト. 臨床リハ, 9(11)：790-796, 2002.

第 5 章

PAS, 兵頭スコア

　PASはPenetration-Aspiration Scaleの略であり，VFにおける誤嚥と侵入のスケールとして広く世界中で使用されている．しかし，初学者には判定しにくい面や，実際の検査場面での判定に悩むことがある．一部VEでの評価と併せて判定することで理解を深めることができるように解説を加えた．

　また，兵頭スコアはVEで唾液の貯留や感覚，3 mlの着色水による嚥下の惹起性と咽頭のクリアランスなどを評価する方法で，わが国では耳鼻咽喉科の医師を中心に広く用いられている．

　本書の改訂にあたり，理解を深められるようにPASと兵頭スコアの項を追加した．評価ツールは，それぞれの利点と限界をよく理解して使用する必要がある．

① 喉頭侵入・誤嚥の重症度スケール (Penetration-Aspiration Scale: PAS)[1]

　喉頭侵入・誤嚥の重症度スケールは，喉頭侵入や誤嚥の深さ，排出する反応の有無（咳嗽反射）により段階的に重症度を判定する（表5-1，5-1〜5-7）ものであり，嚥下障害の重症度の判定ではない．あくまでも1回の嚥下を判定している評価であり，喉頭侵入や誤嚥があった場合には代償法による効果を確認する必要がある．原法ではVFで評価する．VEにも応用できるとされている[2]が，判定は難しいことが多い．なお，内視鏡評価は後述する兵頭スコア[3]がわが国ではよく用いられる．PAS 2〜8のVF所見を5-1〜5-7に示した．VFでは喉頭侵入や誤嚥の所見を確認するのは比較的容易である．しかし，喉頭侵入や誤嚥がごく少量だと喉頭侵入や誤嚥したものが「排出されない」または「排出された」（PAS 2 or 3，4 or 5，6 or 7）の判定は非常に難しい（5-2では喉頭蓋喉頭面に付着していることはわかるが，5-8ではPAS 2 or 3の判別が難しい）．なお，原著でもPAS 4はほとんど存在しないと記載されている[1]．一方，VEでは食塊が喉頭侵入しているかや誤嚥（気管前壁に付着）しているかを判定するのは比較的容易であるが，嚥下中の喉頭侵入や誤嚥を見逃してしまう可能性がある．それぞれの特性をふまえると，VF後にVEを行う意義は大きく，PASの判定の精度が上がる（5-9のVF所見では喉頭侵入しているかわかりにくいが，直後にVEを行うと喉頭侵入を確認できPAS 3であることがわかる）．

表5-1　喉頭侵入・誤嚥の重症度スケール（PAS）

喉頭侵入	1. 喉頭に侵入しない（Material does not enter the airway） 2. 喉頭侵入があるが，声門に達せずに喉頭内から排出される※（Material enters the airway, remains above the vocal folds, and is ejected from the airway） 3. 喉頭侵入があるが，声門に達せず，喉頭内から排出もされない（Material enters the airway, remains above the vocal folds, and is not ejected from the airway） 4. 声門に達する喉頭侵入があるが，喉頭内から排出される（Material enters the airway, contacts the vocal folds, and is ejected from the airway） 5. 声門に達する喉頭侵入があり，喉頭内から排出されない（Material enters the airway, contacts the vocal folds, and is ejected from the airway）
誤嚥	6. 声門下まで食塊が入り（誤嚥），喉頭または声門下から排出される（Material enters the airway, passes below the vocal folds and is ejected into the larynx or out of the airway） 7. 声門下まで食塊が入り，咳嗽しても気道から排出されない（Material enters the airway, passes below the vocal folds, and is not ejected from the trachea despite effort） 8. 声門下まで食塊が入り，排出しようとする動作がみられない（Material enters the airway, passes below the vocal folds, and no effort is made to eject）

※「排出される」を「残留あり」と訳しているものもある．

（Rosenbek・他，1996）[1]より改変

| ▶ 5-1　PAS 2 | ▶ 5-2　PAS 3 | ▶ 5-3　PAS 4 |

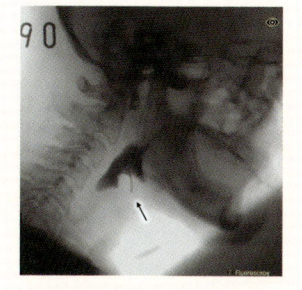

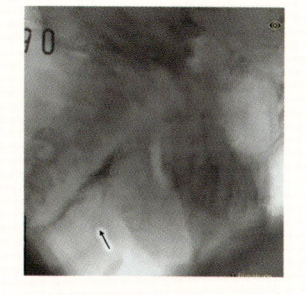

嚥下中の喉頭侵入．声門に達せず，喉頭内から排出された（PAS2）．

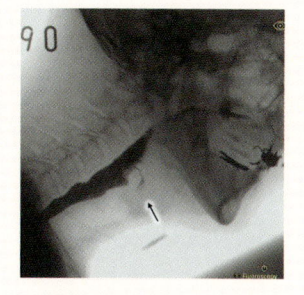

嚥下中の喉頭侵入．声門に達せず，喉頭内から排出されなかった（PAS3）．

嚥下中の喉頭侵入．声門に達したが，喉頭内から排出された（PAS4）．

| ▶ 5-4　PAS 5 | ▶ 5-5　PAS 6 | ▶ 5-6　PAS 7 |

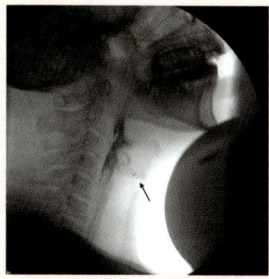

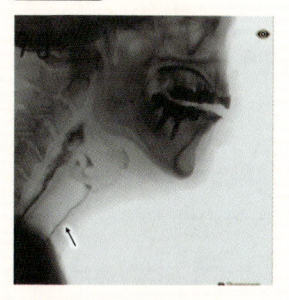

嚥下中の喉頭侵入．声門に達し，喉頭内から排出されなかった（PAS5）．

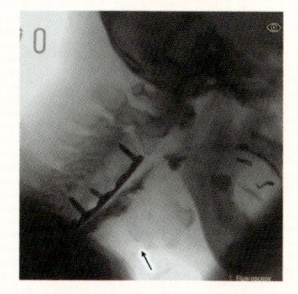

嚥下中の誤嚥．咳反射により気道から排出された（PAS6）．

嚥下中の誤嚥．咳反射後も気道から排出されなかった（PAS7）．

| ▶ 5-7　PAS 8 | ▶ 5-8　PAS 2 or 3 の判別が難しい | ▶ 5-9　VF 後 VE で PAS 3 と判明 |

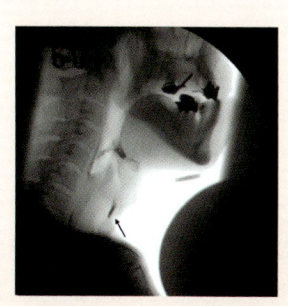

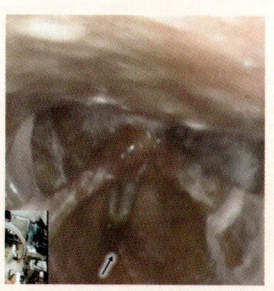

嚥下中の誤嚥．咳反射もなく気道から排出されなかった（PAS8）．

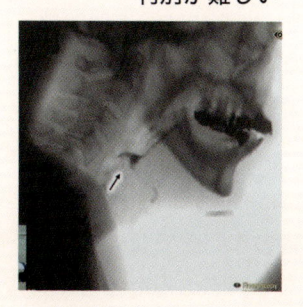

嚥下中の喉頭侵入．声門に達せず，喉頭内から排出されたようにみえたが，その後の随意咳嗽時（喉頭腔が狭まったとき）に喉頭内にわずかな喉頭内残留があるようにみえる（PAS3と判定）．

VF所見では明らかな喉頭侵入はないようにみえた（PAS1）が，直後のVEで喉頭内に残留をみとめた（PAS3）．VFではPAS1，VE評価を加味しPAS3と判定．

表5-2 4-PAS

A	喉頭内に入らないか，入っても排出される	PAS 1, 2, 4
B	喉頭内に入り排出されないか，声門下に入り（誤嚥）排出される	PAS 3, 5, 6
C	声門下まで食塊が入り，咳嗽しても気道から排出されない	PAS 7
D	声門下まで食塊が入り，排出しようとする動作がみられない	PAS 8

(Steele・他, 2017)[4] より改変

PASの評価はかなり難しく，筆者らも判定に迷うケースが多々ある．SteeleとMartinはこれらについて4-PAS（表5-2）という臨床に即した評価を提案している[4]．PASでは1，2，4は侵入しても排出されるので臨床上問題はないと考えられ，これを1つのカテゴリーとしてAにまとめている．次に，侵入して喉頭内に残留したり，誤嚥して排出（喀出）されたりした場合をBにまとめている．7，8の誤嚥に関してもそのままC，Dとしてまとめてある．わが国ではまだ広く使用されているわけではないが，とても臨床的な考え方で使いやすい評価であると思われる．

② 兵頭スコア[3]

兵頭スコアは耳鼻咽喉科領域で用いられ，内視鏡を用いた簡便な嚥下の評価として広く使用されている．合計点で判定することになっているが，表5-3 の①と④は嚥下の出力（運動）をみているのに対し，②と③は嚥下の入力（感覚）をみていることを意識するとよい．
「①喉頭蓋谷や梨状陥凹の唾液貯留」については 図5-1 に静止画として代表例を示してある．「②声門閉鎖反射や咳反射の惹起性」，「③嚥下反射の惹起性」，「④着色水嚥下による咽頭クリアランス」については静止画ではわかりにくいため動画を例示した．判定しにくい部分もある．
一連の検査を 5-10 に示した．当院では②声門閉鎖反射や咳反射の惹起性を最後に実施しており，順番としては①→③→④→②となる．これは検査のはじめに喉頭蓋や披裂に触れると，不快感や激しい咳反射などが起こり，その後の検査が実施できなくなる恐れがあるためである．
嚥下障害の症例を対象としたスコア評価では専門外来担当医，一般耳鼻咽喉科，言語聴覚士の間で有意な相関があり，嚥下障害の専門家でなくても嚥下障害の病態を客観的に評価できる．またVFにおける咽頭クリアランスや誤嚥の程度ともに有意な相関があったとされる[3]．兵藤スコアのそれぞれの評価項目に対して図と動画を示す（図5-1，5-10～5-18）．「②声門閉鎖反射や咳反射の惹起性」についての評価は，声門閉鎖や咳反射だけでなく嚥下反射でもよい（同じ迷走神経反射であるため）．5-18 は，喉頭蓋を内視鏡の先端で触れる強さの加減や声門閉鎖反射を目視するための内視鏡操作の難しさなどの理由から，スコア評価1と2の判断は非常に難しい．

表 5-3 兵頭スコア（一部改変）

①喉頭蓋谷や梨状陥凹の唾液貯留 （図 5-1）	0：唾液貯留なし 1：軽度唾液貯留 2：中等度の唾液貯留あり，喉頭腔への流入なし 3：高度の唾液貯留あり，吸気時に喉頭腔へ流入あり
②声門閉鎖反射や咳反射の惹起性 （▶5-11，▶5-12，▶5-18）	0：喉頭蓋谷や披裂部に内視鏡の先端が少し触れるだけで容易に反射が惹起される 1：反射惹起されるが弱い 2：反射惹起されないことがある 3：反射惹起が極めて不良
③嚥下反射の惹起性 （▶5-13 〜 ▶5-16）	0：着色水の咽頭流入がわずかに観察できるのみ 1：着色水が喉頭蓋谷に達するのが観察できる 2：着色水が梨状陥凹に達するのが確認できる 3：着色水が梨状陥凹に達してもしばらくは嚥下反射が起きない
④着色水嚥下による咽頭クリアランス （▶5-13 〜 ▶5-17）	0：嚥下後に着色水残留なし 1：軽度の着色水残留があるが，2 〜 3 回の空嚥下で wash out（除去）される 2：着色水残留があり，複数回の嚥下を行っても wash out されない 3：高度の着色水残留があり，喉頭腔に流入する

①〜④は各 0 点（正常）・1 点（軽度）・2 点（中等度）・3 点（高度）で採点
①〜④の総計の点数で判定

4 点以下：軽症，　5 〜 8 点：中等症，　9 点以上：重症
誤嚥：なし・軽度・高度　　　随伴所見：鼻咽頭閉鎖不全・早期咽頭流入・声帯麻痺

＊意識レベルや認知機能は別途考慮する必要あり．評価基準に照らして障害の程度をスコア化し，誤嚥の有無と随伴所見を加えて記載する．
＊着色水の評価：常温水を使用し 2 ％の着色水を作成する．着色水 3 ml をいったん口腔内に保持させ，嚥下を指示する．原法は座位もしくは体幹角度 60°だが，当院では嚥下障害の重症度に合わせて体幹角度 30°や体幹角度 45°で行うこともある．
＊原著によれば，スコアの合計点が 4 〜 5 点以下であれば経口摂取の自立，すなわち下気道感染をきたすことなく経口のみによる必要量の食事摂取が可能であり，一方 9 〜 10 点以上であれば経口摂取は難しい，などの判断が行えるとされている．

（兵頭・他，2010）[3] より改変

▶ 5-10 兵頭スコアの一連の検査

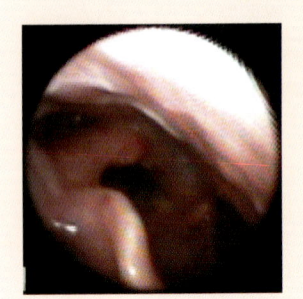

▶ 5-11 兵頭スコア②0

1例目は喉頭蓋谷に内視鏡の先端が少し触れた際に咳反射をみとめた（②0）．2例目は内視鏡の先端が少し触れた際に声門閉鎖反射をみとめた（②0）．

▶ 5-12 兵頭スコア②3

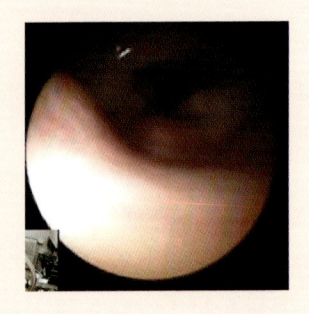

喉頭蓋に内視鏡の先端が触れても声門反射や咳反射はなかった（②3）．

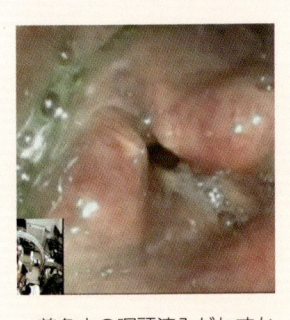

▶ 5-13 兵頭スコア③0④3

着色水の咽頭流入がわずかに観察できた（③0）．嚥下反射は起こったが，着色水の残留があり喉頭腔に流入した（④3）．なお，唾液貯留があるので①3となる．

▶ 5-14 兵頭スコア③1④0

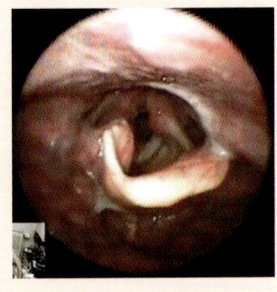

着色水が喉頭蓋谷に達したところで嚥下反射惹起された（③1）．嚥下後に着色水の残留はなかった（④0）．

▶ 5-15 兵頭スコア③2

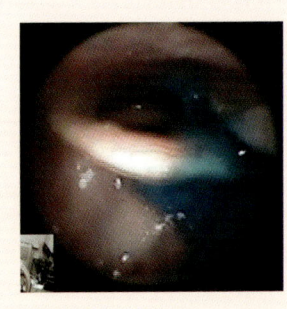

着色水が梨状陥凹に達し直後に嚥下反射惹起された（③2）．

▶ 5-16　兵頭スコア ③3 ④2

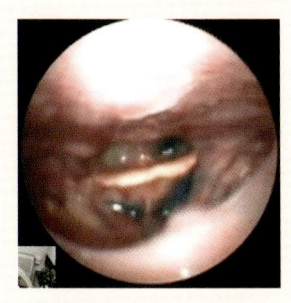

▶ 5-17　兵頭スコア ④1

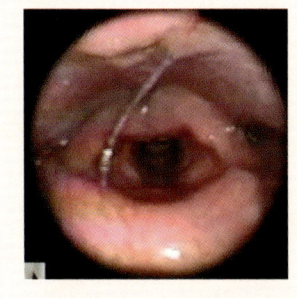

▶ 5-18　兵頭スコア ②1

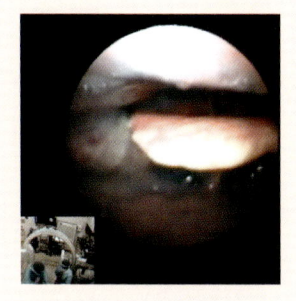

着色水が梨状陥凹に達してもしばらく嚥下反射が惹起されなかった（③3）．嚥下後に着色水の残留があり，空嚥下でも除去されなかった（④2）．

嚥下後に着色水の残留があったが，空嚥下で除去された（④1）．

②1か2の判断が難しいが，②1と判断した．

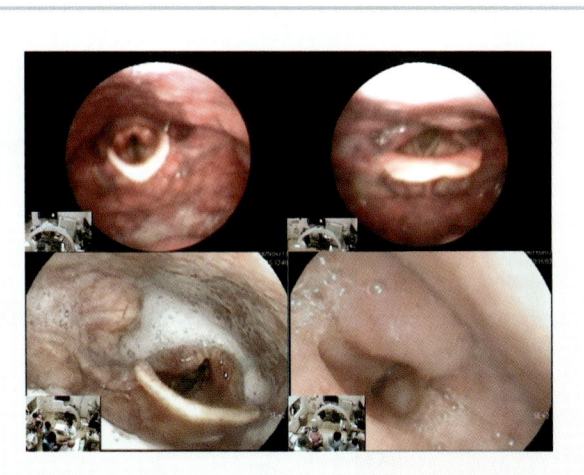

0：唾液貯留なし

1：軽度唾液貯留

2：中等度の唾液貯留あり，喉頭腔への流入なし

3：高度の唾液貯留あり，吸気時に喉頭腔へ流入あり

図5-1　兵頭スコア　①喉頭蓋谷や梨状陥凹の唾液貯留

　なお，リハビリテーションの視点からみると，兵頭スコアには「診断的評価」の意義が強く，「治療的評価の視点が入っていない」ことに注意すべきである．中等症や重症と判定されたとき体位効果や食品効果をみたり，リハビリテーション手技を加えたりすると所見はどう変化するか？　などを意識して行うと，その後の摂食訓練につながる．

Column ①

The Dynamic Imaging Grade of Swallowing Toxicity (DIGEST)

　DIGESTは，食塊のクリアランスの安全性 Safety (DIGEST-S) と効率性 Efficiency (DIGEST-E) に基づいて，咽頭期嚥下障害の重症度を評価するために2016年に開発された評価ツールである[5]（図5-2）．嚥下造影検査の側面像で評価を行う．侵入／誤嚥の評価にはPenetration-Aspiration Scale (PAS) が用いられ，咽頭残留は残留の割合（<10%，10〜49%，50〜90%，90%<）や食塊の種類によって重症度が決まる（図5-3）．SafetyとEfficiencyのいずれも，0（正常）から4（重度）の5段階で評価を行い，これらを組み合わせて咽頭期嚥下障害の重症度を5段階（正常/軽度/中等度/重度/生命を脅かす）で評価する[6]．頭頸部癌患者を対象に作成された重症度評価尺度であるが，パーキンソン病や筋萎縮性側索硬化症などの神経疾患を含む他疾患での臨床応用も進んでいる．わが国ではあまり知られていないが，信頼性や妥当性も評価がなされており，国際的にはDIGESTを用いた報告も増えている．誤嚥と咽頭残留を組み合わせた尺度であり，大変興味深い．

		嚥下安全性のグレード (PAS)				
		0	1	2	3	4
	嚥下効率のグレード	すべて 1-2	いくつかの検査食で 3-4，一種類で 5-8	時々または常時 5-6，時々または大量でない 7-8	常時 7-8 だが大量ではない，または大量 7-8 だが常時ではない	常に大量に 7-8
安全性	0 (10%以下の残留)	0	1	2	3	3
効率性	1 (10-49%の残留)	1	1	2	3	3
	2 (50%以上の固形物の残留)	1	2	2	3	3
	3 (固形物以外は50%以上残留またはいくつかの検査食が90%以上の残留)	2	2	3	3	4
	4 (すべての検査食が90%以上の残留)	3	3	3	4	4

最終的なDIGEST評価　　0＝正常　　1＝軽度または初期の嚥下障害　　2＝中等度の嚥下障害
　　　　　　　　　　　3＝重症嚥下障害　　4＝生命の危険がある嚥下障害

図5-2　DIGESTのスコアリング

Chapin JL, et al. Diagnostic utility of the amyotrophic lateral sclerosis Functional Rating Scale-Revised to detect pharyngeal dysphagia in individuals with amyotrophic lateral sclerosis. PLoS One. 15(8): e0236804, 2020. より転載. CC-BY (https://creativecommons.org/licenses/by/4.0/)

ダイジェスト（DIGEST）嚥下安全性のグレード

最大PAS値
- すべての試行で最も悪いPAS値
- 検査した水分，プリン状食品，固形物（クラッカー／クッキー）をもとに評価する
- 手技などを加えたときの嚥下は評価しない

PAS値	説明	PASの頻度／誤嚥，侵入の量について	安全性のグレード
PAS 1-2	誤嚥侵入がないか，または喉頭上部へ一瞬侵入し排出		Grade0
PAS 3-4	声門上までの無症候性の侵入，または声門まで侵入してすぐ排出		Grade1
PAS 5-6	声門への無症候性の侵入，またはすぐに排出される誤嚥（声門下への侵入）	1回でごく少量	Grade1
		時々または常時	Grade2
PAS 7-8	排出されない誤嚥，無症候性（silent）でも症候性でもよい	1回だけで，大量ではない	Grade1
		時々起こるが，大量ではない	Grade2
		常にあるが，大量ではない	Grade3
		大量だが，常にではない	Grade3
		常時大量にあり	Grade4

誤嚥侵入の頻度とパターン：
もし最大のPASが5-6，または7-8だったら以下をチェック：
- □ 1回だけ
- □ 時々みられる（1種類の検査食で試行回数の半分以下）
- □ 常時（1種類の検査食かとろみのない液体で試行の半分以上）

誤嚥侵入の量：
もし1種類の検査食で最悪の嚥下において声門下へ誤嚥した量について以下をチェック：
- □ わずか（薄く声帯表面を被う，声門下へしずくのようにたれる程度）
- □ 微量でも多量でもない
- □ 大量（食塊の25％以上）

嚥下効率性のグレード

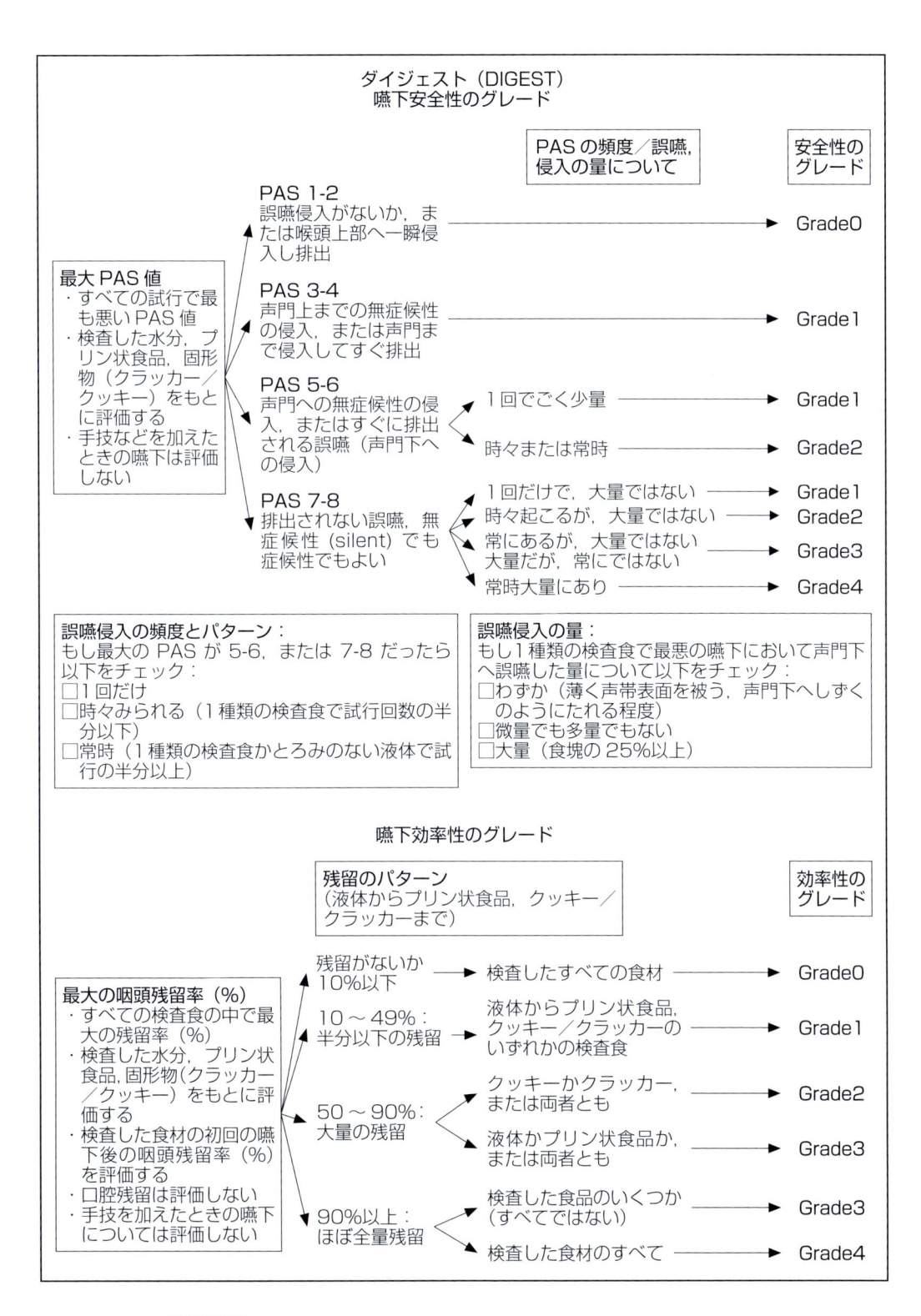

最大の咽頭残留率（％）
- すべての検査食の中で最大の残留率（％）
- 検査した水分，プリン状食品，固形物（クラッカー／クッキー）をもとに評価する
- 検査した食材の初回の嚥下後の咽頭残留率（％）を評価する
- 口腔残留は評価しない
- 手技を加えたときの嚥下については評価しない

残留のパターン（液体からプリン状食品，クッキー／クラッカーまで）		効率性のグレード
残留がないか10％以下	検査したすべての食材	Grade0
10～49％：半分以下の残留	液体からプリン状食品，クッキー／クラッカーのいずれかの検査食	Grade1
50～90％：大量の残留	クッキーかクラッカー，または両者とも	Grade2
	液体かプリン状食品か，または両者とも	Grade3
90％以上：ほぼ全量残留	検査した食品のいくつか（すべてではない）	Grade3
	検査した食材のすべて	Grade4

図5-3　DIGESTの安全性（Safety）と効率性（Efficiency）の評価

（Hucheson・他，2017）[5]より改変

Column ②

DIGEST-FEES

　DIGEST-FEES は The Dynamic Imaging Grade of Swallowing Toxicity（DIGEST）-Flexible Endoscopic Evaluation of Swallowing（FEES）の略で，嚥下造影（VF）で開発された DIGEST（第5章 Culumn①参照）を，嚥下内視鏡（Flexible Endoscopic Evaluation of Swallowing, FEES）に応用したものである．VFと同様に，安全性；Safety（喉頭侵入と誤嚥），効率性；Efficiency（咽頭残留）の組み合わせで嚥下障害の重症度を評価するものであり（図5-4），Starmerらは FEESを用いた DIGEST-FEESの信頼性・妥当性を検証し，2021年に報告している[7]．

　DIGEST-FEESは，VFを用いたオリジナルのDIGESTと同様に，パーキンソン病など神経疾患を含む他疾患での臨床応用も進んでいる．治療の効果判定にも用いられており，国際的にはDIGEST-FEESを用いた報告も増えている．わが国では，兵頭スコアだけ広く知られている感があるが，DIGEST-FEESを用いたVE評価も広まることが期待される．

嚥下 DIGEST-FEES 安全性のグレード

最大 PAS 値
- すべての試行で最も悪い PAS 値
- 検査した水分，プリン状食品，固形物（クラッカー／クッキー）をもとに評価する
- 手技などを加えたときの嚥下は評価しない

最大 PAS 値	PAS の頻度／誤嚥，侵入の量について	安全性のグレード
PAS 1-2: 誤嚥侵入がないか，または喉頭上部へ一瞬侵入し排出		GradeS0
PAS 3-4: 声門上までの無症候性の侵入，または声門まで侵入してすぐ排出	1回だけ	GradeS0
	時々起こるが，大量ではない	GradeS1
PAS 5-6: 声門への無症候性の侵入，またはすぐに排出される誤嚥（声門下への侵入）	1回でごく少量	GradeS1
	時々または常時	GradeS2
PAS 7-8: 排出されない誤嚥，無症候性（silent）でも症候性でもよい	1回だけで，大量ではない	GradeS1
	時々起こるが，大量ではない	GradeS2
	常にあるが，大量ではない／大量だが，常にではない	GradeS3
	常時大量にあり	Grade4S

※ 追加の試行で PAS が 5〜6 の場合，グレード 2 に引き上げる（単発＋）

誤嚥侵入の頻度とパターン：
もし最大の PAS が 5-6，または 7-8 だったらチェック：
- □ 1回だけ
- □ 時々みられる（1種類の検査食で試行回数の半分以下）
- □ 常時（1種類の検査食かとろみのない液体で試行の半分以上）

誤嚥侵入の量：
もし1種類の検査食で最悪の嚥下において声門下へ誤嚥した量について以下をチェック：
- □ わずか（薄く声帯表面を覆う，声門下へしずくのようにたれる程度）
- □ 微量でも多量でもない
- □ 大量（食塊の25％以上）

嚥下効率性のグレード

最大の咽頭残留率（%）
- すべての検査食の中で最大の残留率（%）
- 検査した水分，プリン状食品，固形物（クラッカー／クッキー）をもとに評価する
- 検査した食材の初回の嚥下後の咽頭残留率（%）を評価する
- 口腔残留は評価しない
- 手技を加えたときの嚥下については評価しない

残留のパターン（液体からプリン状食品，クッキー／クラッカーまで）		効率性のグレード
残留がないか 10％以下	検査したすべての食材	GradeE0
10〜49％: 半分以下の残留	液体からプリン状食品，クッキー／クラッカーのいずれかの検査食	GradeE1
50〜90％: 大量の残留	クッキーかクラッカー，または両者とも	GradeE2
	液体かプリン状食品か，または両者とも	GradeE3
90％以上: ほぼ全量残留	検査した食品のいくつか（すべてではない）	GradeE3
	検査した食材のすべて	GradeE4

DIGEST-FEES スコア

DIGEST スコア（安全性（S）と効率性（E）の関連）

	S0	S1	S2	S3	S4
E0	0	1	2	3	3
E1	1	1	2	3	3
E2	1	2	2	3	3
E3	2	2	3	3	4
E4	3	3	3	4	4

スコア	意味
0	正常
1	軽度
2	中等度
3	重度
4	生命を脅かす

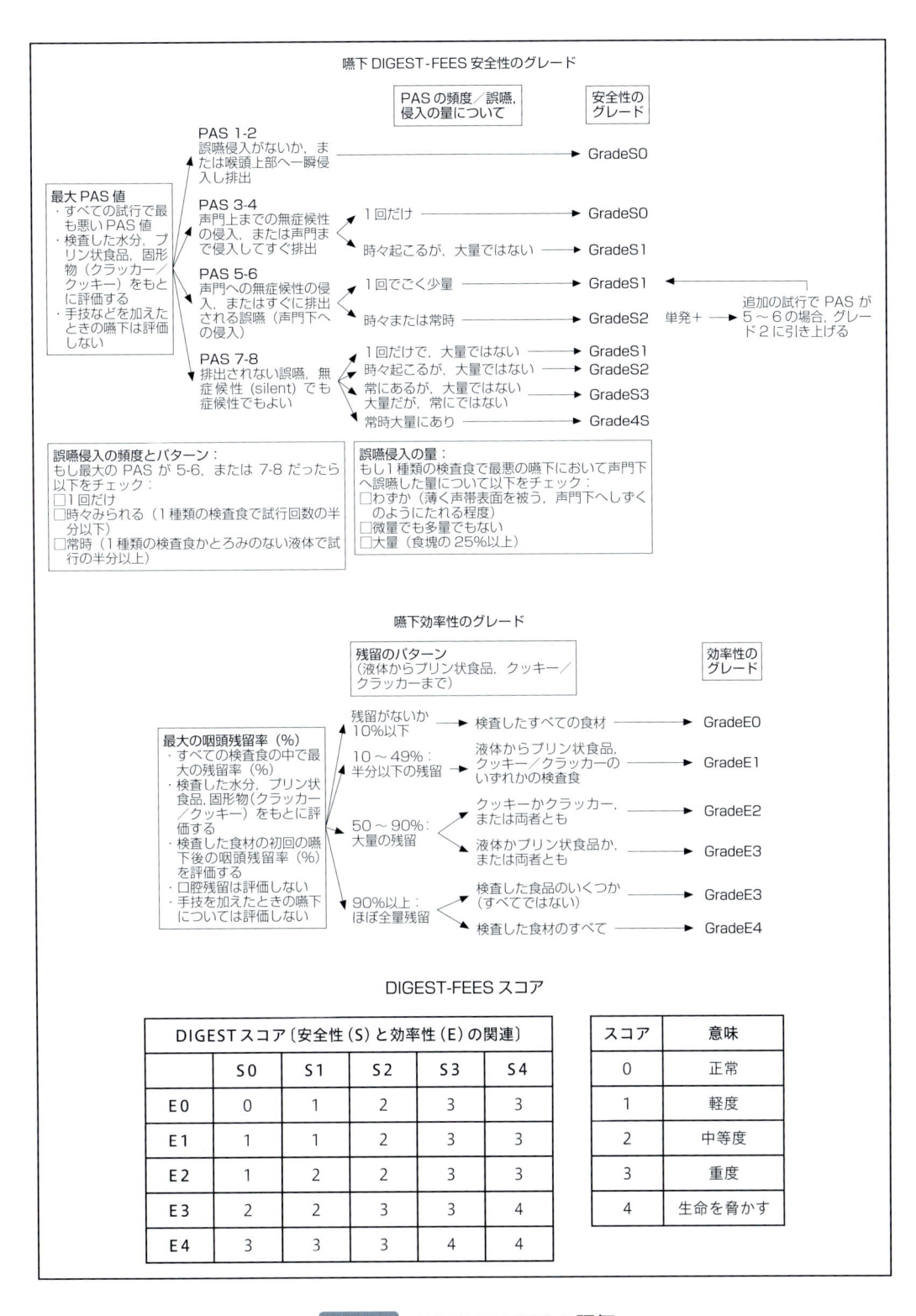

図 5-4　DIGEST-FEES の評価

安全性として喉頭侵入や誤嚥の程度に基づいて PAS を評価し（上段），効率性として咽頭残留の程度を評価する（中段）．これらを総合して DIGEST スコアを決定していく（下段）．

(Starmer・他, 2021)[7] より改変

Column ③ VF，VEで誤嚥や残留がないのに肺炎になる症例

　当院でしばしば議論になる問題として，VF，VEで誤嚥や残留がない摂食条件が設定でき，その条件で摂食を続けているのに肺炎を併発する症例がある．原因としては，①条件がどこかで守られずに食物誤嚥が起こった，②摂食開始により唾液などの分泌物が増えて，その誤嚥が肺炎を引き起こした，③胃食道逆流症（GERD）が原因，などが考えられる．1つひとつ要因を考えてリスクを減らす努力が必要である．

　さて，われわれの治療対象となる摂食嚥下障害患者を大きく分類すると，(A)脳卒中や全身疾患に伴って嚥下機能が障害され，摂食を開始したがむせて食べられない患者，(B)何らかの原因で長期にわたり経口摂取が中断していた患者，(C)誤嚥性肺炎を起こして治癒した後の患者，(D)拒食や口にためて飲み込まない患者，(E)現在食べているがむせる・のどに残るなど嚥下障害を疑わせる症状がある患者などである．このうち最も危険なのは(C)の誤嚥性肺炎の後の患者である．誤嚥性肺炎のリスクは「肺炎の既往歴」であるというのはよく知られた事実である．特に最近3カ月以内に肺炎を起こした後は肺炎を繰り返しやすいと思われる．

　健常者でも常時唾液などを誤嚥しているが，気道の繊毛運動で排出しているとされる．肺炎後はその生体防御機構に破綻が生じている．75歳以上の高齢者で合併症（心疾患，糖尿病，脳血管疾患，COPD，サルコペニアなど）をもっている患者は特に危険である．VF，VEで安全と思われても，より慎重に経過観察し，肺炎徴候があれば速やかに対処する必要がある．摂食訓練とともに積極的な口腔ケア，呼吸リハビリテーションやCiTA（第1章Column①参照）を導入して肺の喀出能を向上させることもよい結果につながる．

文献

1) Rosenbek JC, Robbins JA, Roeck EB, et al: A penetration—aspiration scale. Dysphagia, 11(2): 93-98, 1996.
2) Butler SG, Markley L, Sanders B, et al: Reliability of the penetration aspiration scale with flexible endoscopic evaluation of swallowing. Ann Otol Rhinol Laryngol, 124: 480-483, 2015.
3) 兵頭政光, 西窪加緒里, 弘瀬かほり: 嚥下内視鏡検査におけるスコア評価基準（試案）の作成とその臨床的意義. 日耳鼻, 113: 670-678, 2010.
4) Steele CM, Martin KG: Reflections on Clinical and Statistical Use of the Penetration-Aspiration Scale. Dysphagia, 32: 601-616, 2017.
5) Hutcheson KA, Barrow MP, Barringer DA, et al: Dynamic Imaging Grade of Swallowing Toxicity (DIGEST): Scale development and validation. Cancer, 123(1): 62-70, 2017.
6) Chapin JL, et al: Diagnostic utility of the amyotrophic lateral sclerosis Functional Rating Scale-Revised to detect pharyngeal dysphagia in individuals with amyotrophic lateral sclerosis. PLoS One. 15(8): e0236804, 2020.
7) Starmer HM, Arrese L, Langmore S, et al: Adaptation and validation of the dynamic imaging grade of swallowing toxicity for fexible endoscopic evaluation of swallowing: DIGEST-FEES. J Speech Lang Hear Res, 64(6): 1802-1810, 2021.

第6章

偽性球麻痺[1]

　偽性(仮性)球麻痺は，延髄神経核の両側性上位ニューロン障害[2]（図6-1）によって起こる嚥下障害，構音障害が特徴である．障害される部位によって異なるが，顔面，舌，咽頭・喉頭，咬筋などの運動麻痺，感覚障害などの症状がある．多くは大脳病変を伴うため高次脳機能障害（失語，失行，認知症など）をあわせもつことが多い[1,3]．症状と重症度は，障害される部位とその範囲により多彩である．本章では，主に典型的な重度の偽性球麻痺による嚥下障害を取り上げて説明する．

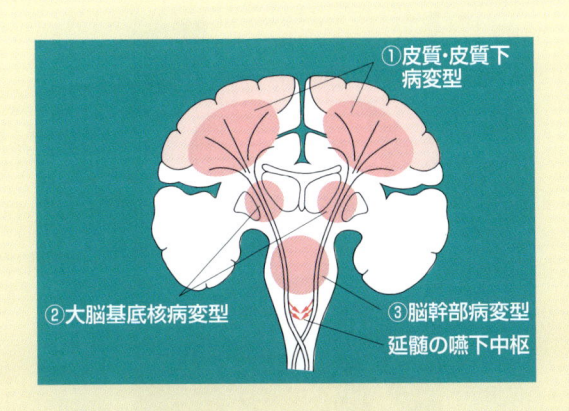

図6-1　偽性球麻痺の障害部位による3つの型
（藤島・他，2017）[1]

① 偽性球麻痺：舌の運動障害

重度の偽性球麻痺※では舌の運動障害が顕著であり，構音障害が重度である．図6-2 に示す例は舌の左右（図6-2 ❶, ❷），前後（図6-2 ❸），上下方向の動きが大きく制限されている．咀嚼・食塊形成，咽頭への送り込みが不良で，なんとか嚥下ができた後も口腔内に大量の残留がみられる（図6-2 ❹）．

※以前は仮性球麻痺とよばれていた．

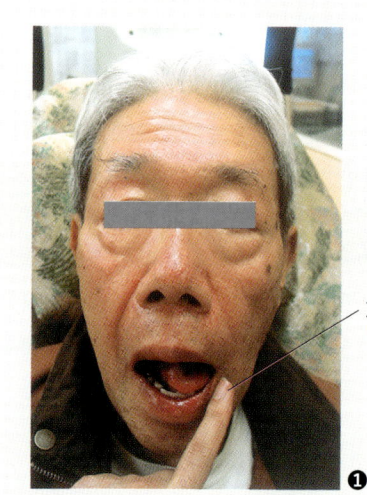

左の口角をなめるように指示しても不可能である

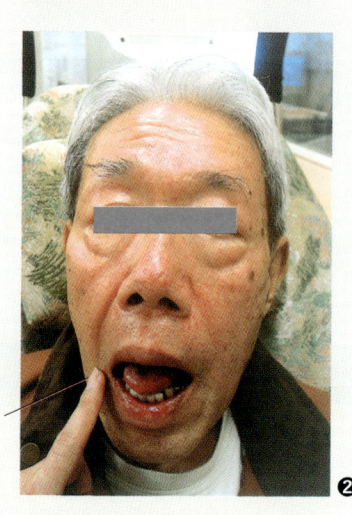

右の口角をなめるように指示しても不可能である

図6-2 舌の運動障害

❶，❷ 舌の動きが制限されるとともに顔面筋も麻痺しているため，全体に「のっぺりした」表情となっている．

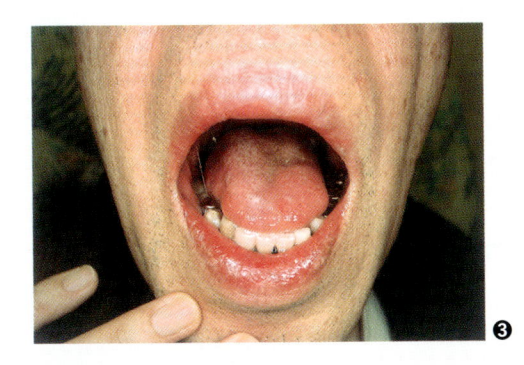

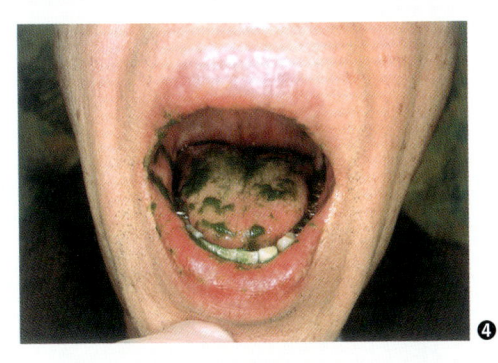

図 6-2　舌の運動障害（つづき）

❸　重度の偽性球麻痺では舌の動きが著明に制限される．この図は舌の最大突出位であるが，口唇にも到達できない．
❹　ピューレ状の食品（この場合はホウレン草をミキサーにかけたもの）は口全体に広がってしまい，著明な残留がみられる．

第6章　偽性球麻痺

② 偽性球麻痺：咽頭への送り込み障害

図6-3 は，図6-2 と同じ症例の中咽頭をみたところである．ホウレン草のピューレ※は奥舌にみえるが，舌根部まではなかなか送り込まれない．唾液にとけた成分がだらだらと咽頭へ流れ込んでいる．咽頭への送り込み不良に関しては「カクカク嚥下」「鼻つまみ嚥下」「イー嚥下」「PAP作製」などの対応があり，第8章の訓練の項を参照いただきたい．

※ミキサー状の食品．ペーストと表現されることもある．

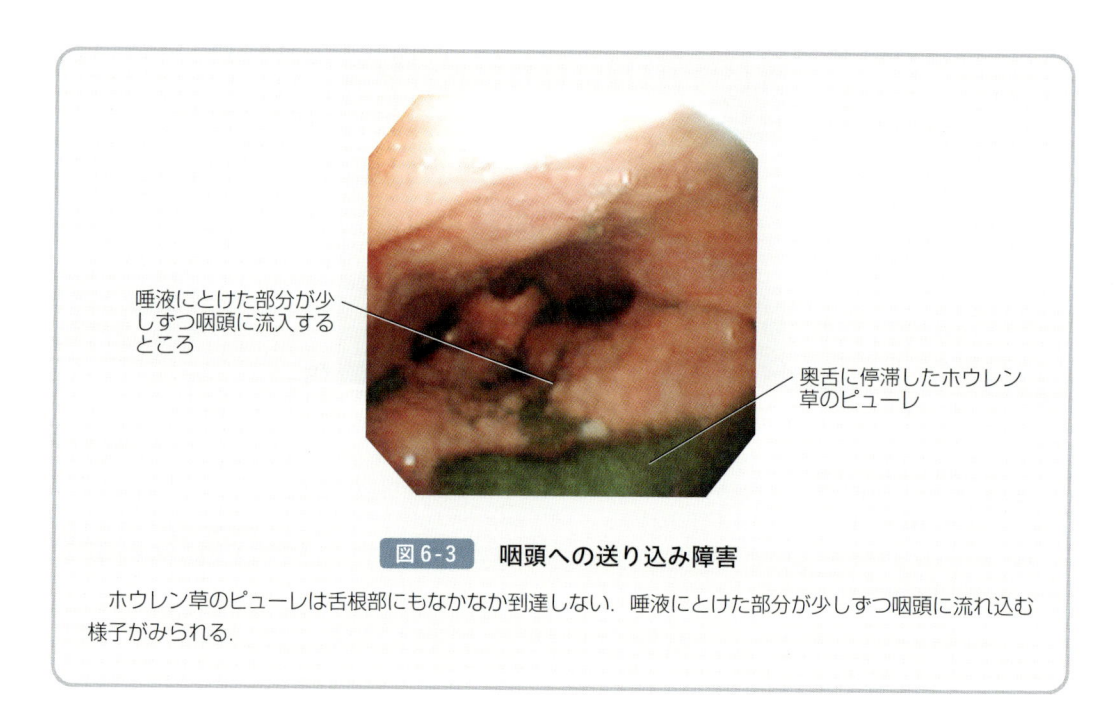

唾液にとけた部分が少しずつ咽頭に流入するところ

奥舌に停滞したホウレン草のピューレ

図6-3 咽頭への送り込み障害

ホウレン草のピューレは舌根部にもなかなか到達しない．唾液にとけた部分が少しずつ咽頭に流れ込む様子がみられる．

③ 偽性球麻痺：誤嚥・侵入

6-1 はバリウム水の侵入，6-2 はとろみ水の誤嚥をとらえている．また，図6-4 では嚥下されたホウレン草のピューレが喉頭前庭に残っている（侵入）ところがVEでよくわかる．VEのコツをつかめば，かなり高い感度で誤嚥・侵入の評価が可能であり，VFを補完する意味がある．誤嚥・侵入に関しては第3章で詳しく取り上げているので参照いただきたい．

VFではVEに比べて誤嚥のタイミングがわかりやすく，誤嚥防止の手技が施行しやすい（ 6-3 〜 6-6 ）．

偽性球麻痺では，①筋力低下，②感覚障害，③喉頭閉鎖のタイミングのずれなどのために嚥下前・中・後のいずれの誤嚥もみられる．

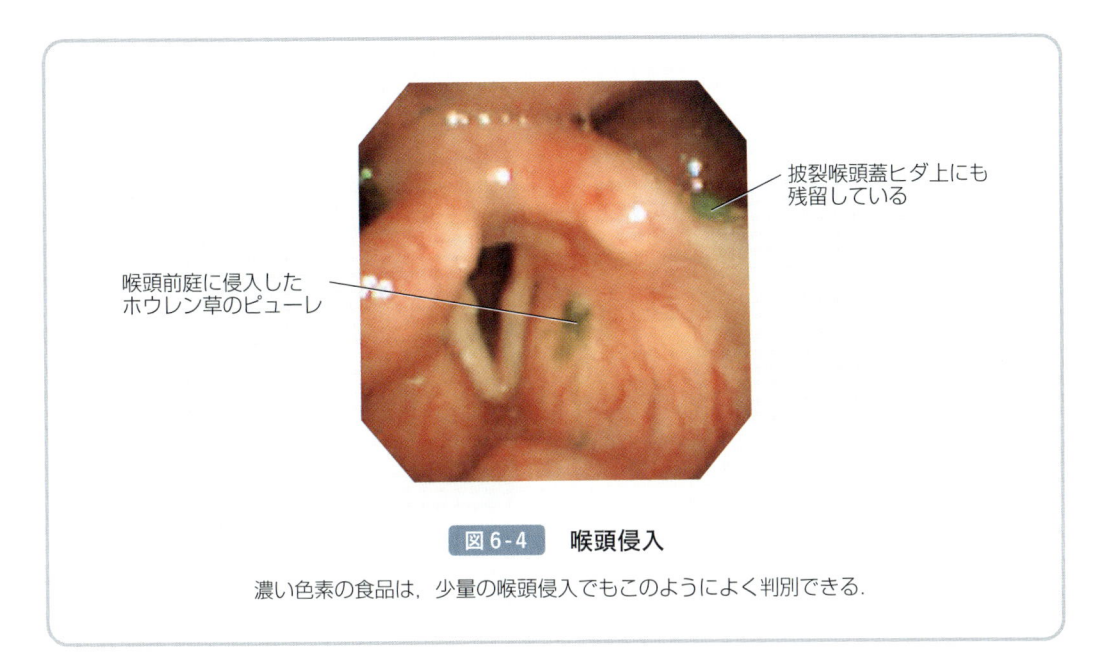

図 6-4　喉頭侵入

- 披裂喉頭蓋ヒダ上にも残留している
- 喉頭前庭に侵入したホウレン草のピューレ

濃い色素の食品は，少量の喉頭侵入でもこのようによく判別できる．

▶ 6-1　バリウム水の侵入（VF）

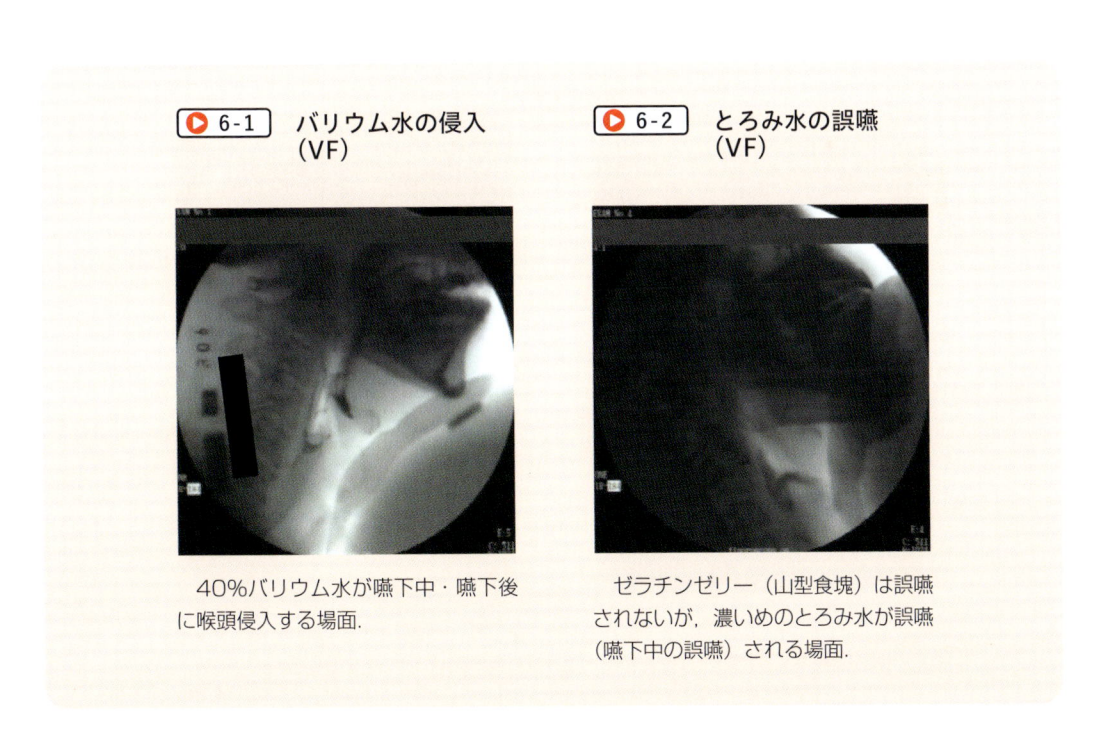

40%バリウム水が嚥下中・嚥下後に喉頭侵入する場面．

▶ 6-2　とろみ水の誤嚥（VF）

ゼラチンゼリー（山型食塊）は誤嚥されないが，濃いめのとろみ水が誤嚥（嚥下中の誤嚥）される場面．

第6章　偽性球麻痺

▶ 6-3　頸部前屈による誤嚥防止（VF）

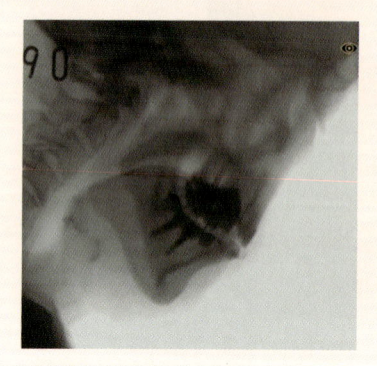

40％バリウム水を誤嚥（silent）しているが，頸部前屈を強めることで誤嚥が消失する．

▶ 6-4　とろみ調整食品による誤嚥防止（VF）

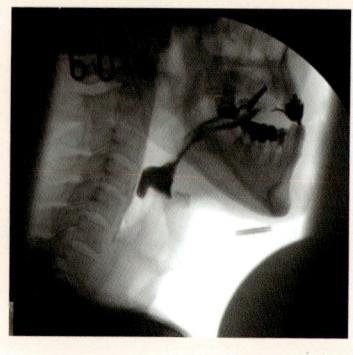

水分誤嚥がある患者．薄めのとろみでは誤嚥しているが，中間のとろみにすると誤嚥が消失する．

▶ 6-5　90°→60°の体位効果（VF）

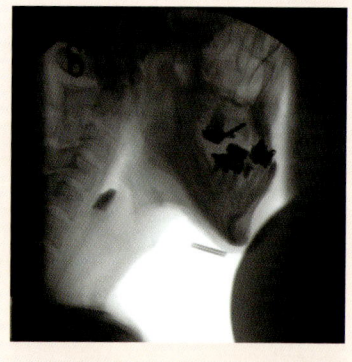

体幹角度90°ではゼリーが喉頭侵入しているが，体幹角度60°とすることでゼリー（スライス型食塊）[6, 7]は梨状窩に入り，喉頭侵入は消失する．

▶ 6-6　45°→30°の体位効果（VF）

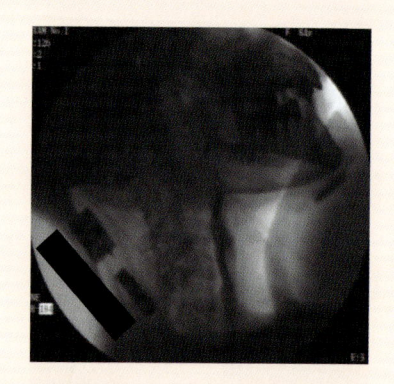

体幹角度45°では誤嚥があり，体幹角度30°では誤嚥は消失する．

④ 偽性球麻痺：咽頭残留

　咽頭残留も偽性球麻痺でよくみられる．VF，VEにおいては残留除去が可能か，不可能かをよく調べる必要がある（▶6-7 〜 ▶6-10）．次々に摂食していくと残留が増加する場合もあり，食事の後半で疲労して残留が増加するということもある（▶6-11）．咽頭残留に関しても第4章で詳しく取り上げているので参照いただきたい．

　重度の偽性球麻痺は著明な鼻咽頭閉鎖不全による開鼻声を呈することが多いが，嚥下時には鼻咽頭閉鎖がみられ，発声時と嚥下時の乖離（speech-swallow dissociation：SSD）[7, 8]がある（図6-5）．▶6-12 はVEでの発声時と嚥下時の乖離，▶6-13 はVFでの発声時と嚥下時の乖離がある症例を示す．鼻咽頭逆流（図6-6，▶6-14）で困る例は臨床的にそれほど多くない．筆者の経験では，偽性球麻痺に糖尿病の神経障害などを合併したときに鼻咽頭逆流が顕著となる．

▶6-7　交互嚥下による咽頭残留減少（VF）

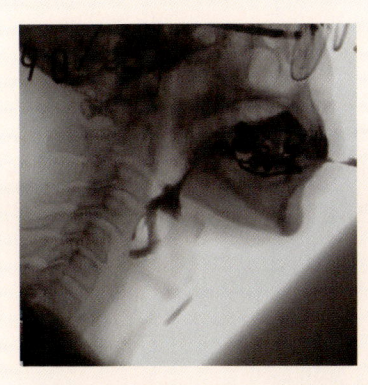

蒸しパンが咽頭に残留しているが，薄めのとろみ水を（交互）嚥下することで咽頭残留が減少する．

▶6-8　交互嚥下による咽頭残留除去（VF）

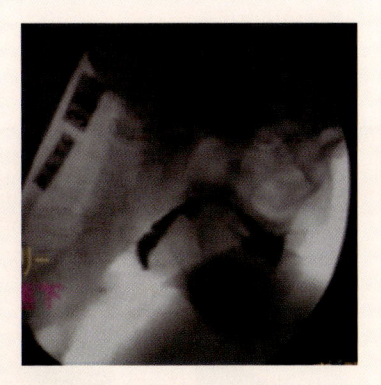

喉頭蓋谷に寒天砕き（米飯模擬食品）が残留しているが，ゼラチンゼリーとの交互嚥下で残留が除去される．

6-9 嚥下後の頸部左回旋空嚥下（VF）

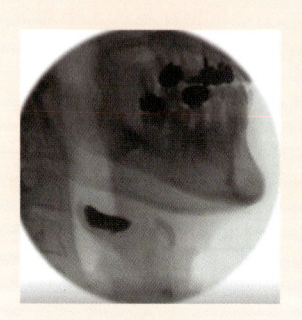

喉頭蓋谷にゼラチンゼリーが残留しているが，頸部左回旋で空嚥下すると残留が除去される．

6-10 ゼラチンゼリーとの交互嚥下（VE）

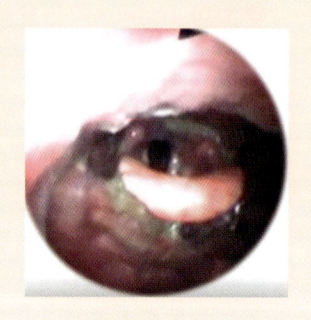

喉頭蓋谷を中心とした咽頭残留をみとめたが，ゼラチンゼリーとの交互嚥下により残留が減少した．ゼラチンゼリーを5口で除去できた．

6-11 食品・一口量の違いによる咽頭残留の増加，食道残留（VF）

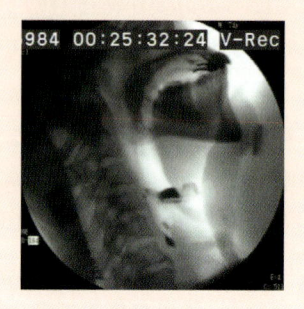

C6/7に頸椎症あり．食べ続けると咽頭残留が増加してくる場面．

6-12 発声時と嚥下時の乖離（VE）

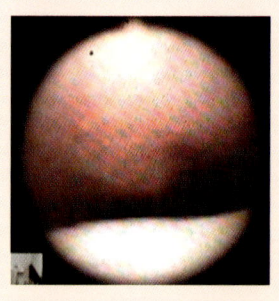

発声時に鼻咽頭閉鎖がない．

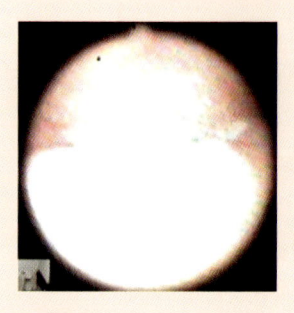

嚥下時に鼻咽頭閉鎖がある．

6-13 発声時と嚥下時の乖離（VF）

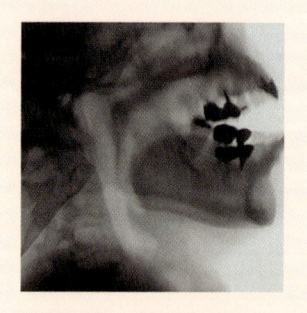

発声時に鼻咽頭閉鎖がない．

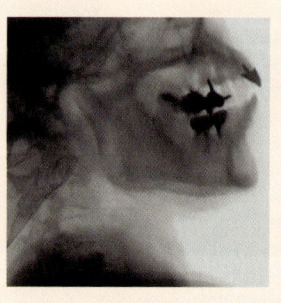

嚥下時に鼻咽頭閉鎖がある．

6-14 鼻咽頭逆流（VE）

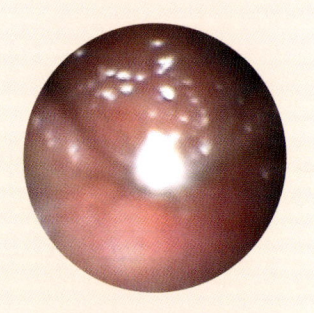

VF後のVEで鼻咽頭逆流をとらえた場面．

少量の唾液にとけたホウレン草のピューレが中喉頭から鼻咽頭に入ってくるところ

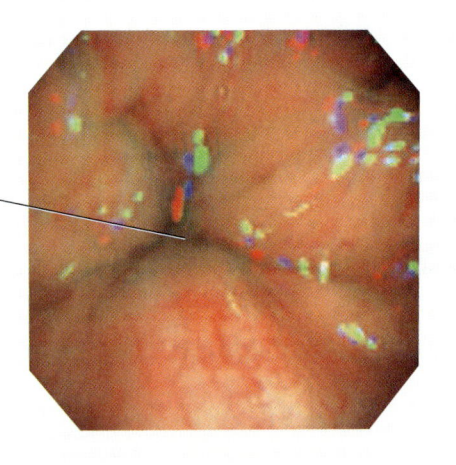

図6-5 ごく少量の鼻咽頭逆流

重度偽性球麻痺では開鼻声となるが，嚥下時はこのように鼻咽頭はよく閉鎖し，逆流に困ることはそれほど多くない．

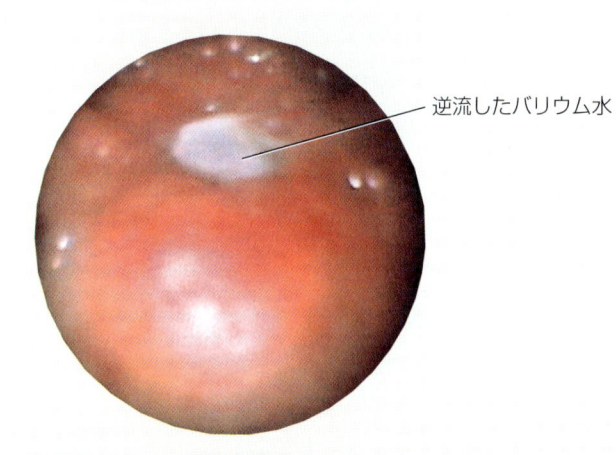

逆流したバリウム水

図6-6 鼻咽頭逆流をとらえた場面

この図のように水分（ここでは40％バリウム水）が逆流して困るという訴えが聞かれることもある．

第6章 偽性球麻痺

⑤ 偽性球麻痺：ゼラチンゼリーの丸飲み

　重度の偽性球麻痺では口腔機能が悪いため，しばしば食品が丸飲みとなる．ゼラチンゼリーの丸飲み場面では，嚥下力（咽頭収縮力）が低下している場合，大きな食塊は嚥下できず残留する（図6-7）．一方，咽頭を通過しやすい形の少量の食塊であればスムーズに咽頭を通過する（図6-8）．図6-9，図6-10はVEでゼラチンゼリーのスライス型食塊[4, 5, 6]が丸飲みで嚥下される場面をみたところである．リクライニング位を併用するとよい（第9章の偽性球麻痺症例を参照）．口腔機能不良で送り込みが悪いときには，この他に第8章p123～127などの

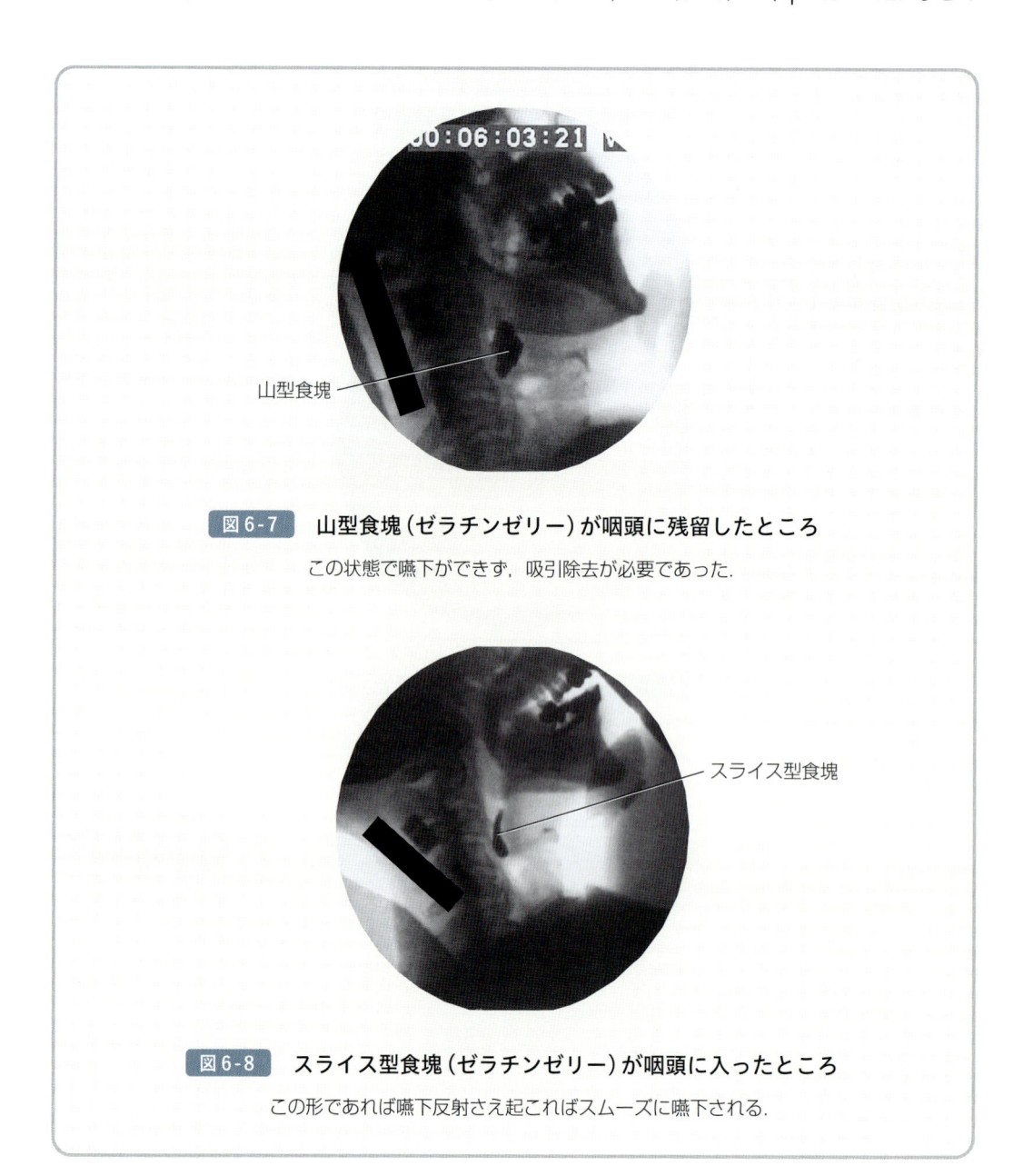

図6-7 山型食塊（ゼラチンゼリー）が咽頭に残留したところ
この状態で嚥下ができず，吸引除去が必要であった．

図6-8 スライス型食塊（ゼラチンゼリー）が咽頭に入ったところ
この形であれば嚥下反射さえ起こればスムーズに嚥下される．

方法があるので参照のこと．

　ゼラチンゼリーの丸飲みは，咽頭残留の除去だけでなく，食道残留の除去にも有効な場合がある．6-15〜6-17は食道残留があるが，ゼラチンゼリーの丸飲みで食道残留が除去される所見である．

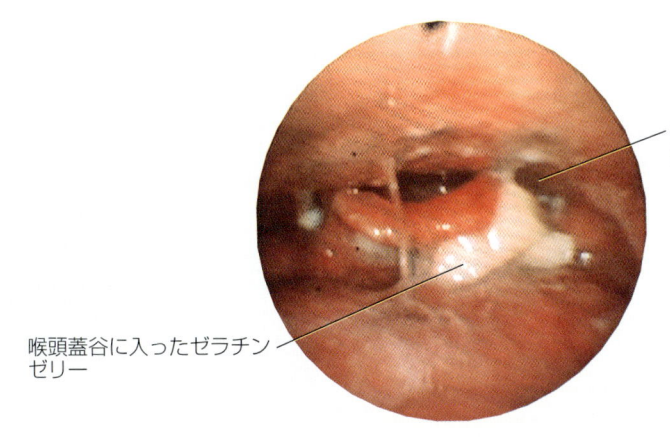

図6-9 丸飲みされるスライス型ゼラチンゼリー

- 喉頭蓋谷に入ったゼラチンゼリー
- 咽頭の左側方経路から梨状窩に入るところ

重度の偽性球麻痺では咀嚼が不良のためゼラチンゼリーは丸飲みとなる．嚥下もなかなか起こらないため，喉頭蓋谷から梨状窩に入っていく様子もよく観察できる．

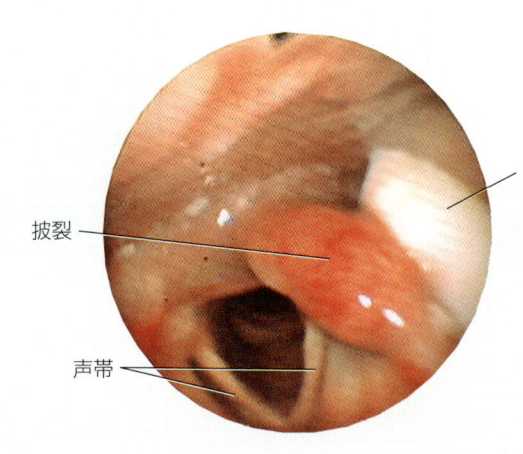

図6-10 左梨状窩に入ったスライス型ゼラチンゼリー

- 披裂
- 声帯
- 左梨状窩に入ってきたスライス型ゼラチンゼリー．スライス型食塊はこのように梨状窩にフィットするため誤嚥されにくい

▶ 6-15　上部食道の残留除去(VF)

ゼラチンゼリーとの交互嚥下で除去される.

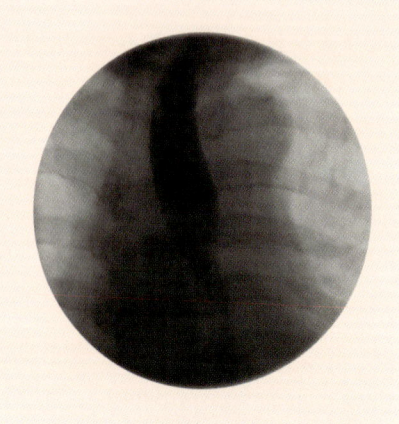

▶ 6-16　下部食道の残留・逆流(VF)

バリウム水との交互嚥下では下部食道の残留・逆流があり,空嚥下をしても除去されない.

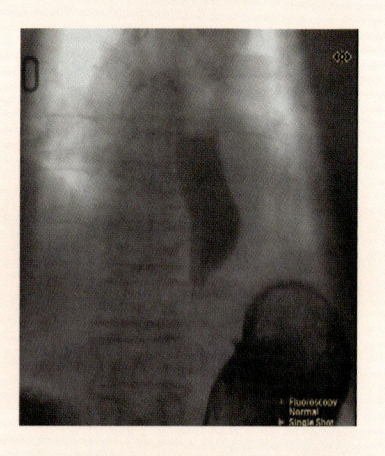

▶ 6-17　交互嚥下による下部食道の残留除去(VF)

動画 6-16 と同じ症例であるが,ゼラチンゼリーの交互嚥下で除去された.

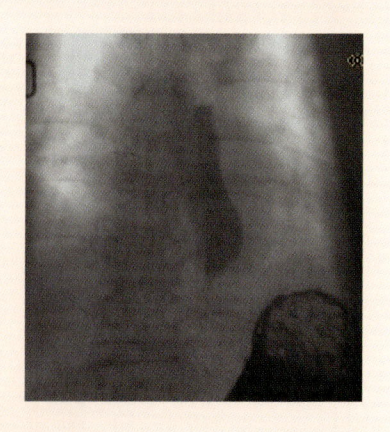

⑥ 偽性球麻痺：唾液貯留と横向き嚥下

　球麻痺ほどではないが，偽性球麻痺でも唾液が嚥下できずに貯留していたり，咽頭から食道入口部通過に左右差の所見がみられたりすることがある（ 図6-11❶ ， 6-18 ）．この症例では，アイスマッサージの後に左右の横向き嚥下を繰り返すことで梨状窩の唾液が減少した（ 図6-11❷ ）．頸部を回旋すると回旋した側と反対の咽頭が広がり，食塊を目的とした側方経路（lateral channel）に導くことが可能となる（ 図6-11❸ ）．このとき，通過側を下にした側臥位（一側嚥下）をとると特に有効である．

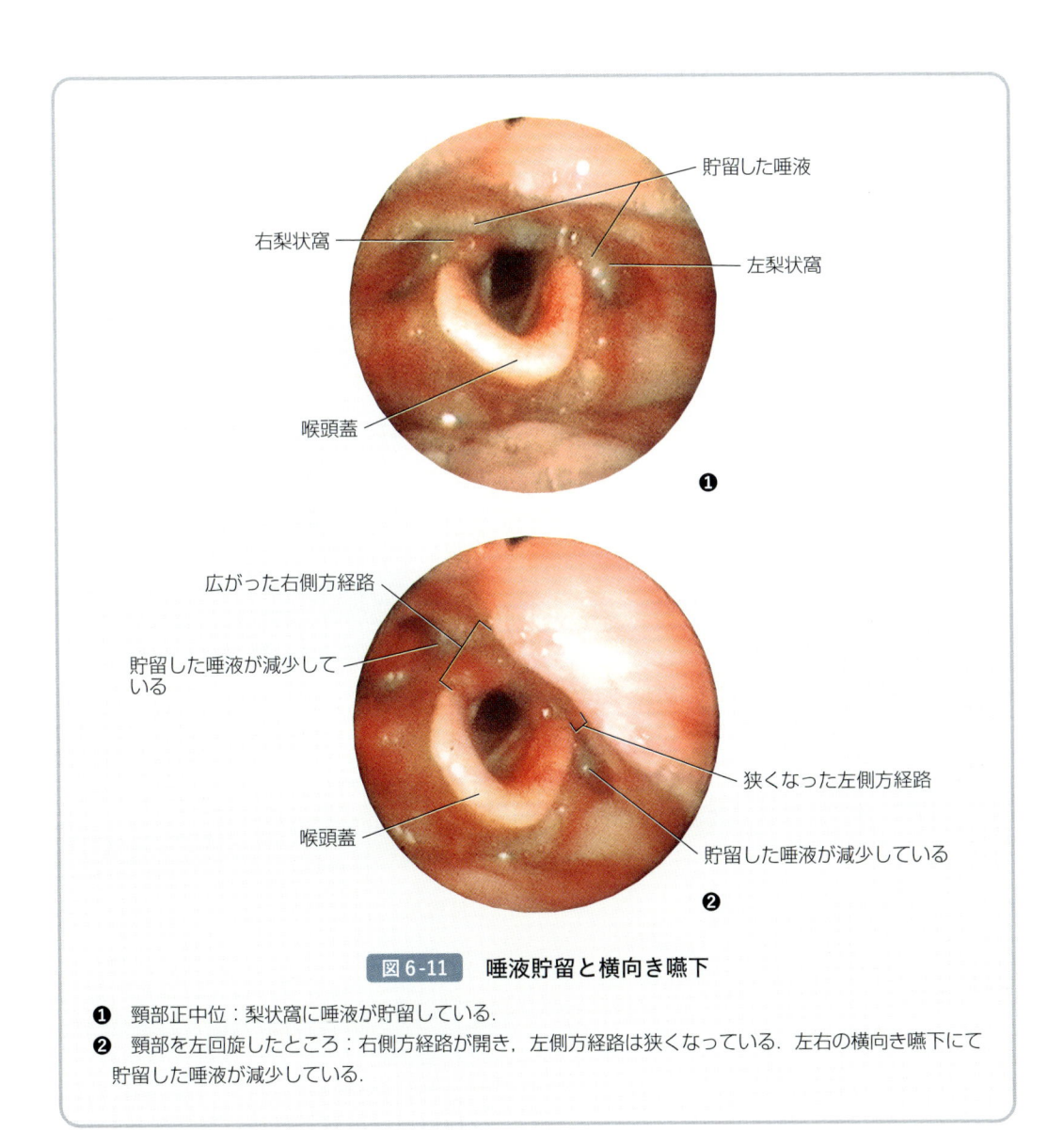

図6-11　唾液貯留と横向き嚥下

❶　頸部正中位：梨状窩に唾液が貯留している．
❷　頸部を左回旋したところ：右側方経路が開き，左側方経路は狭くなっている．左右の横向き嚥下にて貯留した唾液が減少している．

図6-11 唾液貯留と横向き嚥下（つづき）

頸部を左に回旋し，ゼラチンゼリーを右梨状窩に誘導できたところ．ここでもスライス型食塊が梨状窩にフィットしてはまるようになっている

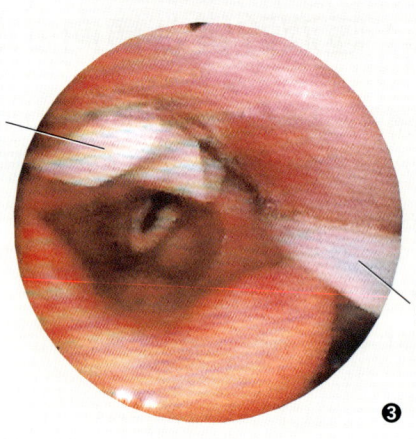

左梨状窩を通過するチューブ

❸ チューブが入っていない側をゼラチンゼリーが通るところ：頸部回旋をうまく利用すると，チューブを避けてスムーズに嚥下させることが可能となる．

▶ 6-18 咽頭通過の左右差と頸部回旋嚥下による残留除去（VF）

本症例は咽頭通過が悪く，初めに嚥下前に左横向き嚥下をしてもらったところ右咽頭を通過した．その後，嚥下後右横向き空嚥下で左梨状窩の残留が除去された．

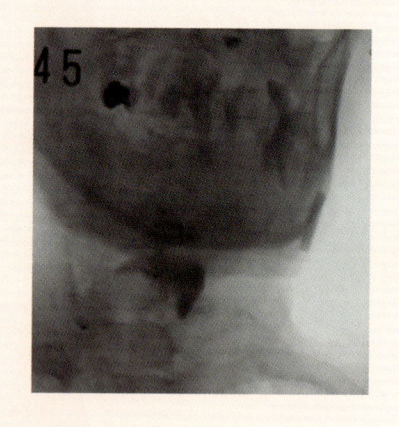

⑦ 偽性球麻痺：急性期の咽頭とチューブ[9)]

偽性球麻痺の急性期には嚥下がほとんど起こらず唾液が充満していることが多い．唾液を除去した後も 図6-12❶ のように浮腫がみられる．栄養チューブが長期間留置されると抜去された後も圧痕がみられることがある（ 図6-12❷ ）．また，吸引が原因と思われるびらん（erosion）など咽頭喉頭損傷がみられる例もある．このような病変の評価にもVEは最適である．なお，この他のチューブの問題は第8章（「⑤チューブの問題」）を参照．

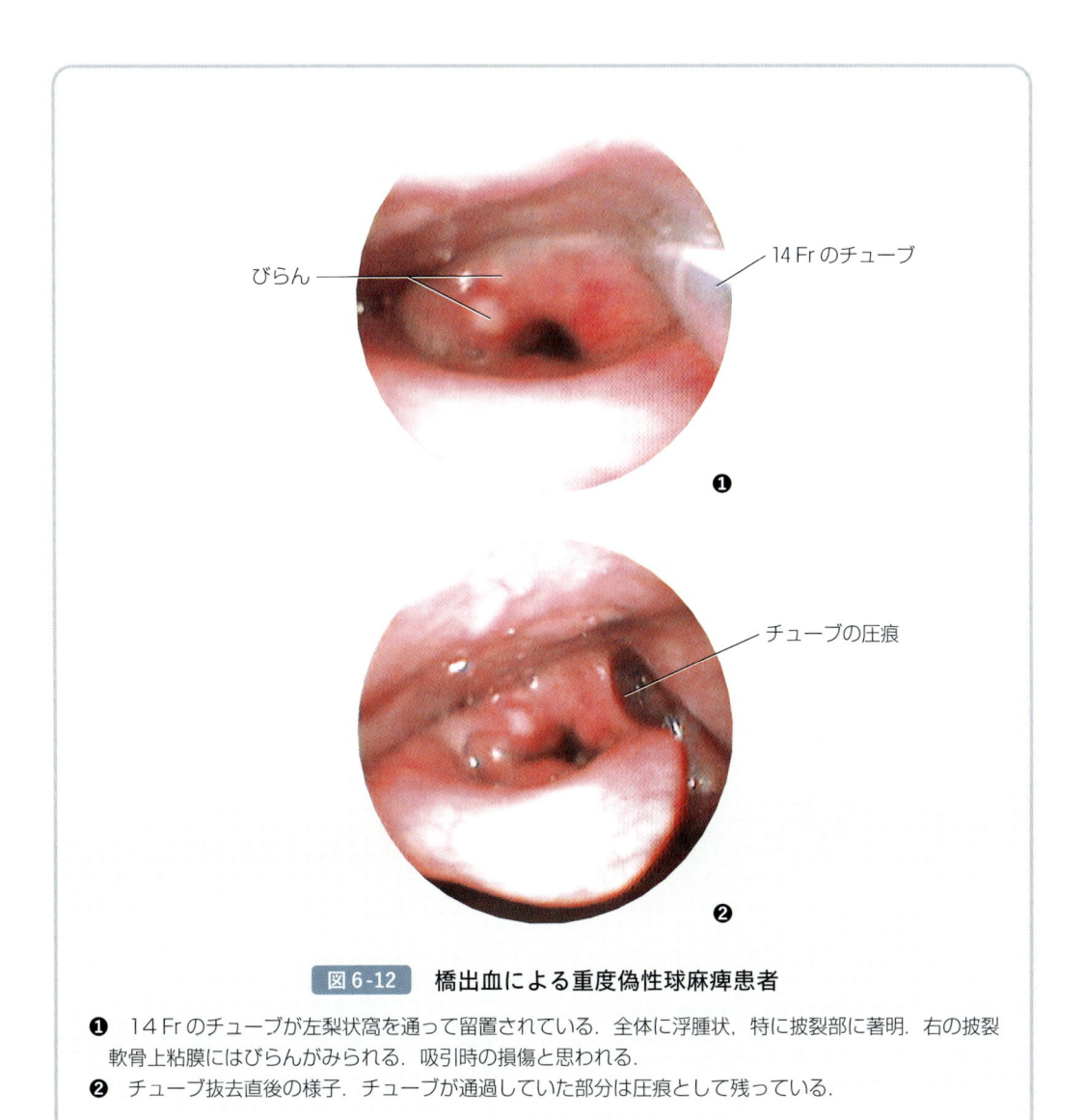

図6-12 橋出血による重度偽性球麻痺患者

❶ 14 Frのチューブが左梨状窩を通って留置されている．全体に浮腫状，特に披裂部に著明．右の披裂軟骨上粘膜にはびらんがみられる．吸引時の損傷と思われる．
❷ チューブ抜去直後の様子．チューブが通過していた部分は圧痕として残っている．

⑧ 偽性球麻痺：著明に汚染された咽頭

VEをみて大変驚くのは，図6-13 に示すような著明に汚染された咽頭に出合うときである．外見からは想像もできない汚染された咽頭所見をみると，いかに正しく嚥下を評価して対処することが必要であるかを痛感させられる．第4章（咽頭残留），第8章（「③咽頭の汚染」）を参照．

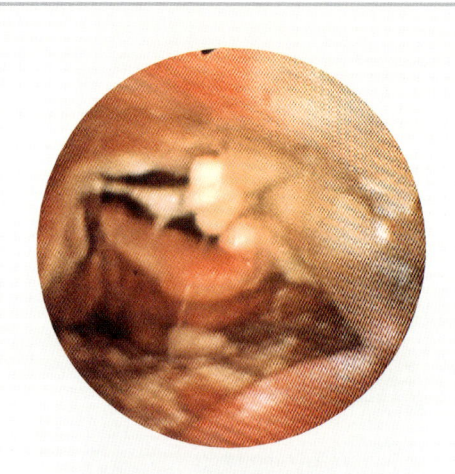

図6-13 著明に汚れた咽頭

腎不全に多発性脳梗塞を合併し，偽性球麻痺となった症例の咽頭．
薬だけ少量の水で飲ませたとのことであったが，VEではダマになった薬が咽頭全体にこびりついて悲惨な状態であった．吸引での除去も大変であった．

文献

1) 藤島一郎・谷口 洋：脳卒中の摂食嚥下障害 第3版 Web動画付．pp15-18, 医歯薬出版, 2017.
2) 聖隷嚥下チーム：嚥下障害ポケットマニュアル 第4版．pp17-22, 医歯薬出版, 2017.
3) 藤島一郎（監修）：嚥下障害ビデオシリーズ ⑦嚥下造影と摂食訓練．医歯薬出版, 2001.
4) Aii S, Fujishima I, Shigematsu T, et al: Sliced Jelly Whole Swallowing Reduces Deglutition Risk: A Novel Feeding Method for Patients with Dysphagia. Dysphagia, 39(5): 940-947, 2024.
5) Matsuo K, Fujishima I: Textural changes by mastication and proper food texture for patients with oropharyngeal dysphagia. Nutrients, 12: 1613-1627, 2020.
6) 藤島一郎, 大熊るり：経管栄養, 食品．リハ医学, 37(10): 653-655, 2000.
7) Yaguchi H, Sakuta K, Mukai T, et al: Fiberoptic laryngoscopic neurological examination of amyotrophic lateral sclerosis patients with bulbar symptoms. J Neurol Sci, 440: 120325, 2022. doi: 10.1016/j.jns. 2022. 120325. Epub 2022 Jun 18.
8) Miyagawa S, Yaguchi H, Kunieda K, et al: Speech-Swallow Dissociation of Velopharyngeal Incompetence with Pseudobulbar Palsy: Evaluation by High-Resolution Manometry. Dysphagia, 39(6): 1090-1099, 2024.
9) 聖隷嚥下チーム：嚥下障害ポケットマニュアル 第4版．pp94-96, 医歯薬出版, 2017.

第7章

球麻痺

　延髄の脳神経核（疑核，孤束核，迷走神経背側核など）には嚥下中枢（嚥下のCentral Pattern Generator：CPG）があると考えられている．球麻痺[1]は，これらの障害によって起こる嚥下障害，構音障害が特徴である．また，障害が橋などに及んでいることもあり，このようなときは顔面，舌，咽頭・喉頭，咬筋などの運動麻痺，感覚障害などの症状がみられる．延髄には呼吸中枢もあり，損傷がひどければ生命の危険がある．リハビリテーションが可能となる症例は偽性球麻痺に比べて多くはない．高齢者では，偽性球麻痺との合併もある．

　損傷される病変部位により左右差がみられる場合や，嚥下の各要素（鼻咽頭閉鎖，咽頭収縮，披裂の動き・声門閉鎖，食道入口部の開大など）が一様に障害されない場合がある．臨床的に多く遭遇するのは，ワレンベルグ症候群（延髄外側症候群）である[2]．

① ワレンベルグ症候群：鼻咽頭閉鎖不全

　球麻痺では軟口蓋麻痺による鼻咽頭閉鎖不全がみられることがあり，開鼻声となるとともに嚥下時にも閉鎖不全があるため，咽頭嚥下圧低下の原因となる．
　図7-1 は左ワレンベルグ症候群のVE所見である．図7-1❶ は安静時，図7-1❷ は発声時である．右の軟口蓋は動きがよいが，左は全く動いていない．図7-1❸ は発声時であるが，泡沫状の唾液が逆流するところをとらえた場面である．球麻痺における咽頭所見はカーテン徴候がよく知られているが，これは軟口蓋の麻痺ではなく，発声させると咽頭後壁の麻痺側が収縮しないため「麻痺側から健側に」カーテンが引かれるようにみえることを指している．▶7-1 でも鼻咽頭閉鎖不全とカーテン徴候がみられる．

▶7-1　右鼻咽頭閉鎖不全とカーテン徴候（VE）

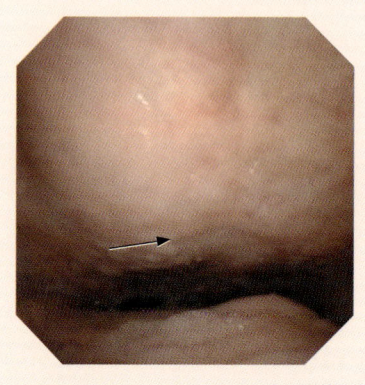

右ワレンベルグ症候群患者の右鼻咽頭閉鎖不全とカーテン徴候（右咽頭後壁が左に動く：矢印）を鼻咽頭からみた場面．

図中ラベル：咽頭後壁、軟口蓋、右、左

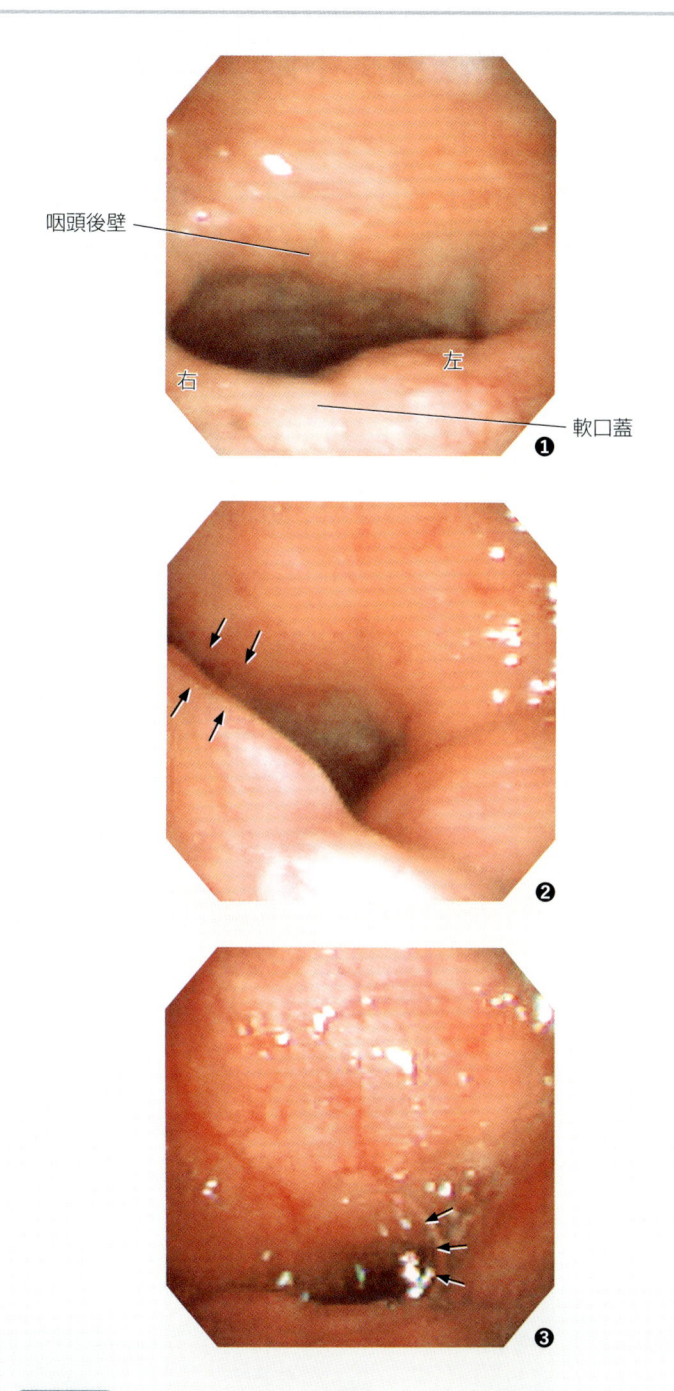

図 7-1　左ワレンベルグ症候群：上咽頭（鼻咽頭）の所見（VE）

❶ 安静時の軟口蓋（鼻咽頭からみたところ）：左側は麻痺しているため，だらりとした感じにみえる．
❷ 発声時の軟口蓋：右側（健側）の動きはよいが左側（麻痺側）は全く動かない．
❸ 発声時に泡沫状の唾液が浮き出すように逆流している場面．

② ワレンベルグ症候群:下咽頭の所見

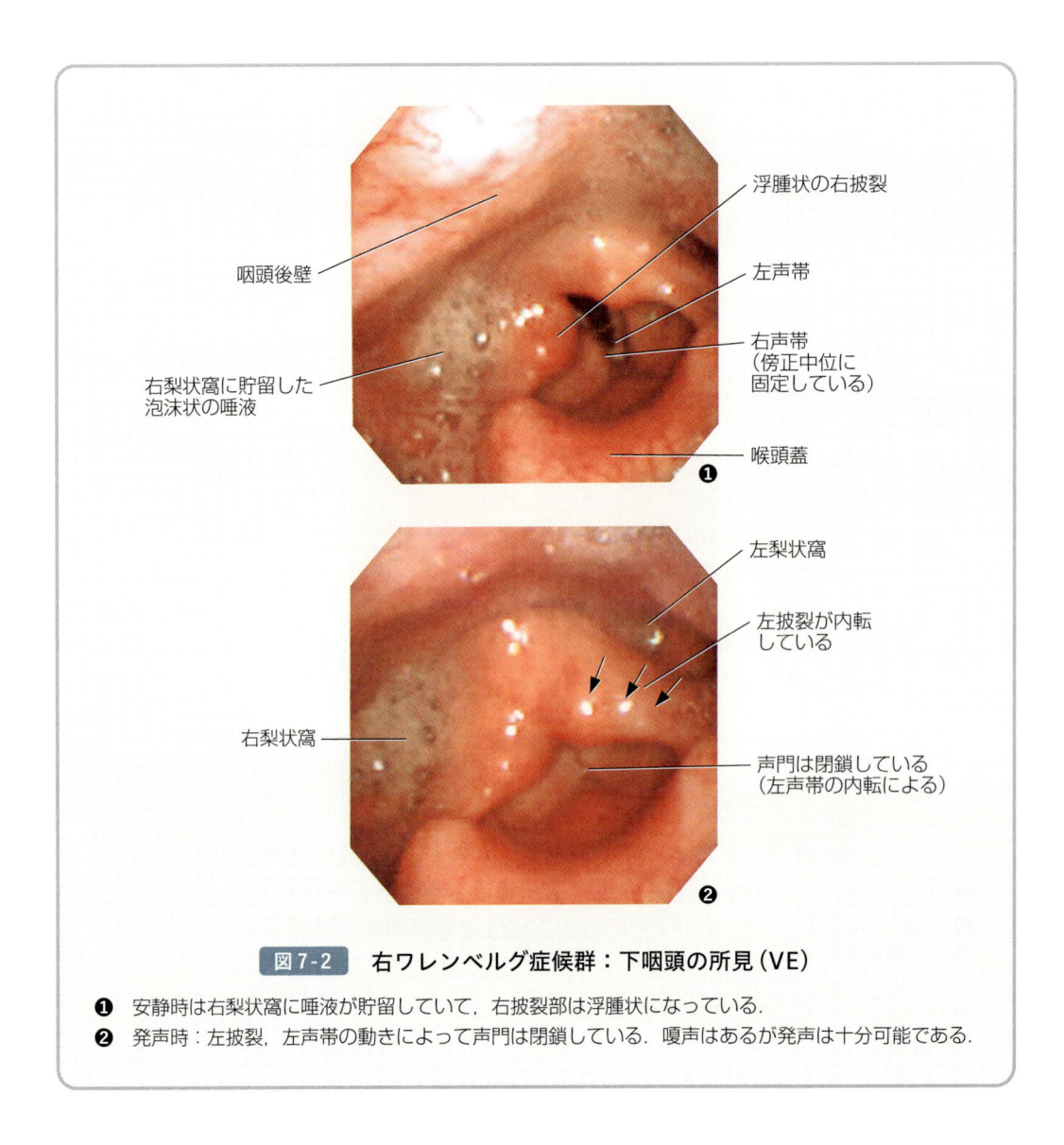

　球麻痺患者は,唾液の嚥下が困難で常にティッシュを持って吐き出している.特に泡沫状となった唾液は空気を含んで軽い(水に浮く)ため,嚥下力の弱い球麻痺患者が最も嚥下しにくい物質である.右ワレンベルグ症候群の下咽頭では, 図7-2 ❶, ❷ のように唾液が貯留した所見がみられる.麻痺側の披裂は浮腫状となっている.健側の動きによる代償で,声門は閉鎖し嗄声がありながらも発声は十分可能である(図7-2 ❷, ❸).

図7-2　右ワレンベルグ症候群:下咽頭の所見(VE)

❶ 安静時は右梨状窩に唾液が貯留していて,右披裂部は浮腫状になっている.
❷ 発声時:左披裂,左声帯の動きによって声門は閉鎖している.嗄声はあるが発声は十分可能である.

▶ 7-2 は右ワレンベルグ症候群の患者で，泡沫状の唾液貯留はみられるが，声門は完全には閉鎖していない．披裂や咽頭喉頭壁がリズミカルに動いているのは咽頭喉頭ミオクローヌスとよばれる所見で，球麻痺でしばしば観察される．ギラン・モラレの三角（小脳歯状核，反対側の赤核，赤核と同じ側の下オリーブ核，そして，下オリーブ核の神経細胞が反対側の小脳歯状核に投射するループ）が損傷されると出現する所見である．▶ 7-10 でもみられる．

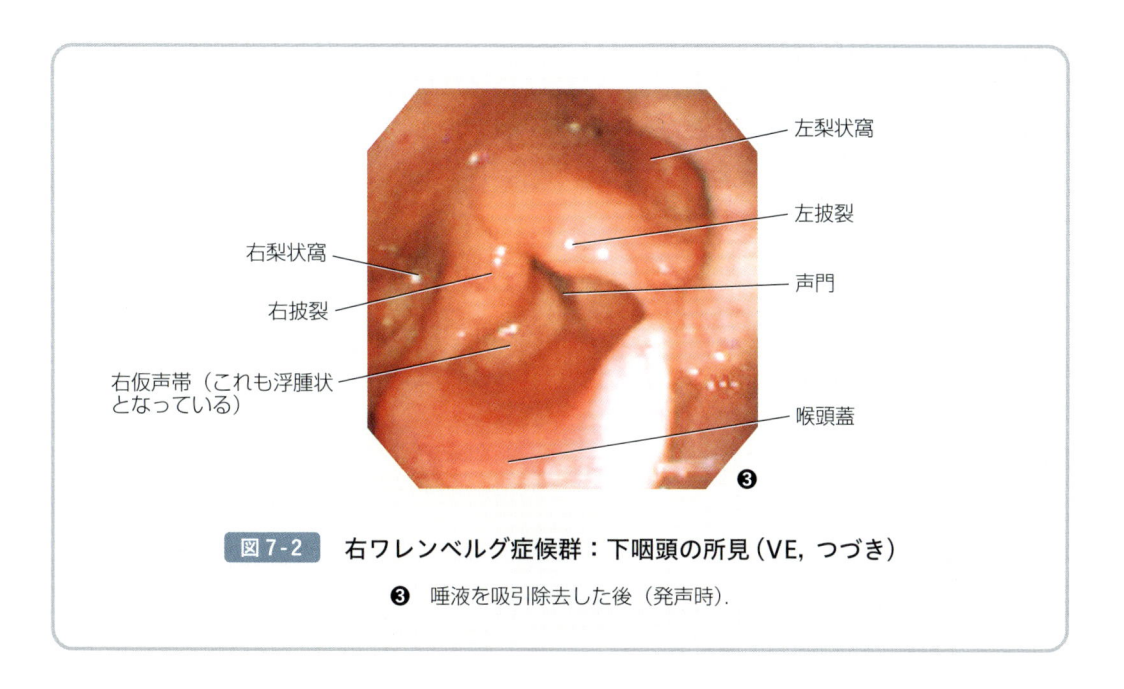

図 7-2　右ワレンベルグ症候群：下咽頭の所見（VE，つづき）

❸　唾液を吸引除去した後（発声時）．

▶ 7-2　右ワレンベルグ症候群の中咽頭から下咽頭の所見（VE）

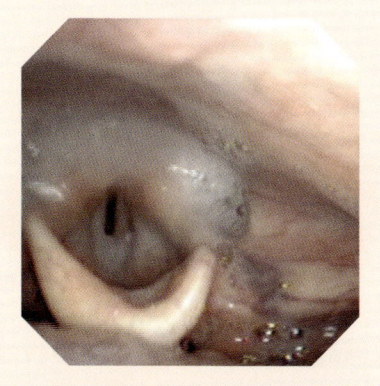

典型的な右ワレンベルグ症候群患者の下咽頭の所見（図7-2とは別の患者）．泡沫状の唾液が咽頭に充満し，唾液誤嚥もあり．咳で唾液は喀出可能であるが右の披裂運動不全で声門閉鎖不良．咽頭喉頭ミオクローヌスもみられる．

③ ワレンベルグ症候群：披裂・声帯の動き

　咽頭から喉頭前庭を経由して声帯を観察することはできるが，披裂の動きに伴って声帯も動く．披裂が動いても左右差があり，声門が閉鎖しない所見もみられる．気管切開のある患者では気切孔からファイバーを入れて，下（気管側）から声帯の動きを評価することができる（▶7-3）．声帯が弓状に萎縮している場合には内転しても声門閉鎖が得られないこともある（▶7-4）．　図7-3　は，図7-2と同じ患者の声帯を気切孔からみた図である．左声帯の動きはよく，呼吸に伴う動きもよくみえる．発声させると左側（健側）のみの運動で声門は閉じ，嗄声はあるが発声は可能である．しかし，しばらく観察していると声門閉鎖は十分でなく，唾液を誤嚥するところが観察できる．

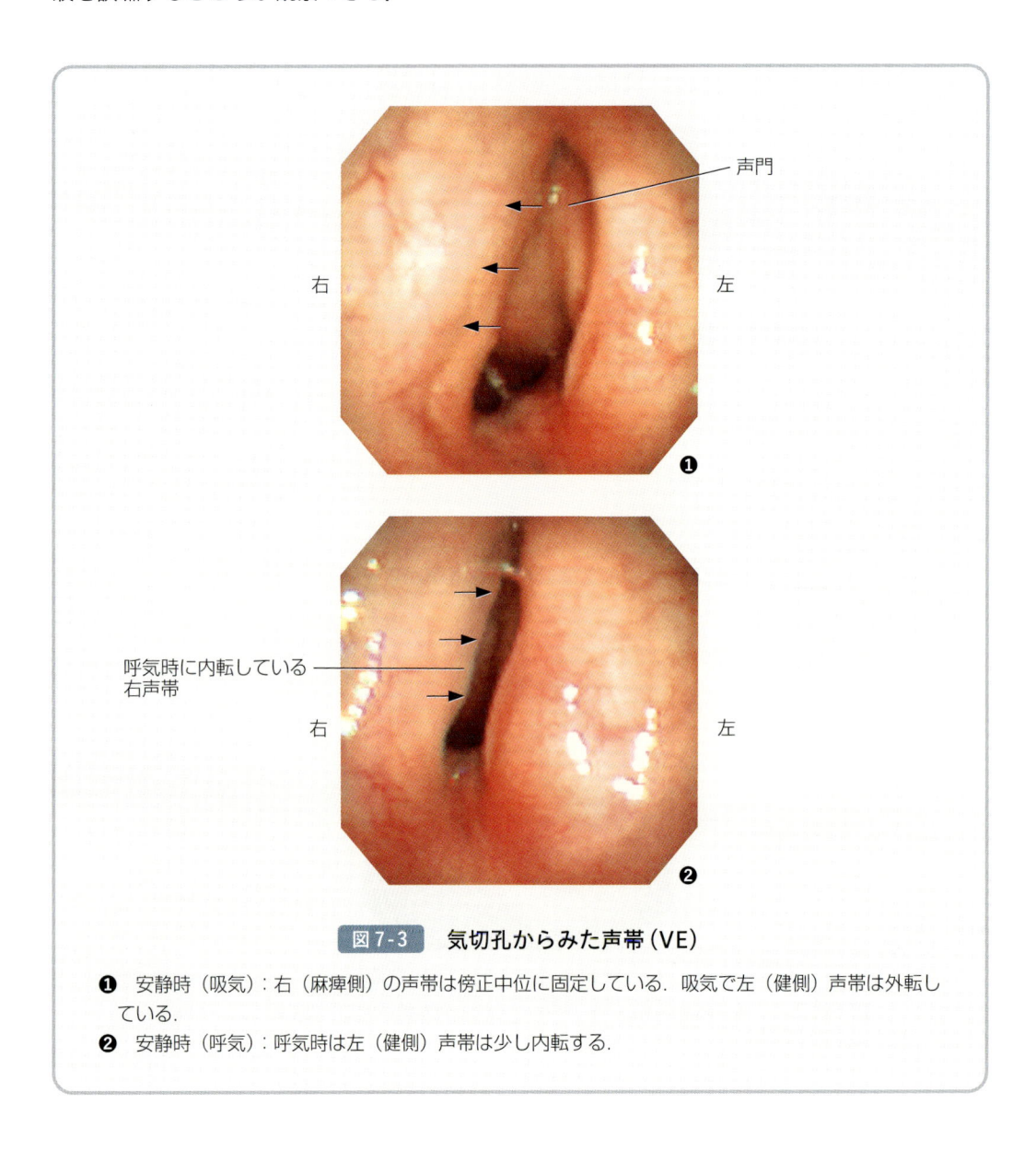

図7-3　気切孔からみた声帯（VE）

❶　安静時（吸気）：右（麻痺側）の声帯は傍正中位に固定している．吸気で左（健側）声帯は外転している．
❷　安静時（呼気）：呼気時は左（健側）声帯は少し内転する．

第7章 球麻痺

図7-3 気切孔からみた声帯（VE，つづき）

❸ 発声時：左声帯の動きによって声門は閉鎖し，発声は可能である．
❹ 唾液の誤嚥：声門閉鎖は十分でなく唾液が誤嚥されてくる．

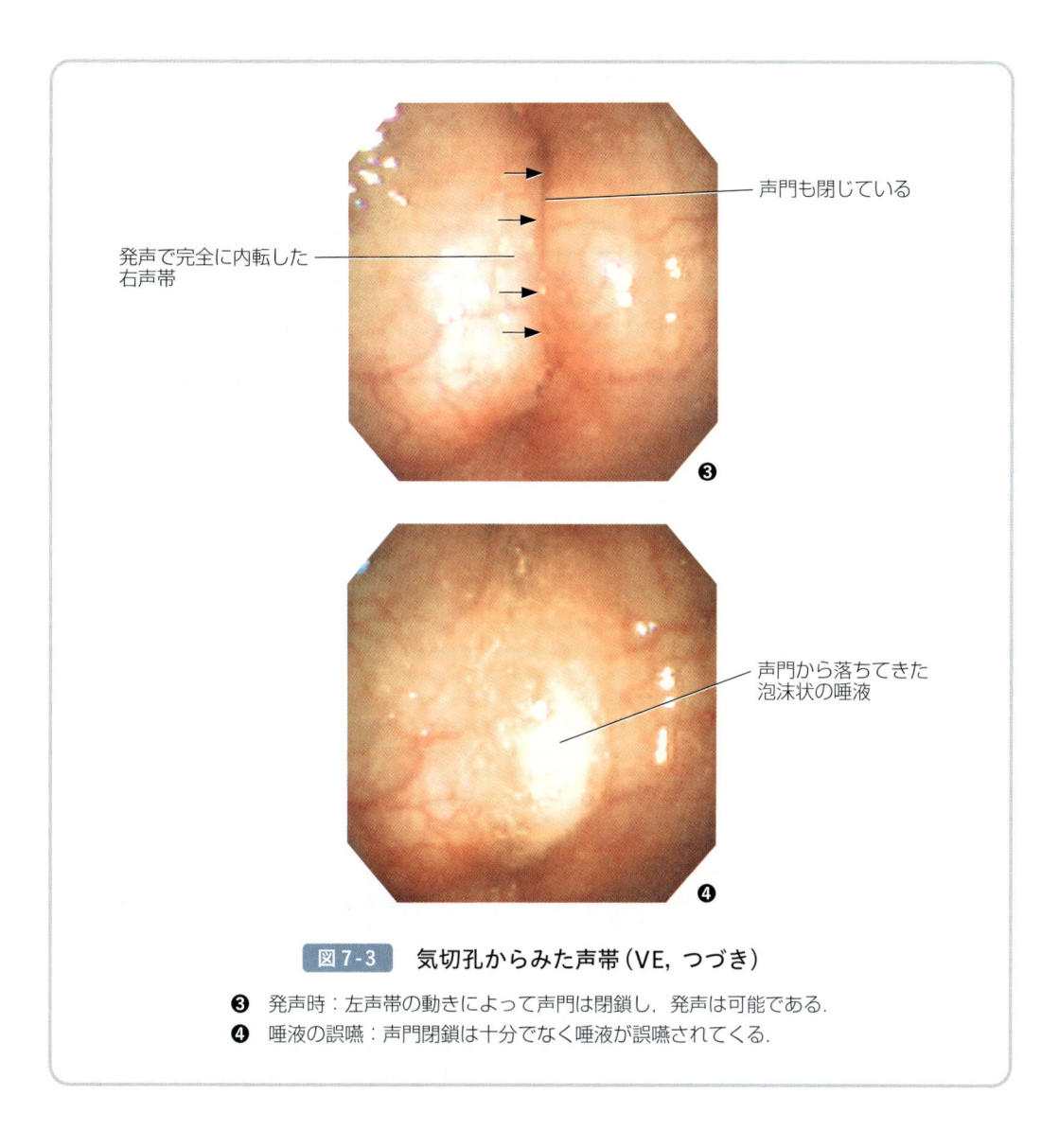

図中注記：
- 発声で完全に内転した右声帯
- 声門も閉じている
- 声門から落ちてきた泡沫状の唾液

▶ 7-3 　気管切開孔（気切孔）からみた声帯の動き（VE）

右ワレンベルグ症候群の患者．気切孔から見上げるように声門を下からみている場面．左声帯の動きがよいため，声門が閉鎖し，きれいな声が出る．

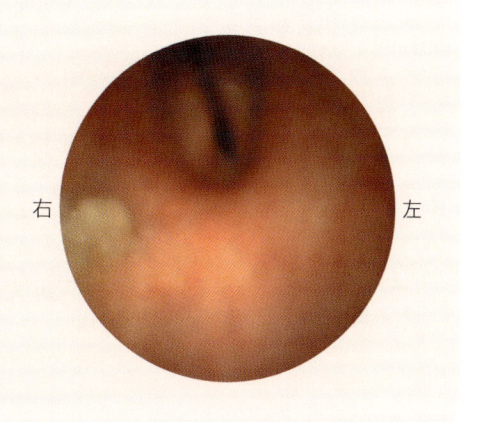

右　　　左

103

▶ 7-4　声帯の萎縮による声門閉鎖不全（VE）

左ワレンベルグ症候群の患者．両側（特に左）の声帯が弓状に萎縮していて声門閉鎖が得られていないため，気息性嗄声となっている．

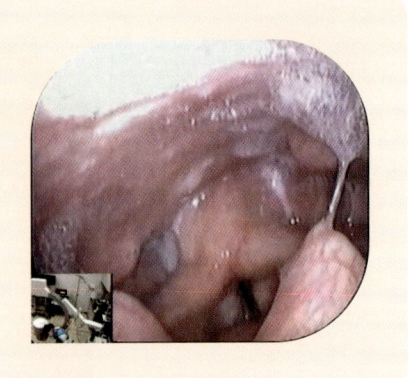

Column ①　球麻痺患者と唾液

筆者らは長年，なぜ球麻痺患者は「ぺっぺ」と唾液を出しているのか疑問であった．かなり食物の経口摂取ができるようになった患者でもティッシュが手離せないという場合はなおさらであった．この疑問に明快に答えてくださったのが棚橋汀路先生である．先生は棚橋法の手術で有名であり，嚥下の世界では最も尊敬されている1人であるが，「唾液は水より軽いからですよ」とご教示くださったときは目からうろこが落ちた気持ちであった．軽いのと粘性があり粘膜に付着しやすいのとで咽頭に残留する．残留物を喀出するために咳をすると空気と混ざって泡沫状になってますます咽頭腔を満たすようになる．喀出力が十分あれば一時的にでも咽頭はクリアにできるが，嚥下はできないためにすぐに貯留する．喀出力が弱い患者では泡沫状の唾液が咽頭に常に貯留し悩みの種となる．対処法は吸引チューブでの吸引となる（▶ 7-5）．お茶などの水分摂取が可能な場合には，少量の飲水で泡沫状の分泌物が一緒に嚥下され，除去できる場合がある．

▶ 7-5　咽頭の泡沫状唾液・分泌物の喀出，吸引（VE）

右ワレンベルグ症候群の患者．動画の前半では泡沫状の唾液を喀出してもらい，後半では喀出しきれていない分泌物を吸引除去している．カーテン徴候もあり，画像をみながら患者になぜ嚥下できないか，唾液をペッペッと出さなければならないかなど，病気によって起こることを説明している．

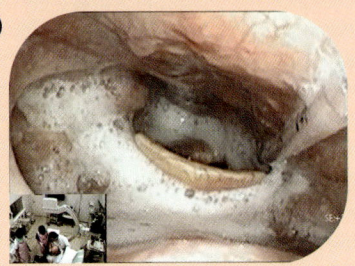

④ ワレンベルグ症候群：嚥下時の咽頭収縮

VEでは，通常，嚥下（反射）時には咽頭収縮のためwhite out（ホワイトアウト）となって視野が消失するが，重度の球麻痺では咽頭が十分収縮しないためにwhite outがみられない，あるいは不十分なことがある．図7-4は左ワレンベルグ症候群の患者の中下咽頭・喉頭である．図7-4❶は安静時，図7-4❷は嚥下時である．右（健側）の咽頭側壁は不十分ながら収縮しているが，左（麻痺側）の咽頭側壁は収縮がない．

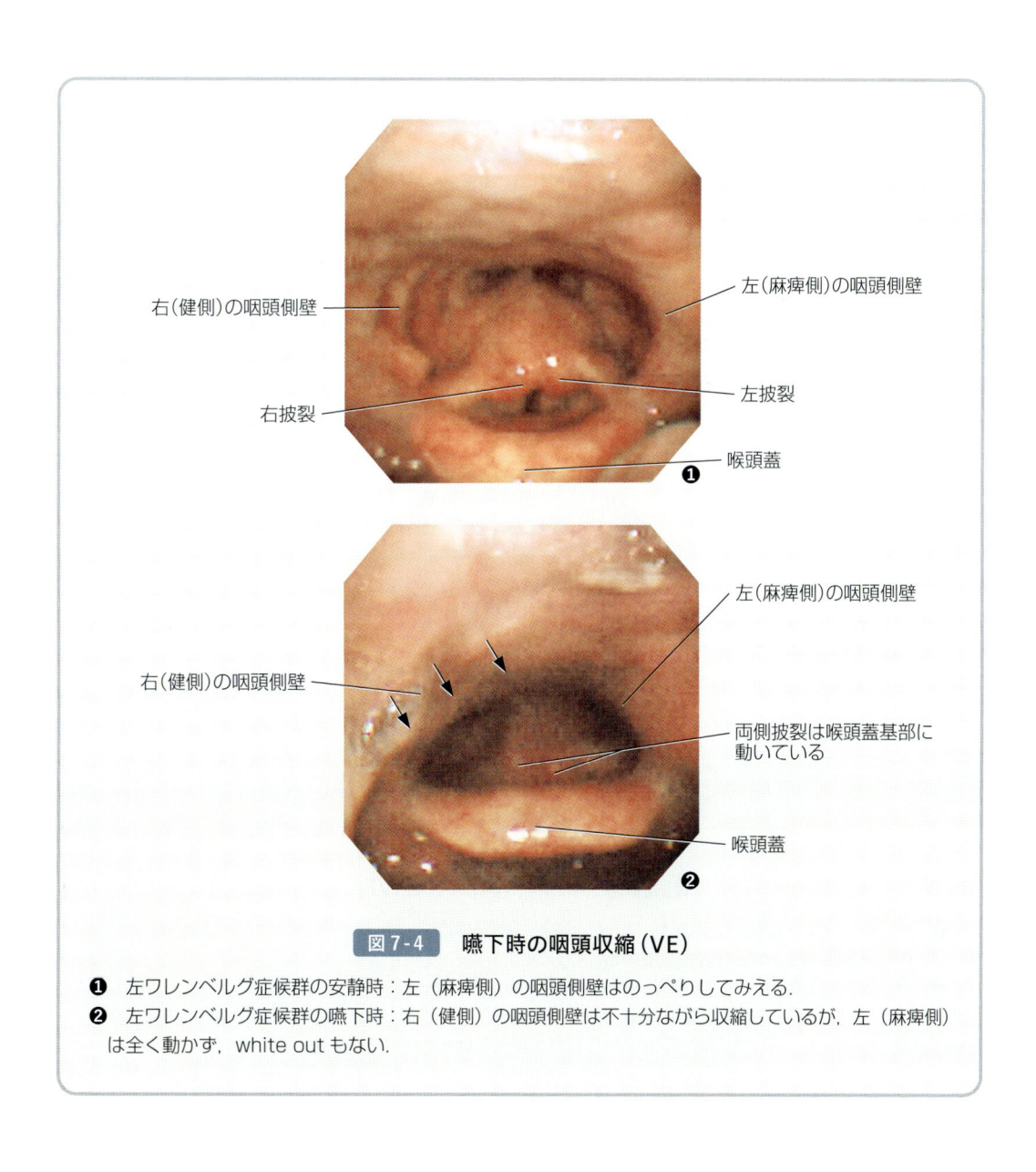

図7-4　嚥下時の咽頭収縮（VE）

❶ 左ワレンベルグ症候群の安静時：左（麻痺側）の咽頭側壁はのっぺりしてみえる．
❷ 左ワレンベルグ症候群の嚥下時：右（健側）の咽頭側壁は不十分ながら収縮しているが，左（麻痺側）は全く動かず，white outもない．

図7-5 は別の患者（右ワレンベルグ症候群）のVF所見である．図7-5 ❶ は安静時，図7-5 ❷ は嚥下時である．残留したバリウムの間接所見として右咽頭収縮の不良がわかる．
▶7-6 では頸部回旋を行っても食塊通過がみられないが，▶7-7 では頸部右回旋により左食道入口部の上部食道括約筋（upper esophageal sphinter：UES）のみわずかに食塊が通過し，動画の後半では左下一側嚥下法の正面像でゼラチンゼリーの通過がかなりよいことがわかる．▶7-8 はwhite outがみられず，左披裂の動きも不良である．

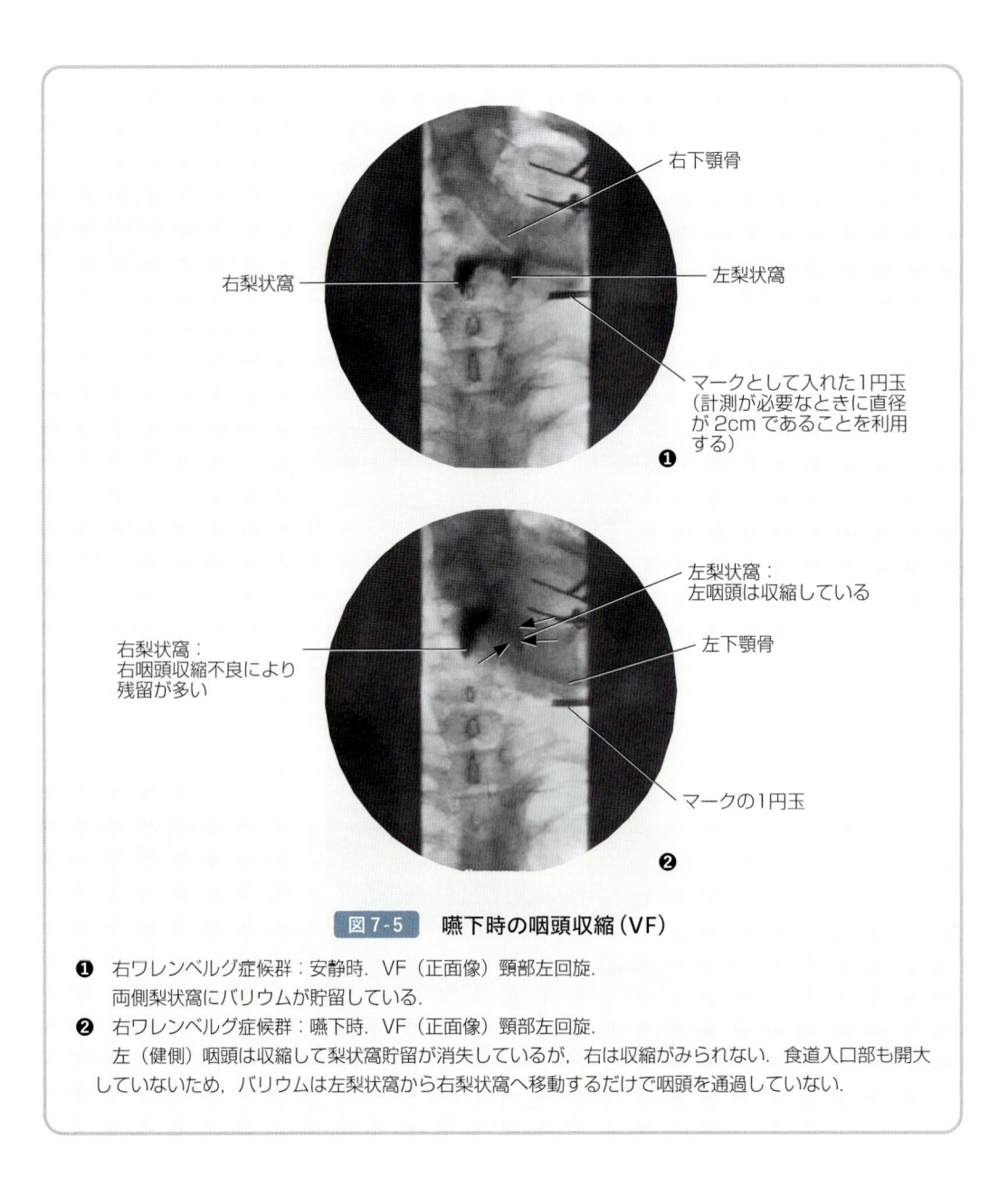

図7-5 **嚥下時の咽頭収縮（VF）**

❶ 右ワレンベルグ症候群：安静時．VF（正面像）頸部左回旋．
  両側梨状窩にバリウムが貯留している．
❷ 右ワレンベルグ症候群：嚥下時．VF（正面像）頸部左回旋．
  左（健側）咽頭は収縮して梨状窩貯留が消失しているが，右は収縮がみられない．食道入口部も開大していないため，バリウムは左梨状窩から右梨状窩へ移動するだけで咽頭を通過していない．

▶ 7-6　球麻痺（両側完全）（VF）

　咽頭収縮不良，両側食道入口部（UES）とも食塊通過なし，頸部回旋効果なし．

▶ 7-7　球麻痺（右完全，左不全）（VF）

　咽頭収縮不良，食塊通過は頸部右回旋にて左 UES をごくわずかに通過，左下一側嚥下が有効．

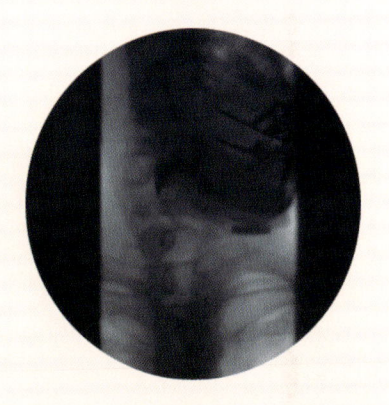

▶ 7-8　球麻痺（左不全）（VE）

　粥を右下一側嚥下で食べている場面．White out がみられない．嚥下時，嚥下後の発声で左披裂の動きが不良である点に注目．

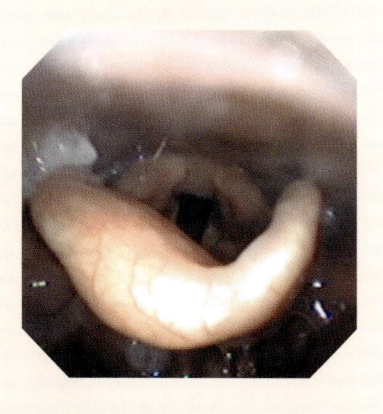

⑤ ワレンベルグ症候群：輪状咽頭筋のイメージ

　球麻痺では，咽頭収縮不全とともに（またはその結果として），輪状咽頭部（食道入口部）の開大不全がみられる．　図7-6❶　は，筒状バルーンによる輪状咽頭部拡張の場面である．バルーンのくびれた部分が「posterior bar」[3]（cricopharyngeal bar，日本語で「棚」）とよばれているVFによる輪状咽頭筋である．　図7-6❷　は輪状咽頭筋切除術＋喉頭挙上術（棚橋法）後の患者のVE所見である．頸部を突出した位置で輪状咽頭筋のあった部分が弧状に突出してみえる．VFでみえる後方からの突出は，実際は全周にわたる突出であることがVEで初めてよくわかる（　▶7-9　）．

図7-6　輪状咽頭筋のイメージ

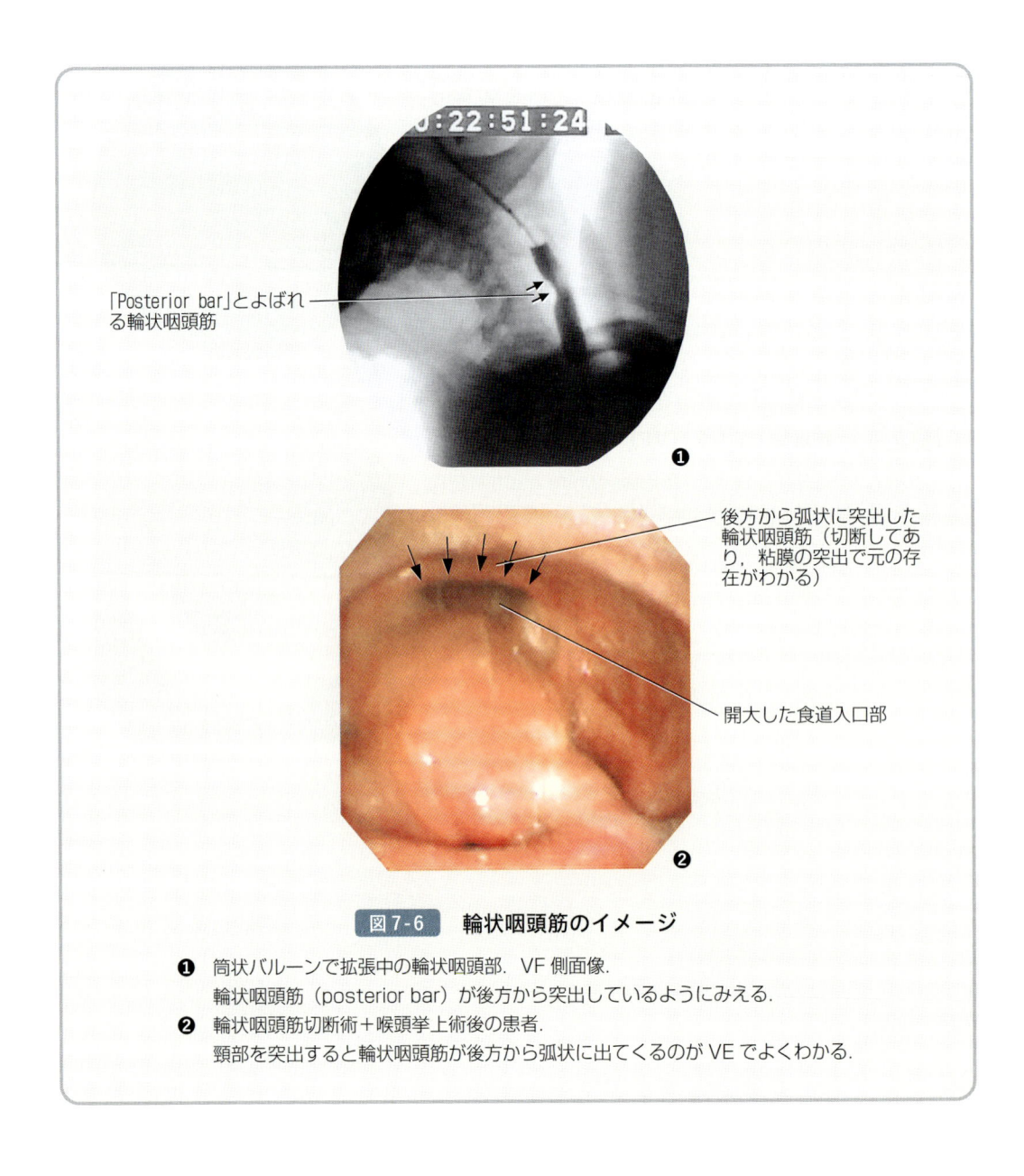

❶ 筒状バルーンで拡張中の輪状咽頭部．VF側面像．
　輪状咽頭筋（posterior bar）が後方から突出しているようにみえる．
❷ 輪状咽頭筋切断術＋喉頭挙上術後の患者．
　頸部を突出すると輪状咽頭筋が後方から弧状に出てくるのがVEでよくわかる．

▶ 7-9　輪状咽頭筋（VE）

　棚橋法術後でバルーン訓練をしている場面．Posterior bar は全周囲にわたる粘膜の突出（食道の web）であることがわかる．この患者は後半でバルーン訓練を行ってバルーン直後に左 UES が開くようになった．

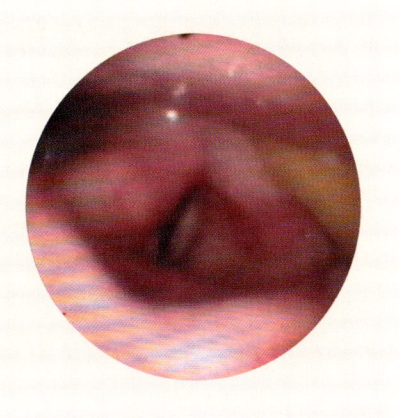

Column ②

Passavant 隆起は本当にあるか？

　咽頭嚥下の VF の側面像では咽頭後壁が盛り上がってみえ，Passavant 隆起とよばれている[4]．しかし，VE で Passavant 隆起は観察できない．Passavant 隆起は上咽頭収縮筋，中咽頭収縮筋の収縮を VF 側面像でみて，これが盛り上がってみえるという現象をとらえたものである．（図 7-7）．▶ 7-5，▶ 7-9 などで示した posterior bar が後ろから突出してみえるが，じつは弧状になった粘膜をみているのと同じである．

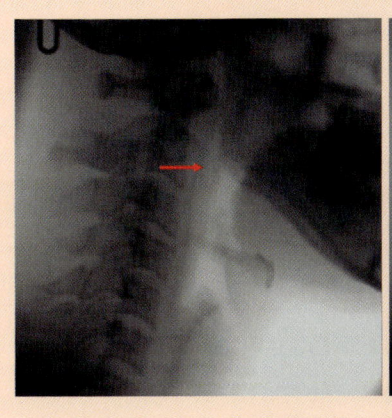

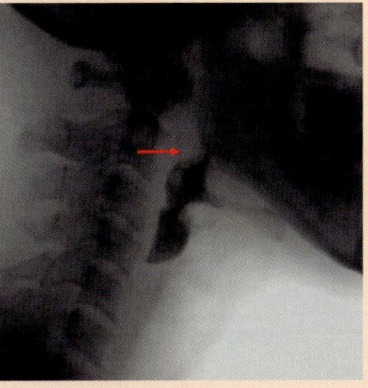

図 7-7　Passavant 隆起

第 7 章　球麻痺

⑥ ワレンベルグ症候群：重度球麻痺患者の重力を利用した落とし込みによる嚥下

　軽度から中等度の球麻痺では，バルーン法[5]や一側嚥下[6]などのリハビリテーションによって嚥下が可能となることも多く，咽頭の収縮も回復してくることが多い．一方，重度の球麻痺では，リハビリテーションでの摂食が不可能なばかりか，誤嚥を予防するためにも輪状咽頭筋切除術，喉頭挙上術などの手術[7]が必要となる．これらの患者では，術後も嚥下は重力を利用した頸部（下顎）突出による落とし込みが必要であることが多い． 図7-8 ❶，❷ は，粥が重力

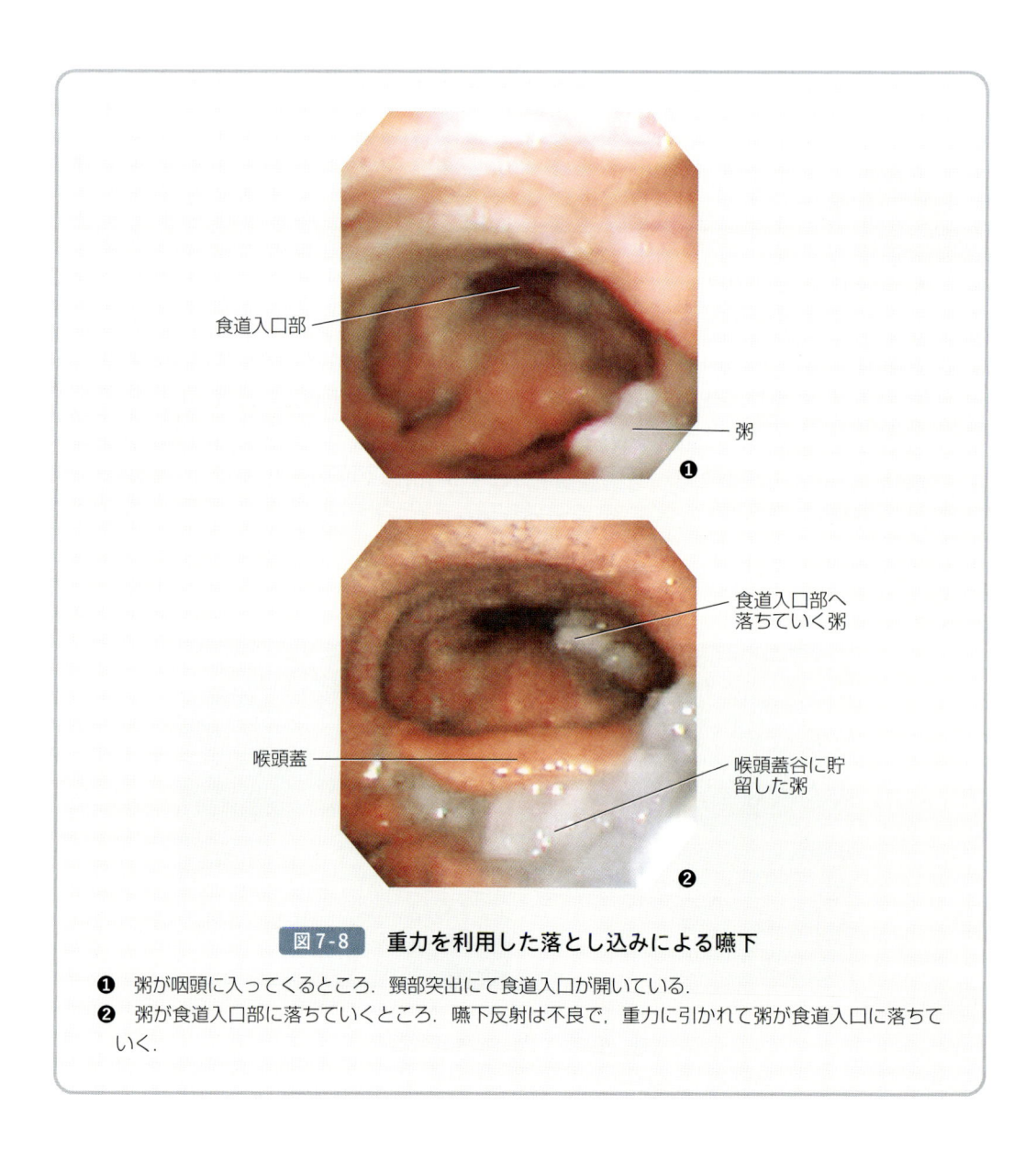

図7-8　重力を利用した落とし込みによる嚥下
❶ 粥が咽頭に入ってくるところ．頸部突出にて食道入口が開いている．
❷ 粥が食道入口部に落ちていくところ．嚥下反射は不良で，重力に引かれて粥が食道入口に落ちていく．

によって手術で開いた食道入口部へ落ちていく場面をとらえたところである．ゼリーの落とし込み嚥下の様子を 7-10 に示した．

▶ 7-10　棚橋法術後の落とし込み嚥下（VE）

棚橋法術後患者．嚥下というよりゼリーが重力で落ちていくように手術で開いた食道入口部（UES）から食道に入っていくのがよくわかる．

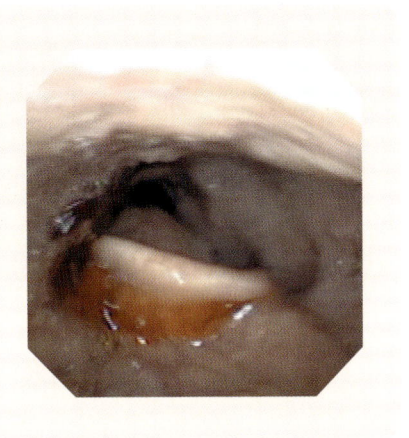

⑦ バキューム嚥下

ワレンベルグ症候群の患者が，ある日突然お腹に力を入れると飲み込めるようになったということで検査をした．嚥下造影で評価すると，咽頭収縮がないのに食塊が一気に食道入口部を通過している所見がみられた．高解像度マノメトリーでは食道全体が強い陰圧となり，下部食道括約筋（Lower esophageal sphincter：LES）が収縮（通常嚥下時は弛緩）している所見（図7-9）がみられ，Kuniedaらはこれをバキューム嚥下と命名し，新たな嚥下法として報告している ▶ 7-11 [8]．その後，他の患者（ワレンベルグ症候群，神経筋疾患）や健常者でもバキューム嚥下法を習得できることがわかり[9-11]，全く新しい嚥下法として注目されている．

▶ 7-11　バキューム嚥下（VF）

側面像では咽頭収縮がないのに食塊が一気に食道入口部を通過して食道に吸い込まれている．正面像では食道が拡張するとともに食塊が一気に食道下部まで落ちるように移動している．嚥下圧測定では嚥下時に食道が陰圧になっていることが判明している（図7-9）．

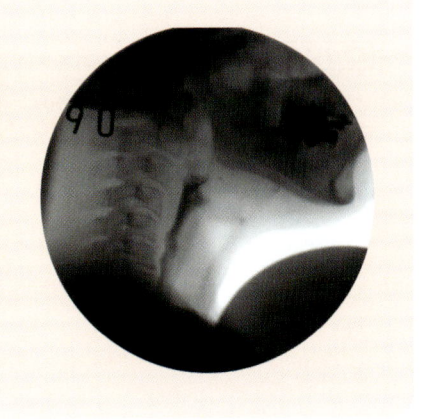

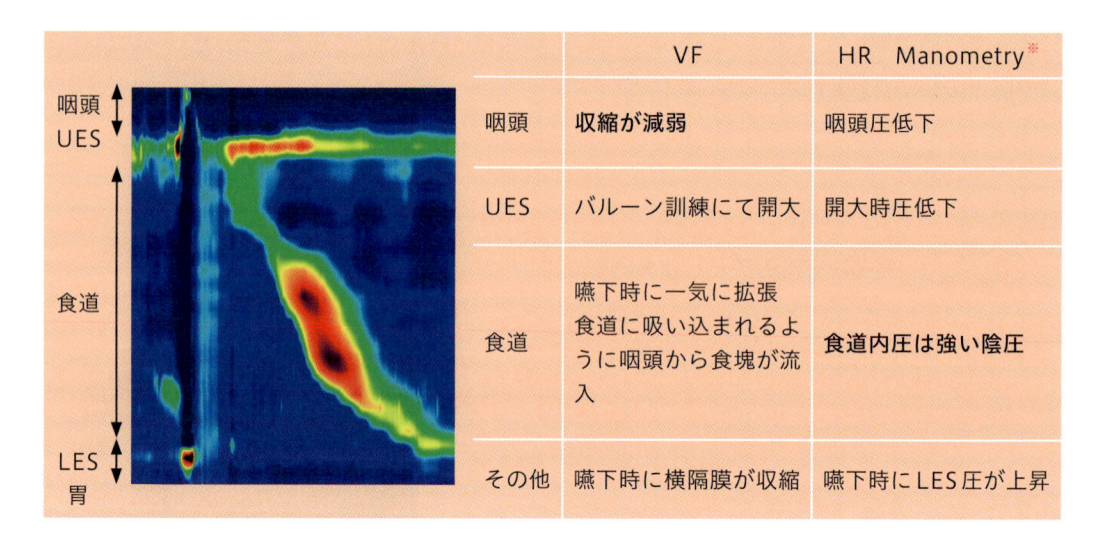

		VF	HR Manometry※
咽頭 UES ↕	咽頭	**収縮が減弱**	咽頭圧低下
	UES	バルーン訓練にて開大	開大時圧低下
食道	食道	嚥下時に一気に拡張食道に吸い込まれるように咽頭から食塊が流入	**食道内圧は強い陰圧**
LES 胃 ↕	その他	嚥下時に横隔膜が収縮	嚥下時にLES圧が上昇

図7-9 バキューム嚥下の嚥下圧と所見

※HR Manometry（High Resolution manometry，高解像度マノメトリー）：圧センサーカテーテルを用いて，安静時・嚥下時における咽頭から食道の内圧を測定する嚥下圧測定検査．左図の赤色は圧が高く，青色は圧が低いことを示す．

⑧ prolonged swallowing

　ワレンベルグ症候群の回復過程で，無意識に咽頭収縮の時間が延長する嚥下を行う患者がいる．Kuniedaらは高解像度マノメトリーにおいて確認し，「prolonged swallowing」と命名し報告している[12]．▶7-12 は，左ワレンベルグ症候群の患者で無意識にprolonged swallowing（メンデルゾーン手技のように咽頭収縮の時間が長い）の所見をとらえている．

▶7-12 prolonged swallowing（VF）
　メンデルゾーン手技を行ったときのように咽頭収縮の時間が長い所見がみられる．

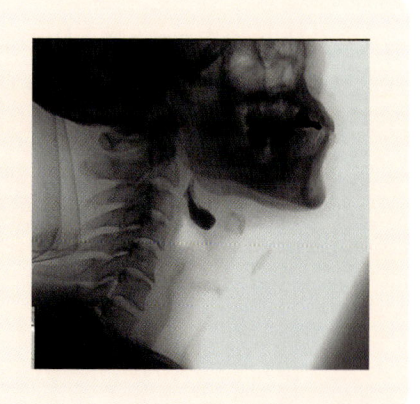

⑨ 喉頭気管分離術

　重度の球麻痺では誤嚥がコントロールできず，誤嚥防止術を行わなければならない場合がある．いくつか方法があるが，ここでは喉頭気管分離術を紹介する．

　▶7-13〜▶7-15はLindemannの手術（喉頭気管分離術，気管食道吻合術）を行った後のVFである．▶7-13では栄養チューブが誤って気道（喉頭）を経由して食道に入っている．分離術が行われているので事故にはつながらないが，太いチューブは嚥下を阻害し，苦痛も大きい．ましてや気道を経由して留置されている状態は問題である．栄養チューブは常にチェックしなければならない．▶7-14は栄養チューブが通常のルートで食道に入っていて嚥下もスムーズである．▶7-15は正面像である．金沢らは誤嚥防止術を声門レベルで行い（声門閉鎖術）かつ輪状咽頭筋の起始部を離断することで食道入口部の通過障害を改善する方法を報告している[13, 14]．

▶7-13 **気管食道吻合術後：栄養チューブが気道経由で食道に入っている所見（VF）**

栄養チューブが気道（喉頭）を経由して食道に入っている．嚥下もうまく起こらず患者の苦痛が大きい．

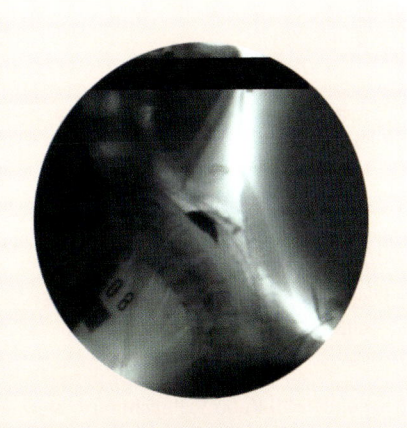

▶7-14 **気管食道吻合術後：栄養所見チューブを入れ替えて通常ルートで食道に入っている所見（VF）**

栄養チューブが通常のルート（食道入口部経由）で食道に入っている．動画7-13に比べて食塊は通常の食道入口部と喉頭を経由して2ルートから嚥下されているのがわかる．

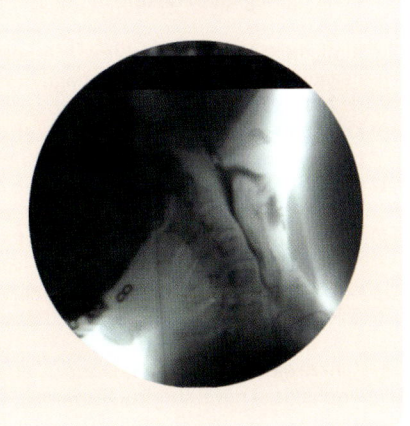

> **7-15** 喉頭気管分離術，気管食道吻合術後の VF 正面像

食塊の通過状態が通常と異なる点に注目．食道の通過も不良である．

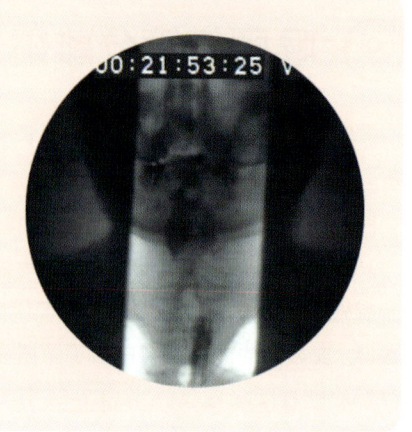

文献

1) 藤島一郎, 薛　克良：嚥下障害の評価―内視鏡を中心に．第3回　球麻痺の評価．臨床リハ, 12(3)：194-197, 2003.
2) 藤島一郎・谷口　洋：脳卒中の摂食嚥下障害　第3版．pp8-15, 医歯薬出版, 2017.
3) 高橋浩二(監訳)：Groher & Craryの嚥下障害の臨床マネジメント　原著第3版．pp117-119, 医歯薬出版, 2023．(原著：Groher ME, Crary MA: DYSPHAGIA Clinical Management in Adults and Children. pp121-122, ELSEVIER, 2020).
4) M. Groher(編著), 藤島一郎(監訳)：嚥下障害　原著第3版　その病態とリハビリテーション．pp13-15, 医歯薬出版, 1998.
5) 北條京子, 藤島一郎, 大熊るり・他：輪状咽頭嚥下障害に対するバルーンカテーテル訓練法―4種類のバルーン法と臨床成績．日摂食嚥下リハ会誌, 1：45-56, 1997.
6) 聖隷嚥下チーム：嚥下障害ポケットマニュアル　第4版．pp126-128, 医歯薬出版, 2017.
7) 一般社団法人日本耳鼻咽喉科学会(編)：嚥下障害診療ガイドライン2018年度版．p31, 金原出版, 2018.
8) Kunieda K, Kubo S, Fujishima I: New Swallowing Method to Improve Pharyngeal Passage of a Bolus by Creating Negative Pressure in the Esophagus—Vacuum Swallowing. Am J Phys Med Rehabil, 97: e81-e84, 2018.
9) Kunieda K, Kubo S, Fujishima I: A new swallowing method to improve pharyngeal passage by creating negative pressure in the esophagus—vacuum swallowing: reproduction in normal subjects. Deglutition, 7: 224-230, 2018.
10) Kunieda K, Suzuki S, Naganuma S, et al: Efficacy and Safety of "Vacuum Swallowing" Based on a Strong Negative Esophageal Pressure in Healthy Individuals. Dysphagia, 2024 Aug 17. [Online ahead of print]
11) Okamoto K, Kunieda K, Ohno T, et al: A Case of a Patient With Spinal Muscular Atrophy With Dysphagia Who Acquired Vacuum Swallowing. Cureus, 16(1): e53129, 2024.
12) Kunieda K, Sugiyama J, Nomoto A, et al: Compensatory swallowing methods in a patient with dysphagia due to lateral medullary syndrome—vacuum and prolonged swallowing. Medicine (Baltimore), 101(1): e28524, 2022. doi: 10.1097/MD.0000000000028524
13) 金沢英哲, 藤島一郎：声門閉鎖術時に輪状咽頭筋起始部離断術を併施する新たな術式と効果．嚥下医学, 1：374-378, 2012.
14) Kanazawa H, Fujishima I, Ohno T, et al: Cricopharyngeal muscle origin transection for oropharyngeal dysphagia, a novel surgical technique. Eur Arch Otorhinolaryngol, 280(1): 483-486, 2023. doi: 10.1007/s00405-022-07588-0. Epub 2022 Aug 12.

第8章
リハビリテーション手技，種々の所見

　嚥下障害のVEやVFを施行していると，思いもよらない興味深い所見に出合うことがある．また，嚥下に直接は無関係でもVFやVEでなければ評価できない所見を得て，臨床に役立つことも多い．本章は特にテーマを絞らずに，筆者らが経験した興味ある種々の所見を提示した．後に論文化しているものもある．必ずしも嚥下障害とは直接関係がないものも含まれるが，読者の皆様の参考にしていただければ幸いである．

1 鼻腔内の出血と汚染

図8-1 は，VEを施行しようとして右の鼻腔から1cmほど入ったところで得られた所見である．下鼻甲介および鼻腔の内外側壁に痰の吸引が原因と思われる出血がみられ，鼻腔内は汚染が著明である．このような所見にはしばしば遭遇する（ 8-1 ）．メディカルスタッフに対し，「鼻腔ケアの必要性」と「軟らかいチューブを用いて粘膜を傷つけないよう慎重な鼻腔からの吸引法」を指導すべきである．

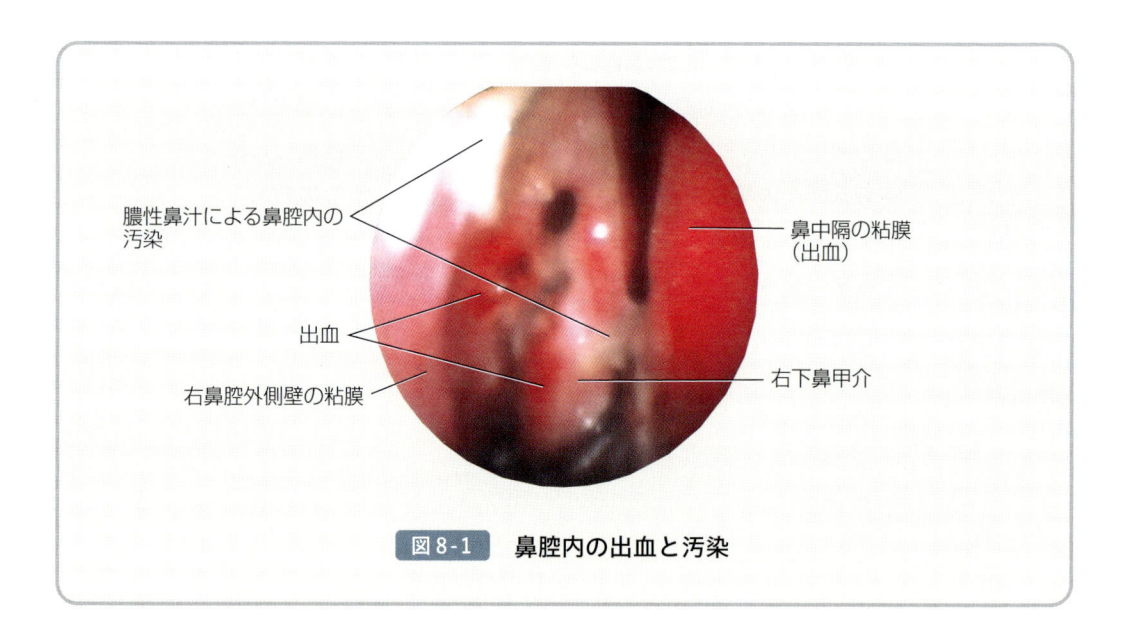

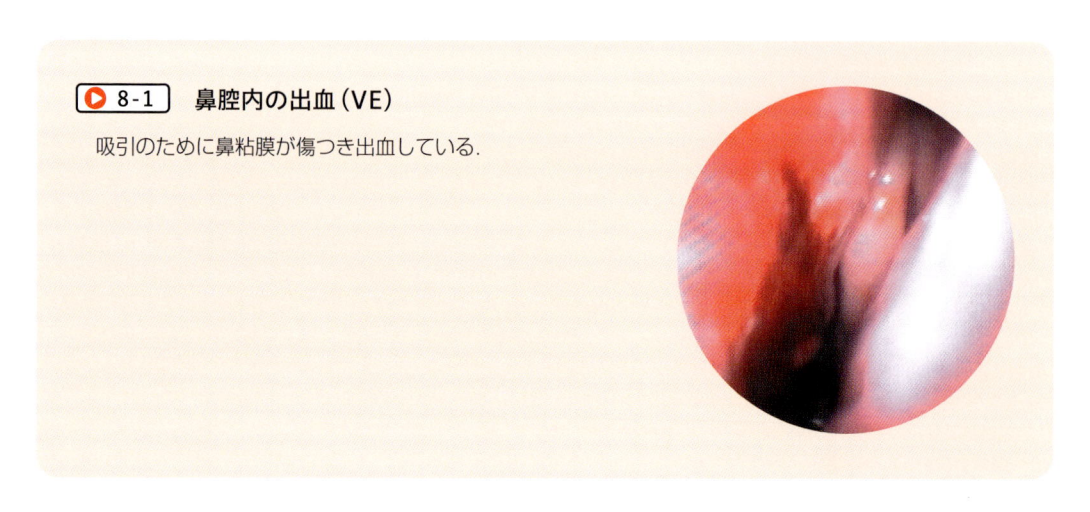

- 膿性鼻汁による鼻腔内の汚染
- 出血
- 右鼻腔外側壁の粘膜
- 鼻中隔の粘膜（出血）
- 右下鼻甲介

図8-1 鼻腔内の出血と汚染

▶ 8-1 鼻腔内の出血（VE）
吸引のために鼻粘膜が傷つき出血している．

② 咽頭後壁の陥凹

　VEにて上咽頭後壁粘膜に陥凹や突起（ 図8-2 ）をみとめることがあるが，これまで臨床的にほとんど意識されてこなかった．しかし，この陥凹に経鼻胃管や吸引管が引っかかって粘膜損傷の原因となることや，経鼻経管栄養のチューブが挿入困難となることがある[1]．陥凹の存在や形態，深さ，陥凹直下に何があるかを把握しておくことが臨床で有用と考えられる．鼻腔からチューブを挿入する際に引っかかる感覚があれば無理に挿入せず，頭部回旋させる，吸引チューブをゆっくり回転させながら挿入するなどの工夫が必要である．

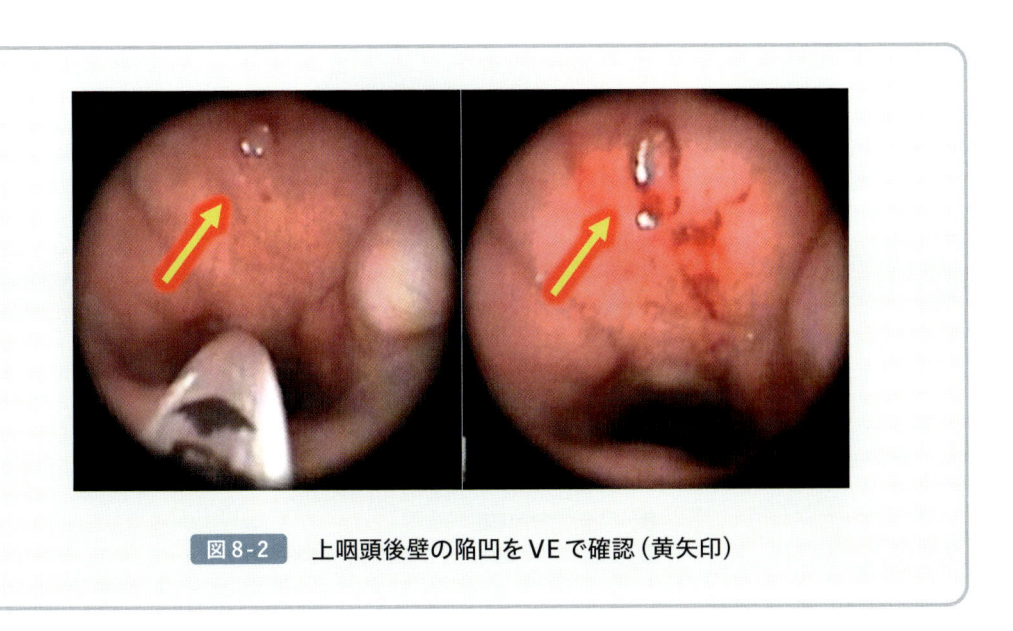

図8-2　上咽頭後壁の陥凹をVEで確認（黄矢印）

③ 咽頭の汚染

図8-3 は，咽頭の汚染である．図8-3 ❶ は1週間ほど経管栄養がなされていた患者であるが，咽頭後壁から梨状窩，喉頭入口部を覆い，喉頭蓋にかけて蜘蛛の巣を張ったように粘稠な分泌物が充満している[2]．図8-3 ❷ は別の患者であるが，痰と分泌物は乾燥して咽頭全体に充満し窒息寸前の状態である．両者とも経口摂取はしていない．経口摂取をしていなくてもここで示したような信じられない咽頭汚染がみられる患者は少なくない．筆者らの経験では，口腔ケアが不十分で口腔内汚染がひどい患者では，特に咽頭汚染が著明なケースが多い．
　図8-3 ❷ の場合，あと1日でも放置すれば窒息につながる可能性が高いと思われた．また，この状態で摂食訓練を行うと，食塊は痰の上を上すべりして，誤嚥は必発である．▶8-2 ～ ▶8-4 に粉薬と分泌物により汚染された咽頭のVE所見を示す．

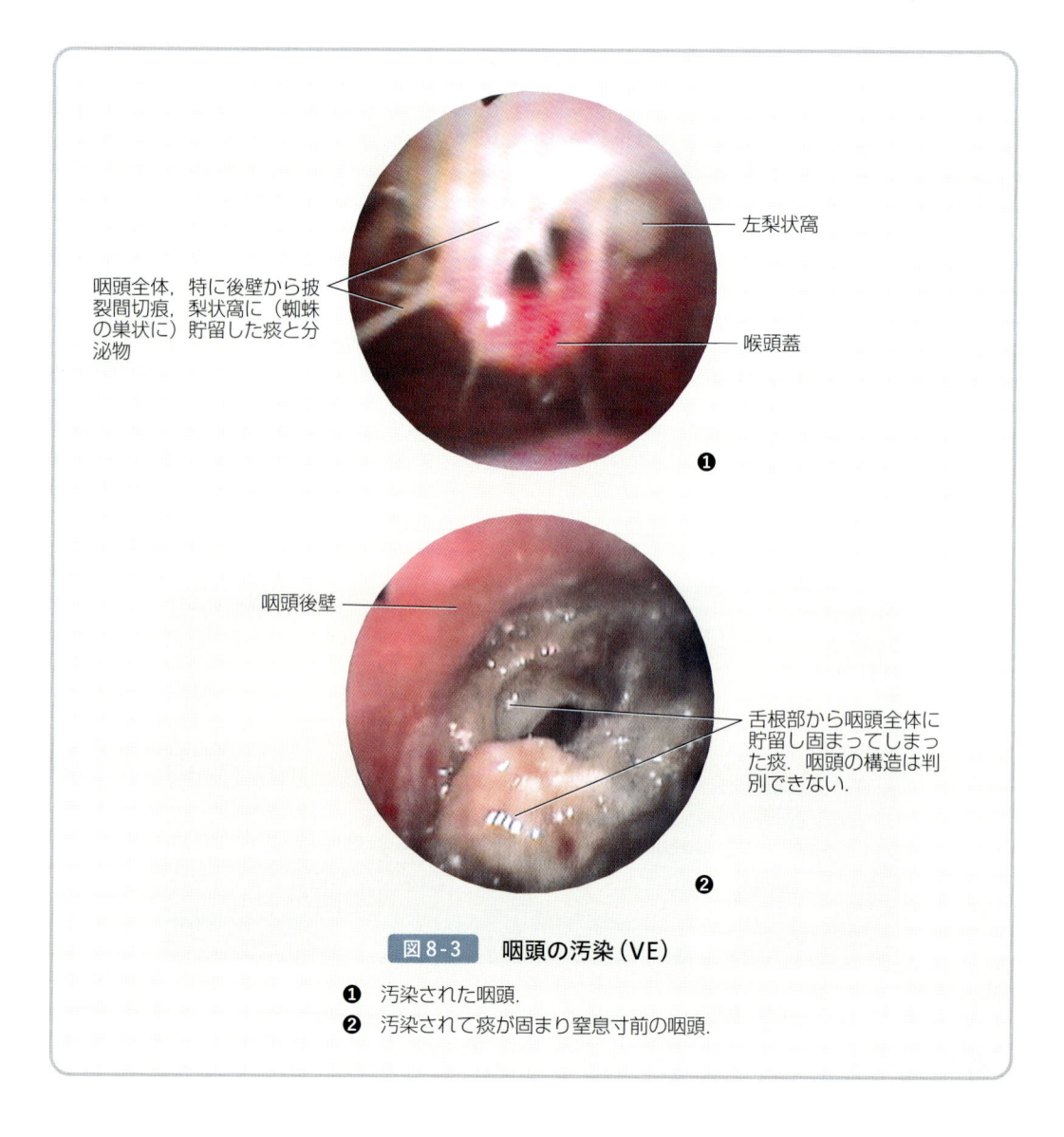

図8-3　咽頭の汚染（VE）

❶ 汚染された咽頭．
❷ 汚染されて痰が固まり窒息寸前の咽頭．

（❶のラベル：左梨状窩／喉頭蓋／咽頭全体，特に後壁から披裂間切痕，梨状窩に（蜘蛛の巣状に）貯留した痰と分泌物）
（❷のラベル：咽頭後壁／舌根部から咽頭全体に貯留し固まってしまった痰．咽頭の構造は判別できない．）

▶ 8-2　咽頭の汚染（VE）

　粉薬が貯留した分泌物と混ざった状態で残り，汚れた咽頭．絶食状態の患者に薬だけ経口で飲ませているという場合は要注意．

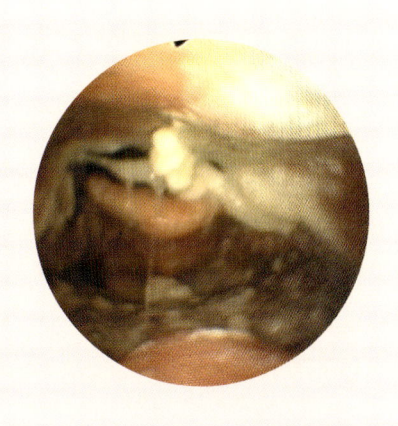

▶ 8-3　曲げた吸引管による喉頭蓋谷の吸引（VE）

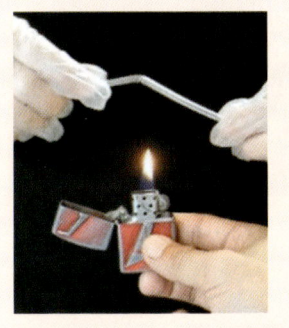

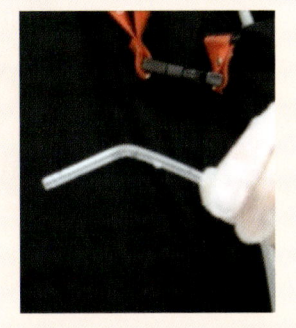

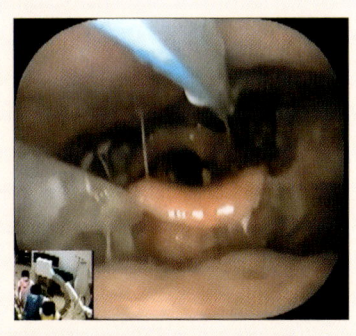

　喉頭蓋谷に痰や食物が貯留している場合にはストレートの吸引管では吸引できないが，吸引管を熱して曲げると喉頭蓋谷に吸引管が入りやすくなり吸引できる．

▶ 8-4　排唾管による喉頭蓋谷の吸引（VE）

　歯科治療に用いる排唾管は管自体がとても軟らかく自由に曲げられ，先端も粘膜を傷つけないようにゴム状となっているので，喉頭蓋谷の吸引に有用である．

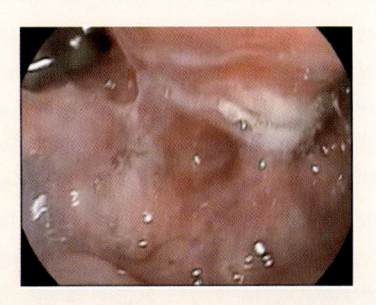

第8章　リハビリテーション手技，種々の所見

④ 頸部回旋による食塊通過

高齢者では梨状窩に残留することが多い．複数回嚥下や頸部回旋空嚥下ができない場合，頸部回旋だけで食塊が食道入口部（UES※）を通過することがある（▶8-5）．そもそも輪状咽頭筋が緩んでいて，回旋に伴う静止圧の低下で通過が起こると考えられる．

※UES (upper esophageal sphincter)：上（部）食道括約筋であるが，輪状咽頭筋と同義であり，食道入口部を形成する．

▶8-5 頸部回旋だけで食塊が食道入口部（UES）を通過（VF）

嚥下を伴わずに頸部回旋だけで食塊が食道入口部（UES）を通過する場面．

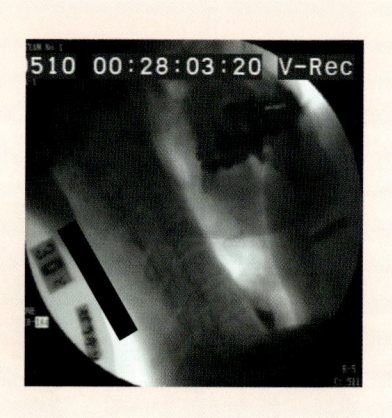

⑤ チューブの問題

図8-4❶ は，筆者が以前に経験した衝撃的な画像である[3]．16 Frの太いチューブが経鼻的に挿入されていて喉頭蓋を押さえつけている．この状態では違和感が強く，嚥下運動が阻害される．図8-4❷ では8 Frの小児用チューブを喉頭蓋が当たらないように避けて留置してある．経鼻経管栄養を行う場合は，このようにできるだけ嚥下運動に悪影響を与えないように細いチューブを留置する配慮が必要である（▶8-6）．図8-4❸ はチューブが喉頭から気管内に入ってしまった場面をとらえたものである．時折，気管への経管栄養剤誤注入が医療事故として問題となっているが，この症例はVEで確認することによって未然に事故を防止できた．図8-4❹ は細いチューブが咽頭でトグロを巻いているところである（▶8-7）．図8-4❸，❹ のような所見は稀ではあるが，経管栄養を行う患者ではチューブが咽頭でどのようになっているか，VEで確認する必要性を痛感させられる所見である．

経鼻胃管症候群（naso-gastric tube syndrome）[4]という病態があるが，咽頭痛や嗄声，喘鳴（特に吸気性喘鳴）で発見され，気管切開に至ることもあるとされている．挿入された経鼻胃管が後輪状披裂筋を圧迫して損傷するために披裂の外転障害をきたすことがある（▶8-8）．片側性にも両側性にも生じる．基礎疾患に糖尿病や低栄養，免疫力低下が関与するとされ，両側声帯麻痺をみとめれば気道緊急確保を要することもあるため，忘れてはならない病態である[4,5]．できるかぎり太いチューブではなく，8 Frの細いチューブを留置するのが望ましい．

第8章 リハビリテーション手技，種々の所見

咽頭後壁
16 Frの経鼻栄養チューブ
喉頭蓋：チューブで圧迫されている

❶

右梨状窩
咽頭後壁
8 Frの経鼻栄養チューブ
喉頭蓋

❷

声門
左声帯
気管内に入ってしまったチューブ
喉頭蓋

❸

図8-4　**チューブの問題（VE）**

❶ 喉頭蓋を圧迫するチューブ．
❷ 細いチューブが喉頭蓋を圧迫せずに入っている．
❸ 気管に入ったチューブ．

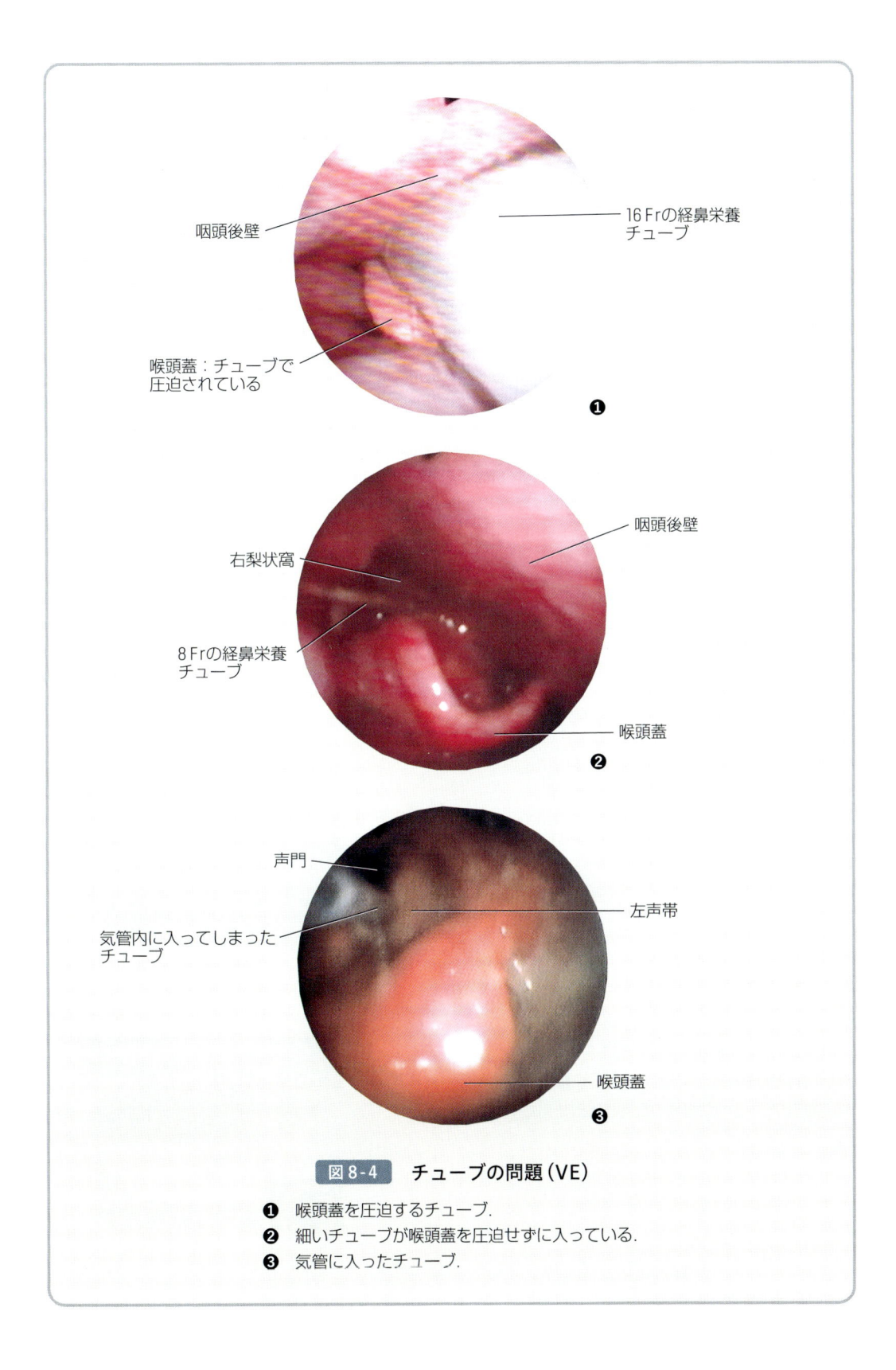

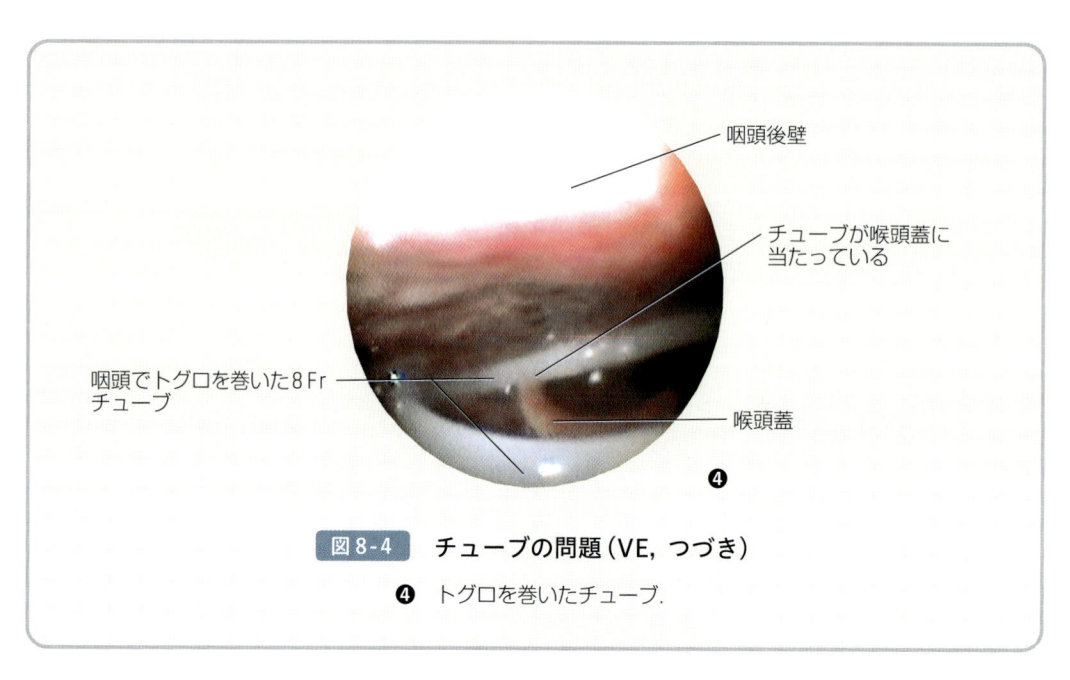

図8-4 チューブの問題（VE, つづき）

- 咽頭後壁
- チューブが喉頭蓋に当たっている
- 咽頭でトグロを巻いた8Frチューブ
- 喉頭蓋

❹ トグロを巻いたチューブ．

8-6 太いチューブによる喉頭蓋の圧迫（VEほか） （藤島，1998）⁶⁾より

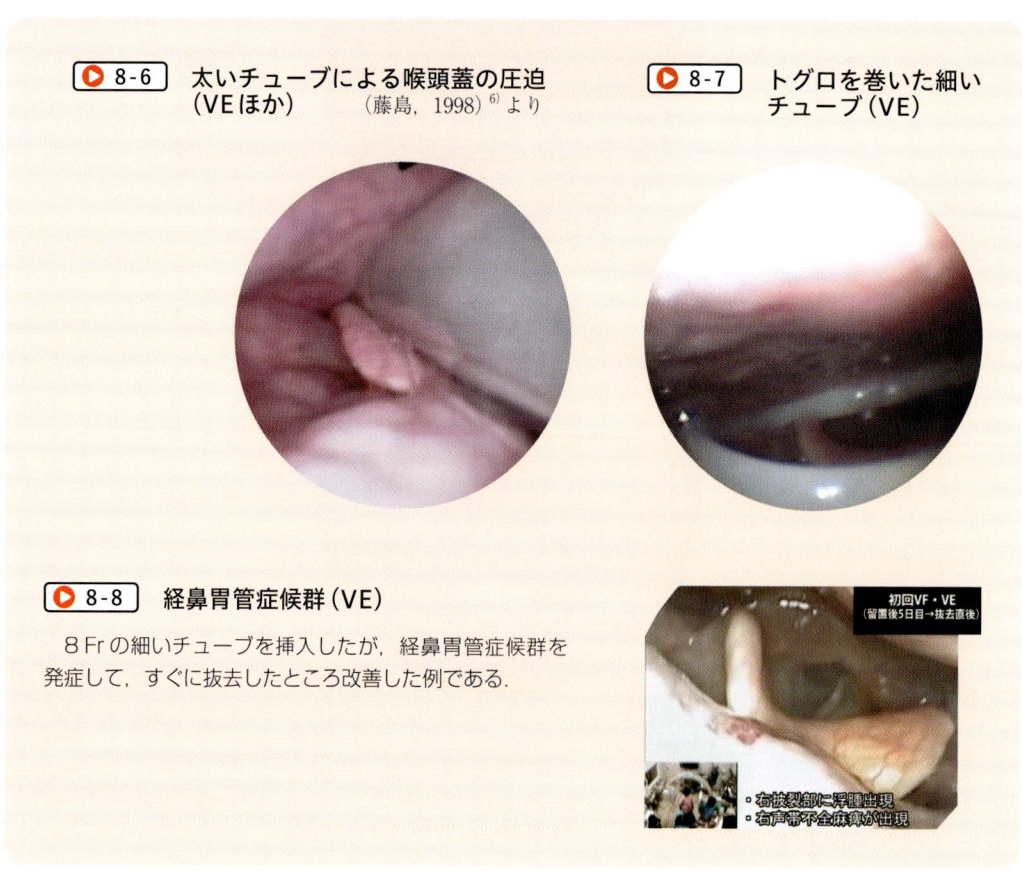

8-7 トグロを巻いた細いチューブ（VE）

8-8 経鼻胃管症候群（VE）

8Frの細いチューブを挿入したが，経鼻胃管症候群を発症して，すぐに抜去したところ改善した例である．

初回VF・VE（留置後5日目→抜去直後）
・右披裂部に浮腫出現
・右声帯不全麻痺が出現

6 軟口蓋挙上装置の効果

図8-5❶は，偽性球麻痺で軟口蓋が弛緩して発声時に開鼻声となり，発話明瞭度が低下していた症例である．図8-5❷は軟口蓋挙上装置（palatal lift prosthesis：PLP）を装着したところである．軟口蓋が挙上され鼻咽頭が閉鎖されている．一般にPLPは嚥下に不利となるが，ここでは挙上子が軟らかいモバイル型PLP（Fujishima type）[7]を使用しており，嚥下にも悪影響が少ないように配慮されている（▶ 8-9）．鼻咽頭逆流がある場合にも有効である．なお，口峡が開かず食塊が口腔から咽頭へ送り込めない症例に対して，モバイル型PLP（Fujishima type）を作製して送り込みができるようになることもある[8]．

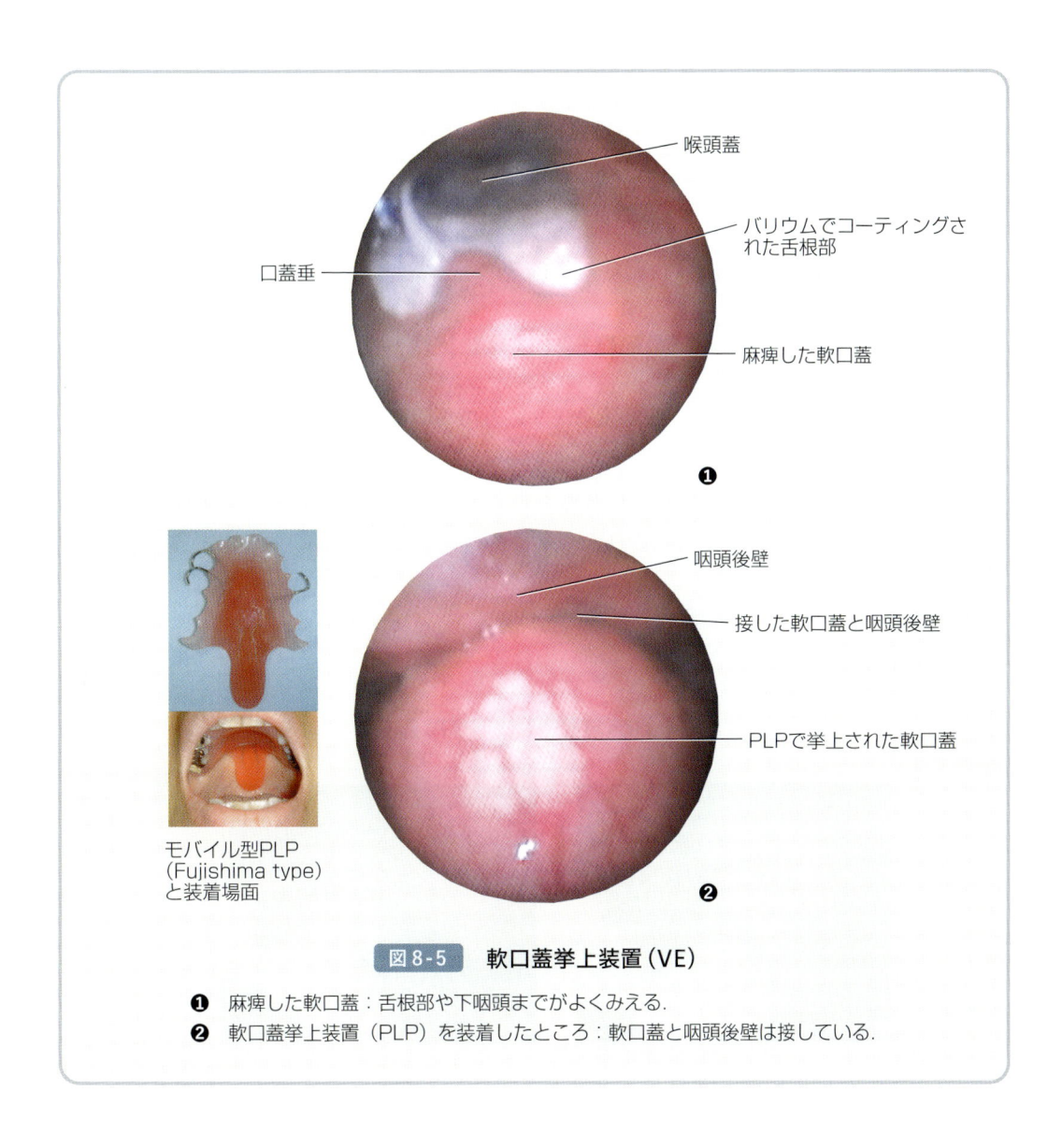

図8-5 軟口蓋挙上装置（VE）
❶ 麻痺した軟口蓋：舌根部や下咽頭までがよくみえる．
❷ 軟口蓋挙上装置（PLP）を装着したところ：軟口蓋と咽頭後壁は接している．

（❶ラベル：喉頭蓋／バリウムでコーティングされた舌根部／口蓋垂／麻痺した軟口蓋）
（❷ラベル：咽頭後壁／接した軟口蓋と咽頭後壁／PLPで挙上された軟口蓋）
モバイル型PLP（Fujishima type）と装着場面

▶ 8-9　軟口蓋挙上装置の効果（VE）[7, 8]

　モバイル型PLP（Fujishima type）の効果をVEでみている場面．PLPを装着すると開鼻声が軽減できるようになる．

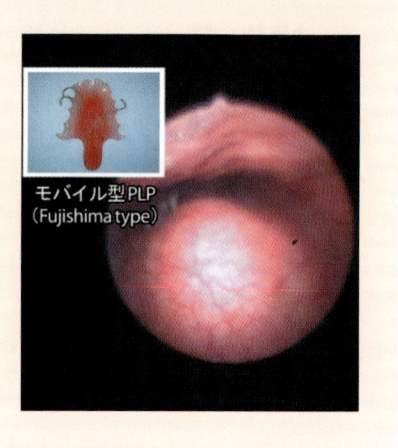

モバイル型PLP
（Fujishima type）

⑦ 舌接触補助床
（Palatal Augmentation Prosthesis: PAP）

　舌の動きが不良で食塊を口腔から咽頭に送り込みにくい患者の口蓋にPAPを装着すると送り込みが容易になる例が多くみられる（▶ 8-10）．構音障害を伴う場合も多いが，構音にも好影響を与える．高口蓋の症例では特に有効である．なお，PAPは咽頭期にも好影響を与え咽頭期嚥下の圧が上昇することが報告されている[9]．

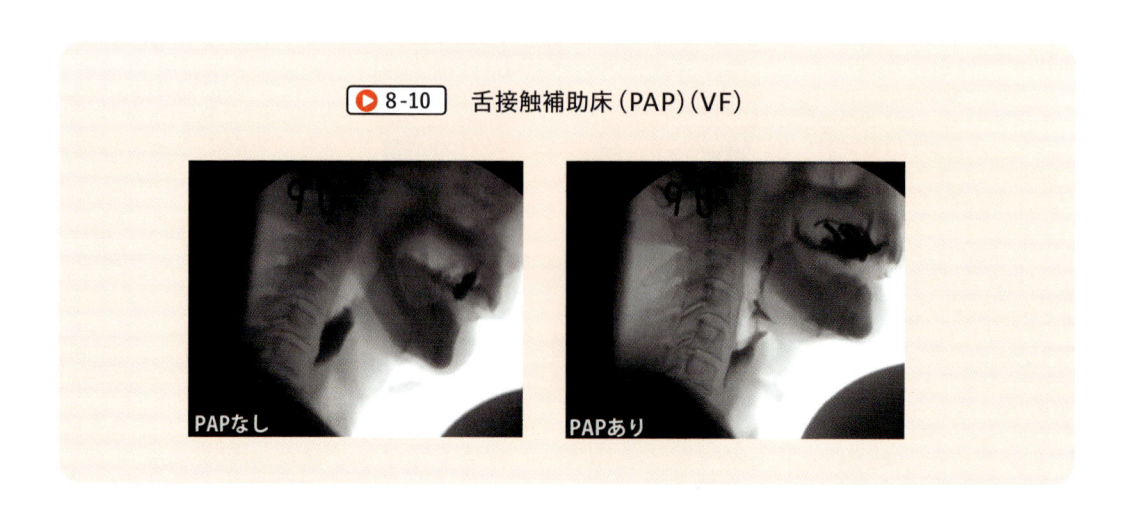

▶ 8-10　舌接触補助床（PAP）（VF）

PAPなし　　　　　　PAPあり

8 イー嚥下

　偽性球麻痺で口腔から咽頭へ食塊が送り込めない患者がいる．臨床ではリクライニング位で重力を利用する方法が用いられる．しかし，口峡でブロックされ送り込めないこともある．このとき発声をさせると口峡が開き重力で食塊は咽頭に流れていく．発声の方法は言語聴覚士の小島千枝子さんが「アー」を用いていた．とてもよい方法であり筆者も多用していたが，ある患者で「ア」は低舌音（発音のときに舌体部が下がり，舌根部は咽頭に後退して咽頭腔が狭まる）であり，効率が悪くうまくいかないことがあった．その後，筆者らは「イー」ないし「エー」のほうがより効率的であることを発見した．「イ」は高舌音（発音時に舌体部が盛り上がり，舌根部は前方に移動するため咽頭腔が広がる）であるため，効率よく食塊を咽頭に送り込むことができる[10]（▶8-11）．高口蓋の患者ではリクライニング位で「イー嚥下」にPAPを併用するとより効率よく食塊移送ができる．

▶8-11 イー嚥下（VF）
口峡から先に送り込めないが，「イー」と発声すると咽頭に送り込まれ嚥下できた．

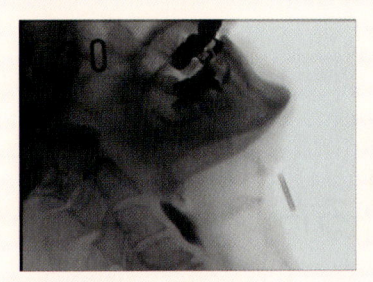

▶8-12 鼻つまみ嚥下（VF）
口峡で食塊をブロックしてしまう症例．リクライニング位で鼻をつまんでしばらくすると口呼吸となり，口峡が開いて食塊が咽頭に送られる．

9 鼻つまみ嚥下

　口峡で食塊をブロックしてしまう症例で，失語症や認知症を有する患者では，前述の「イー嚥下」を指示しても，発声できないことがある．このような症例において，リクライニング位で鼻をつまんでしばらくすると，口呼吸となって口峡が開き，食塊が口腔から咽頭に流入することがある（▶8-12）．筆者らは，VF中にリクライニング位でアイスマッサージや「イー嚥下」，嚥下促通手技など，さまざまなことを試しても咽頭の食塊を送り込めない場合に，鼻つまみ嚥下を試すことがある．鼻つまみ嚥下では，吸気に伴って誤嚥していないかどうかを，VFで必ず確認しておく必要がある．摂食訓練で導入するときも，SpO_2モニターや呼吸状態は必ずチェックしながら行う．鼻つまみ嚥下は，患者が「食べたい」という希望があることが前提になる．鼻をつまんで無理矢理食べさせているという状況があってはならない[11]．

⑩ カクカク嚥下

口腔期の送り込みが悪い症例で用手的に下顎を上下させる（カクカクさせる）ことにより，食塊が口腔内から咽頭へ送り込まれ，嚥下につながることがある．嚥下訓練場面で有用である（▶8-13）．

> **▶8-13　カクカク嚥下（VF）**
> 下顎をカクカクさせることで口腔から咽頭へ食塊を送っている．はじめは言語聴覚士が行っていたが，自分でできるようになった．

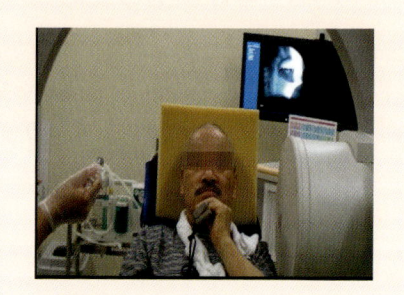

⑪ とろみシャーベット

認知機能低下や軽度意識障害により，食物を口腔に溜め込んだまま咀嚼や嚥下をしない患者がいる．とろみシャーベット（凍らせたとろみ水）は，冷たい刺激および固形物が口に入ることで咀嚼運動が誘発され，嚥下につながり，かつ溶けた場合でもとろみ水となるため氷より安全性が高いと考えられる[12]（▶8-14）．

> **▶8-14　認知症も合併した偽性球麻痺患者：とろみシャーベット（VF）**
> 認知機能低下を合併した偽性球麻痺患者である．とろみ水では口腔内に溜め込んだまま止まってしまうが，とろみシャーベットでは咀嚼が誘発され，咽頭への送り込みと嚥下反射惹起がみられた．

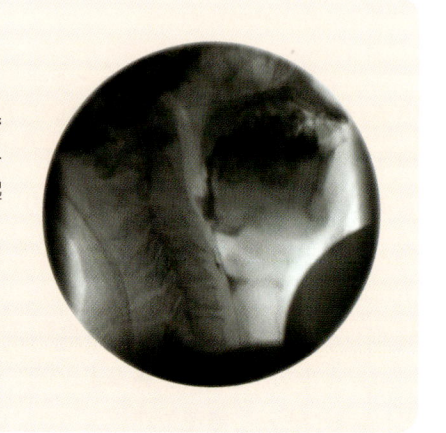

12 発泡剤

　炭酸刺激は嚥下反射惹起に有効とされており炭酸水が主に用いられているが，使用にはいろいろな制約がある．当院では，食塊や口腔内の水分と反応し炭酸ガスを発生させる発泡剤を用いており，食品に少量の発泡剤をふりかけると口腔通過時間や嚥下反射惹起が改善する偽性球麻痺患者をよく経験している[13]（▶8-15）．

　発泡剤の利点は，液体以外の食品でも簡単に炭酸刺激を付加できること，炭酸が抜け出ることなく簡単に炭酸刺激を付加できることである．発泡剤は当院ではバリエース®発泡顆粒（伏見製薬所）を用いているが，フレッシュソーダ®（松山製菓）を使用することもできる．バリエース®発泡顆粒は適用外使用となるため，当院では倫理審査を経て使用している．

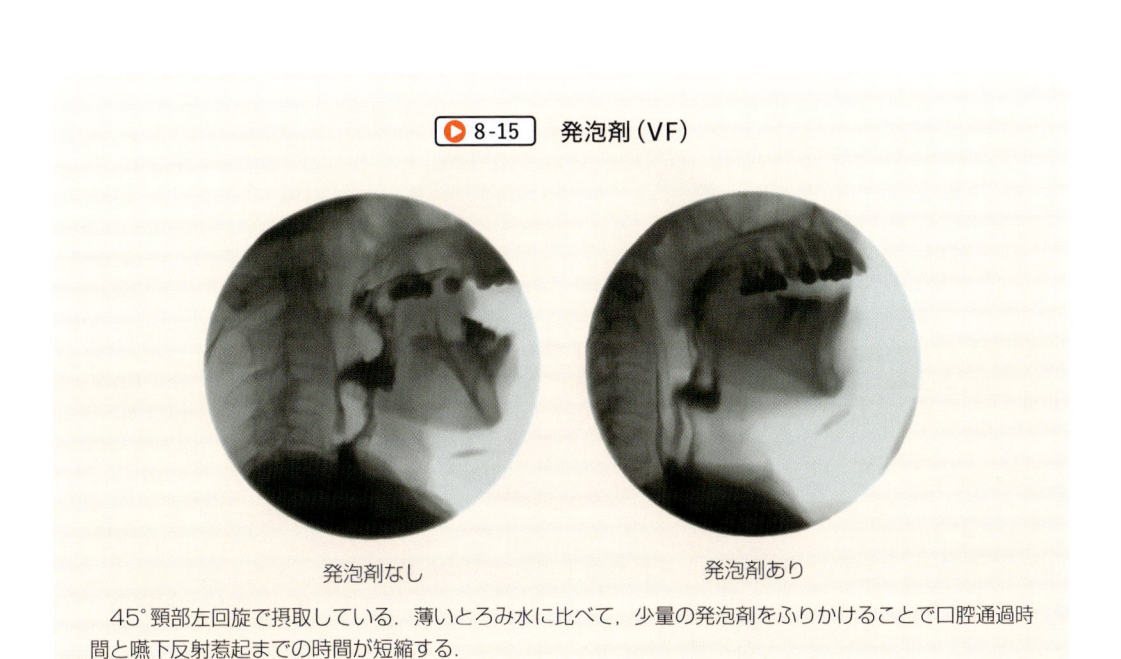

▶8-15　発泡剤（VF）

発泡剤なし　　　　　　　　　発泡剤あり

45°頸部左回旋で摂取している．薄いとろみ水に比べて，少量の発泡剤をふりかけることで口腔通過時間と嚥下反射惹起までの時間が短縮する．

⑬ 声門閉鎖不全と声帯内転術

図8-6 ❶ は，球麻痺で左の声帯が麻痺し，軽度の萎縮がみられ弓状に声帯が変形している（bowing）．発声時に声門が閉鎖しないばかりか唾液の誤嚥もみられていた．外科的に声帯内転術を施行した後のVE所見が 図8-6 ❷ である．左声帯は変形が治り直線になっているとともに，声門閉鎖も良好となった．嗄声が改善し，唾液誤嚥が消失した．

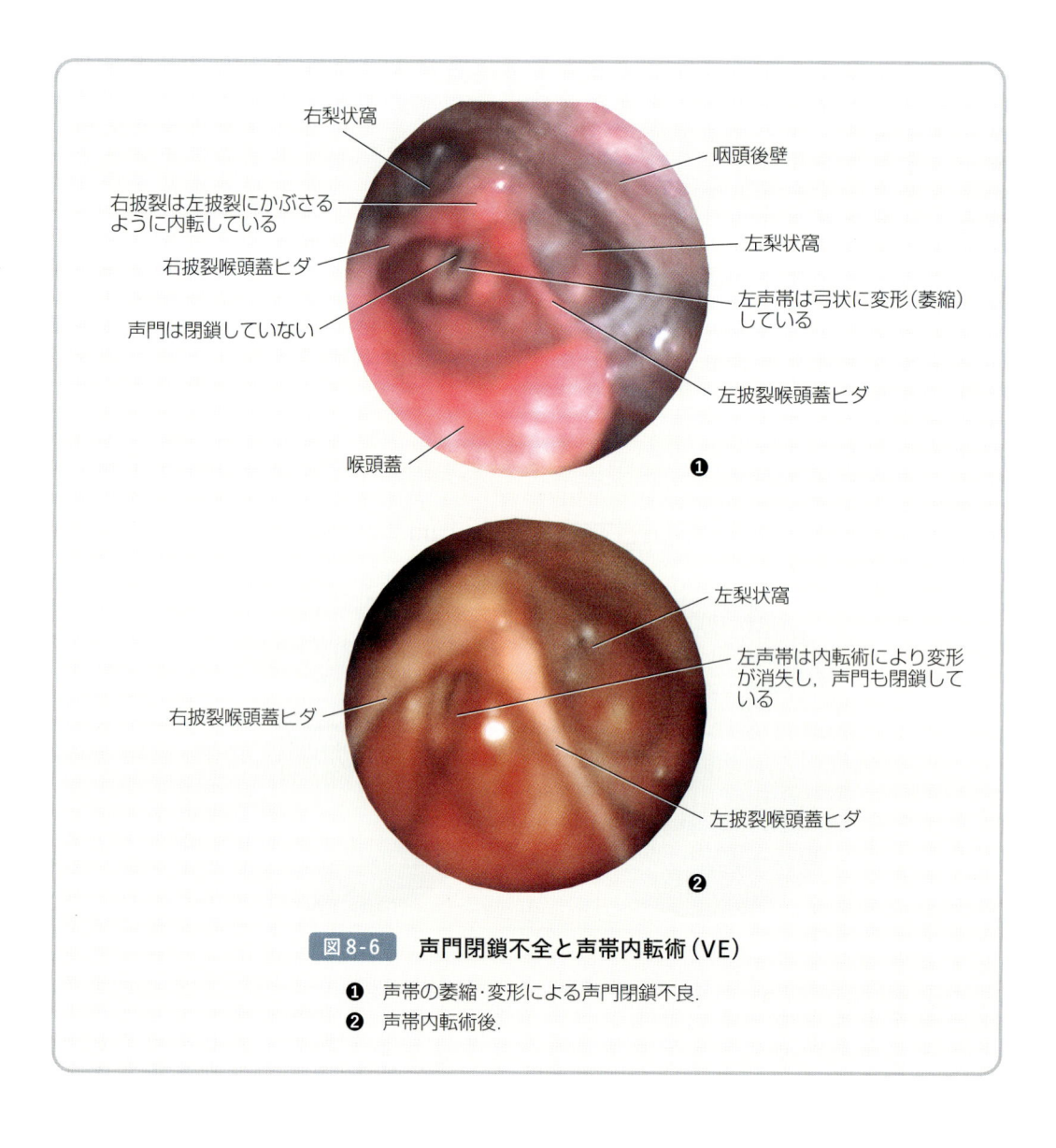

図8-6　声門閉鎖不全と声帯内転術（VE）
❶ 声帯の萎縮・変形による声門閉鎖不良．
❷ 声帯内転術後．

⑭ 著明な骨増殖による嚥下障害

図8-7❶ は，Forestier病（強直性脊椎骨増殖症）の頸椎側面X線写真画像である．C3〜C7にかけて頸椎前部に著明な骨増殖像がみられる．図8-7❷ はVE所見であり，骨増殖は正中より左に寄っていることがわかる．この場合，食塊は右梨状窩を通過させたほうが嚥下に有利である．図8-7❸ は別の症例であるが，頸椎症による骨増殖（骨棘）が右梨状窩をつぶすように突出しているのがわかる．図8-7❹ は骨棘を手術で除去した後である．

8-16 には著明な骨棘のVE所見を示した．8-17，8-18 は球麻痺と骨棘の合併例の術前・後のVF所見である．両者を見比べると，手術により改善を示していることがわかる．

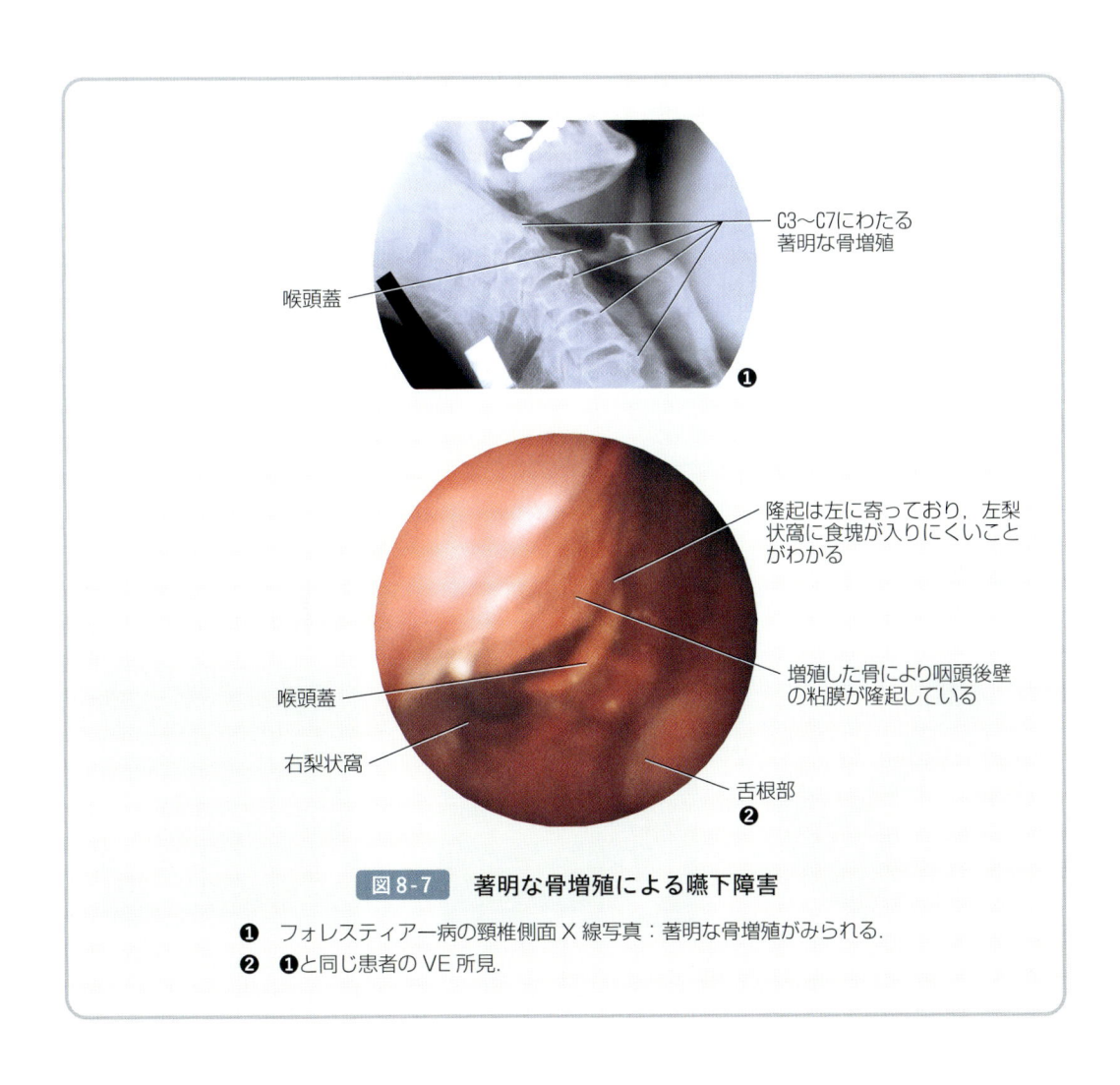

図8-7 著明な骨増殖による嚥下障害
❶ フォレスティアー病の頸椎側面X線写真：著明な骨増殖がみられる．
❷ ❶と同じ患者のVE所見．

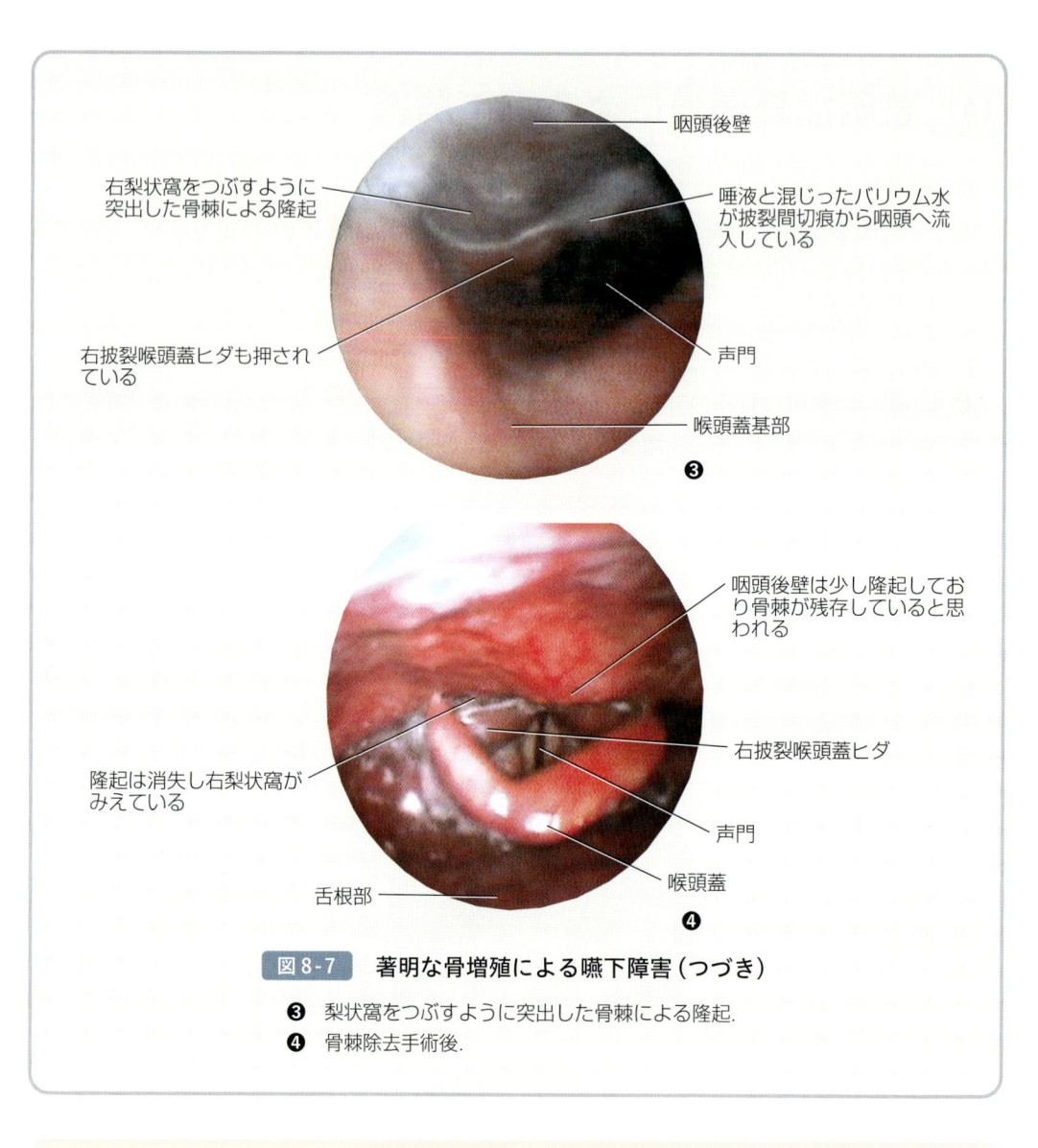

咽頭後壁

右梨状窩をつぶすように突出した骨棘による隆起

唾液と混じったバリウム水が披裂間切痕から咽頭へ流入している

右披裂喉頭蓋ヒダも押されている

声門

喉頭蓋基部

❸

咽頭後壁は少し隆起しており骨棘が残存していると思われる

右披裂喉頭蓋ヒダ

隆起は消失し右梨状窩がみえている

声門

舌根部

喉頭蓋

❹

図8-7 著明な骨増殖による嚥下障害（つづき）

❸ 梨状窩をつぶすように突出した骨棘による隆起．
❹ 骨棘除去手術後．

▶ 8-16
著明な骨棘（VE）

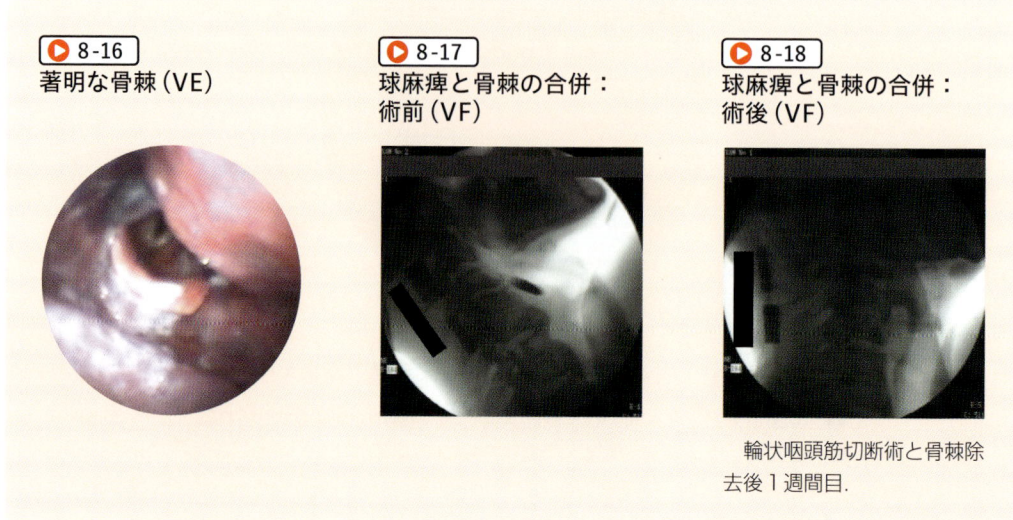

▶ 8-17
球麻痺と骨棘の合併：術前（VF）

▶ 8-18
球麻痺と骨棘の合併：術後（VF）

輪状咽頭筋切断術と骨棘除去後1週間目．

15 気管食道瘻

図8-8❶は，声門直下にできた気管食道瘻からバリウムが気管に流入する場面をVFでとらえたところである．VFで疑わしい所見をみつけたときには，必ずVEで確認するようにしたい（▶8-19，▶8-20）．図8-8❷はVEで気切孔から声門部をみたところであるが，気管後壁に瘻孔があり，周囲に肉芽形成を伴っている．図8-8❸はゼラチンゼリーが瘻孔から流入してくるところをとらえたVE所見である．筆者らは，気管切開がある場合にはほぼ必ず気管切開孔からVEを行い，上下方向の所見をとるようにしている．

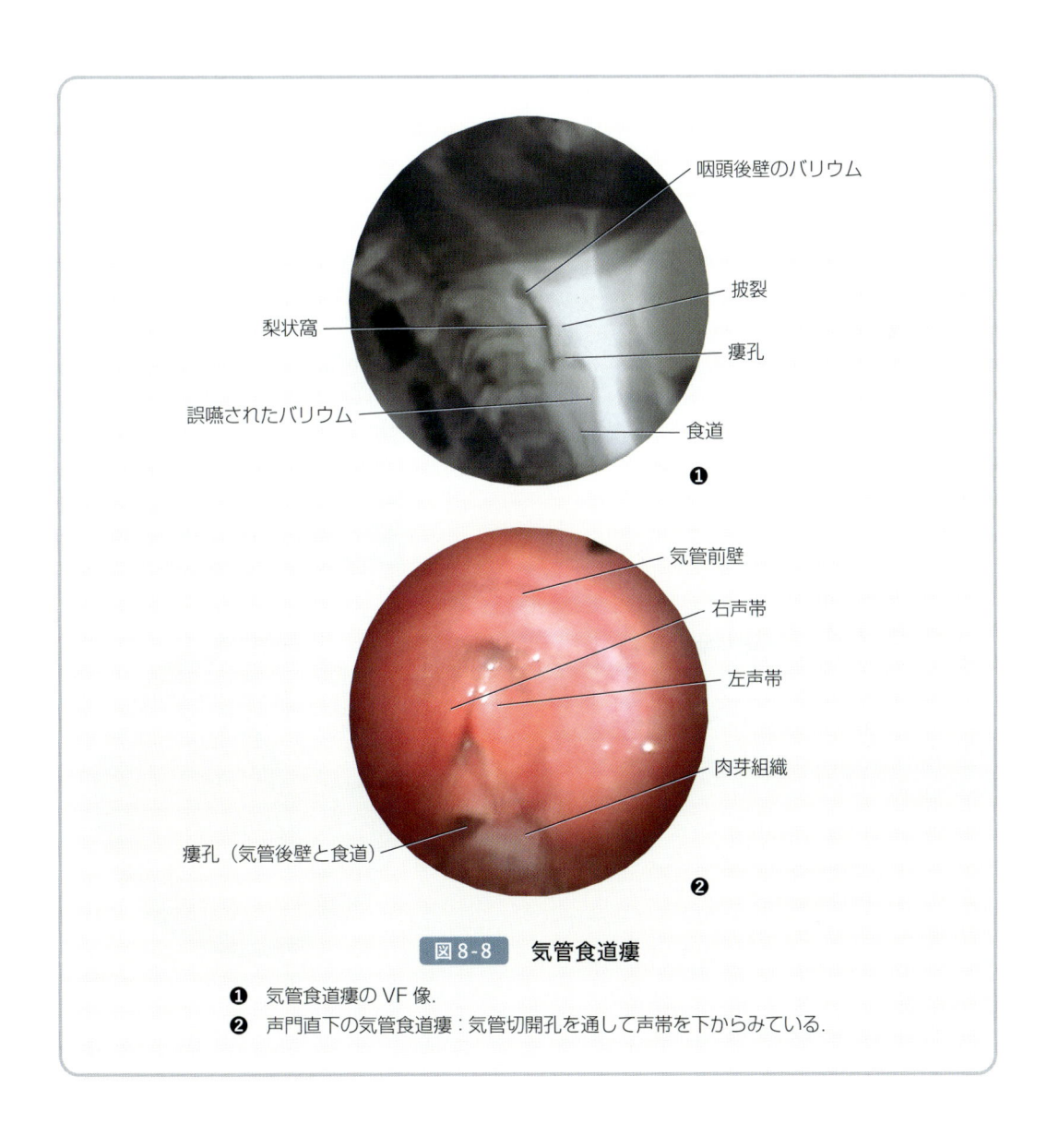

図8-8 気管食道瘻
❶ 気管食道瘻のVF像．
❷ 声門直下の気管食道瘻：気管切開孔を通して声帯を下からみている．

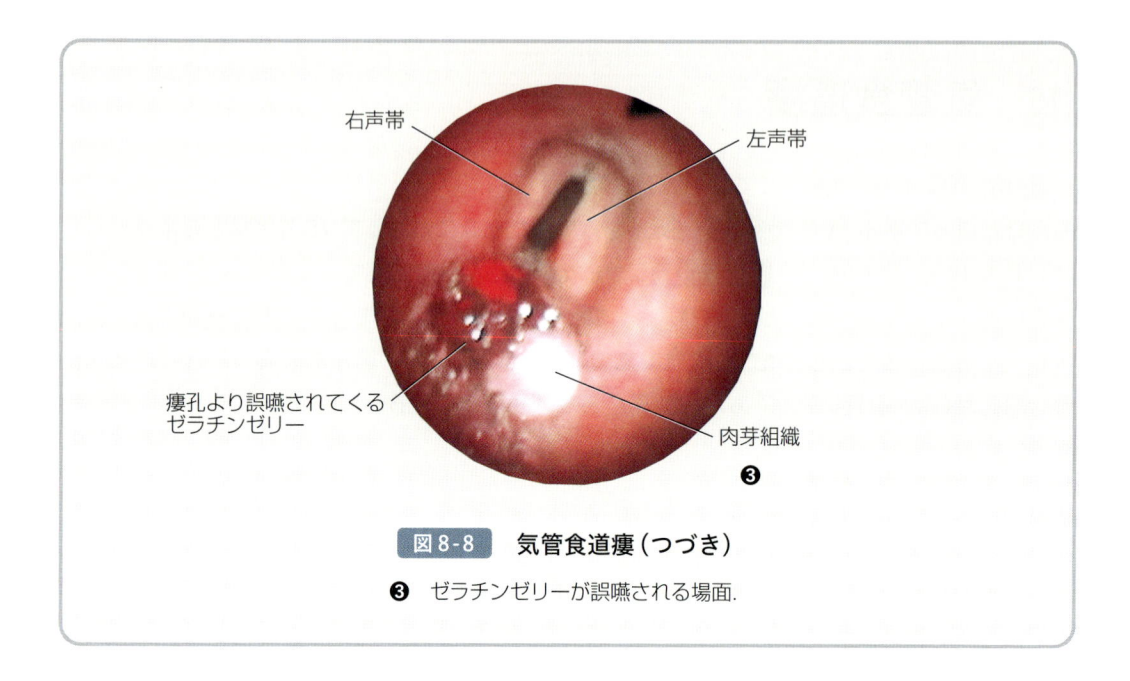

右声帯　　　　左声帯

瘻孔より誤嚥されてくる
ゼラチンゼリー

肉芽組織

❸

図 8-8　気管食道瘻（つづき）

❸ ゼラチンゼリーが誤嚥される場面.

▶ 8-19　気管食道瘻の疑い（VF）

　誤嚥するが，披裂間切痕から落ちたようにもみえるため，気管食道瘻であるかは VF では判定がやや困難である.

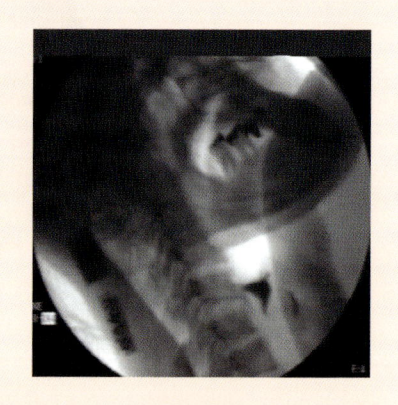

▶ 8-20　気管食道瘻を確認（VE）

　気管切開孔からみると，気管食道瘻から唾液やゼラチンゼリーが誤嚥される様子がはっきりわかる.

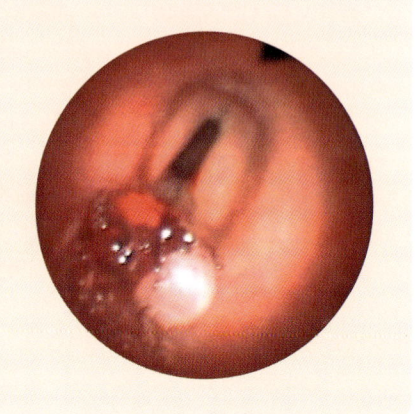

⑯ カニューレのゆがみと ワンウェイバルブ(one way valve)

図8-9 は，気管切開カニューレを通して気管をみたところであるが，カニューレの先端が気管後壁に当たっており，気管分岐部が正中にみえない．この状態で放置すると，気管後壁に潰瘍形成などの損傷を与える恐れがあるので，カニューレの種類を変更するなどしてカニューレ先端が当たらないようにする処置をとることが望ましい．VEで実際にどのようにみえるかは，▶8-21 を確認いただきたい． 図8-10 は単管式カフ付きカニューレを装用した患者の矢状断CT画像である．カニューレ先端が気管前壁に当たっているのがわかる．

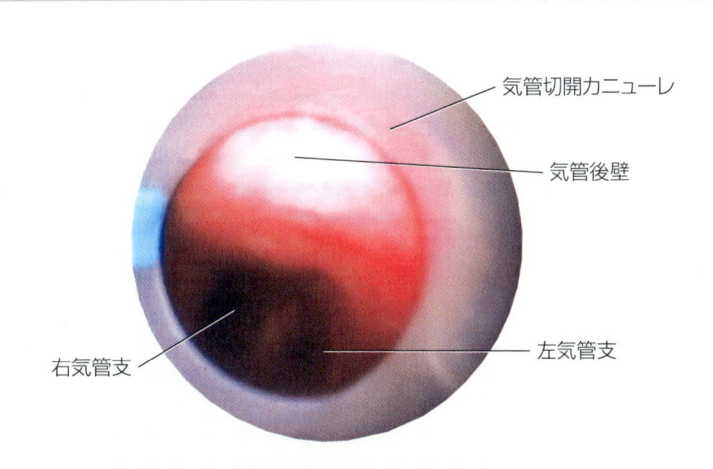

図8-9　気管切開カニューレのゆがみ(VE)

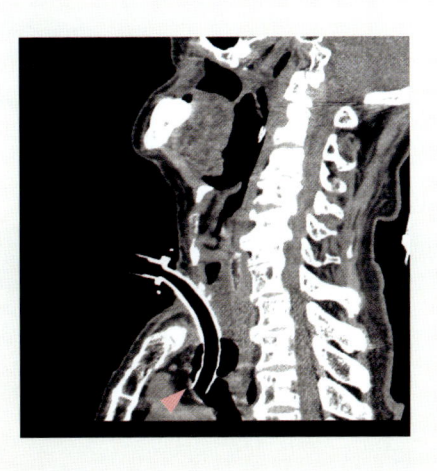

図8-10　CT（矢状断），カニューレの先端が気管前壁に接触（矢印）
（図8-9とは別症例）

本症例のVEでは，カフ脱気したことにより先端が気管前壁に当たり気管内に出血しているのが確認できる（ 8-22 ）．

　ワンウェイバルブ（one way valve）はスピーチカニューレやレティナカニューレで使用すると発声が可能となる発声用バルブである（Column参照）．単に発声が可能になるだけでなく，空気の流れが吸気では気管切開孔から入り，呼気では口腔へ抜けるために誤嚥が防止できる（ 8-23 ）．

8-21　カニューレの角度確認（VE）

　カニューレの角度を変えると気管壁に当たったり，正しい位置になったりする場面．

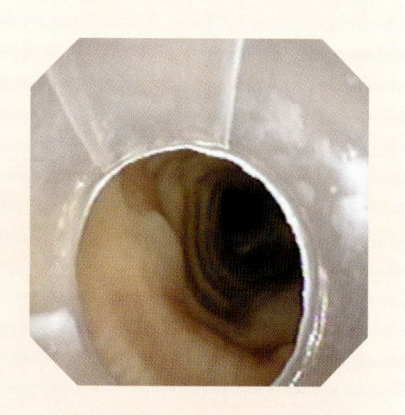

8-22　気管前壁の出血（VE）

　カフ脱気によりカニューレの先端が気管前壁に当たって出血した場面．

8-23　One way valve（VE）

　One way valveを付けたりはずしたりして，気管・喉頭と咽頭の分泌物が流れ込んだり，吹き出したりする効果をみている場面．

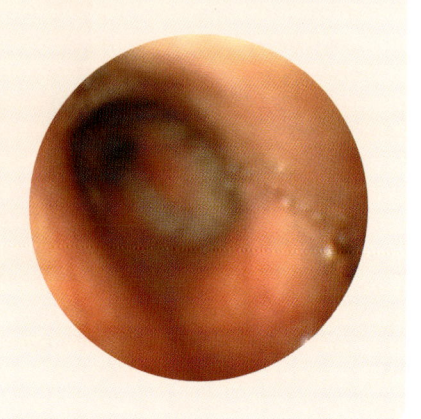

Column

ワンウェイバルブ（one way valve）

ワンウェイバルブ（発声バルブ）（図8-11）には可動性のあるフィルターが入っており，吸気時に開放され，呼気時に閉鎖される一方向弁の仕組みとなっている（図8-12❶～❸）．気管カニューレは，ワンウェイバルブ未装着，ワンウェイバルブ装着，閉鎖バルブ装着により呼吸時の空気の流れは異なる．

- ワンウェイバルブ未装着：吸気・呼気共に気管孔からとなる．発声はできず，嚥下時の声門加圧も高まらない．
- ワンウェイバルブ装着（図8-12❶，❷）：吸気は気管孔から，呼気は声帯や口腔器官を通る．発声が可能となり，嚥下時の声門加圧も高まりやすい．
- 閉鎖バルブ装着：通常の呼吸と同じように，吸気・呼気共に声帯や口腔器官を通る．

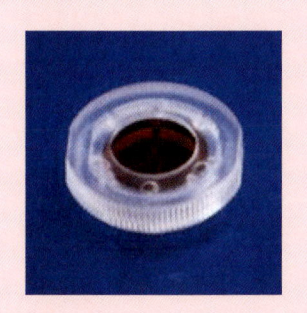

図8-11 ワンウェイバルブ（高研ホームページより）

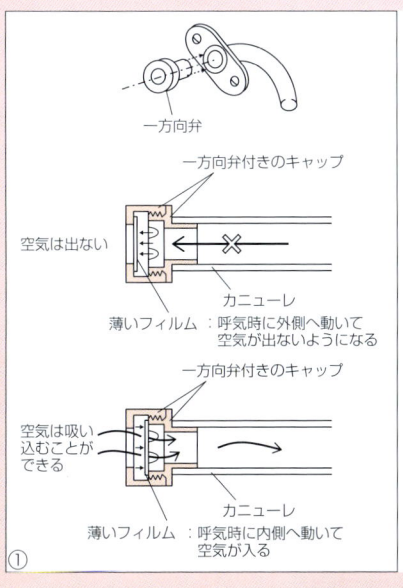

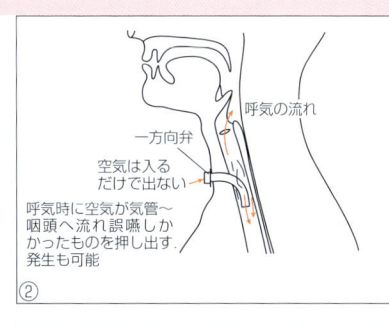

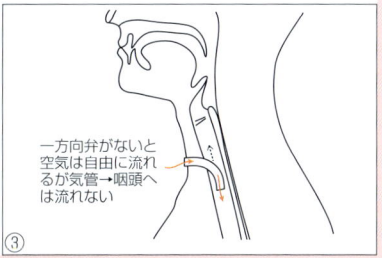

図8-12 ワンウェイバルブ装着時の吸気・呼気の流れ（藤島・他，2017）[14]

⑰ 腫瘍

VEでは声帯や喉頭，咽頭などの粘膜病変，隆起性病変，炎症所見など形態学的変化をとらえることができる．嚥下の検査をしていて思いもよらない病変を発見することがあるので，慎重に所見をとらなければならない．図8-11 は喉頭癌である（元・聖隷三方原病院耳鼻咽喉科／浜田 登先生提供）．

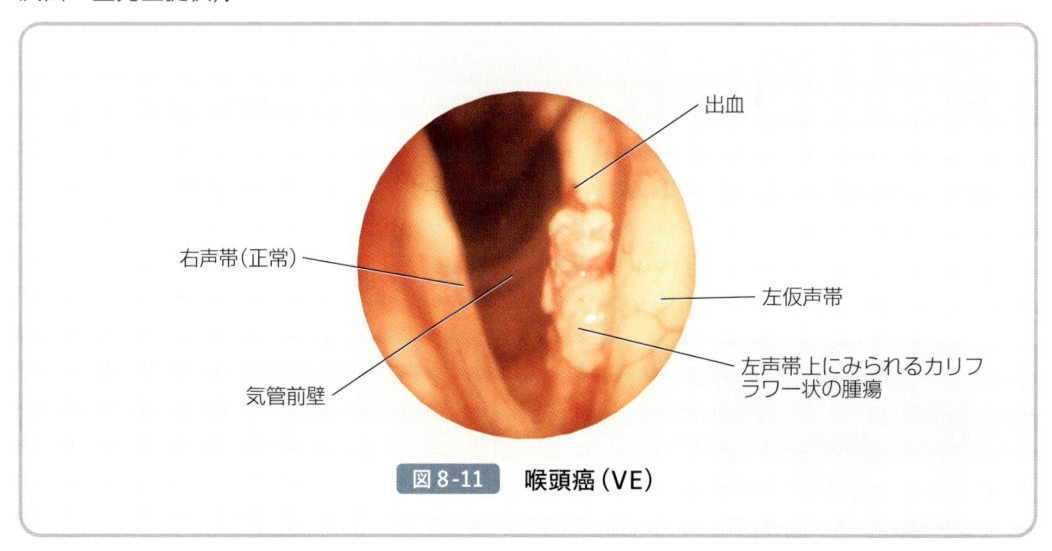

図8-11 喉頭癌（VE）

- 右声帯（正常）
- 気管前壁
- 出血
- 左仮声帯
- 左声帯上にみられるカリフラワー状の腫瘍

⑱ 食道評価

通常のVEでは食道をみることができない．図8-12 は，食道下部に停滞した錠剤（バリウム錠）とバリウム水をVFでとらえた場面である．食道上部にもバリウムの残留がみられる．食道の運動や残留などをみるためには，どうしてもVFが必要である．嚥下障害，誤嚥性肺炎などでリハビリテーション科に紹介されてくる例の中には，重篤な疾患が隠れている場合がある．

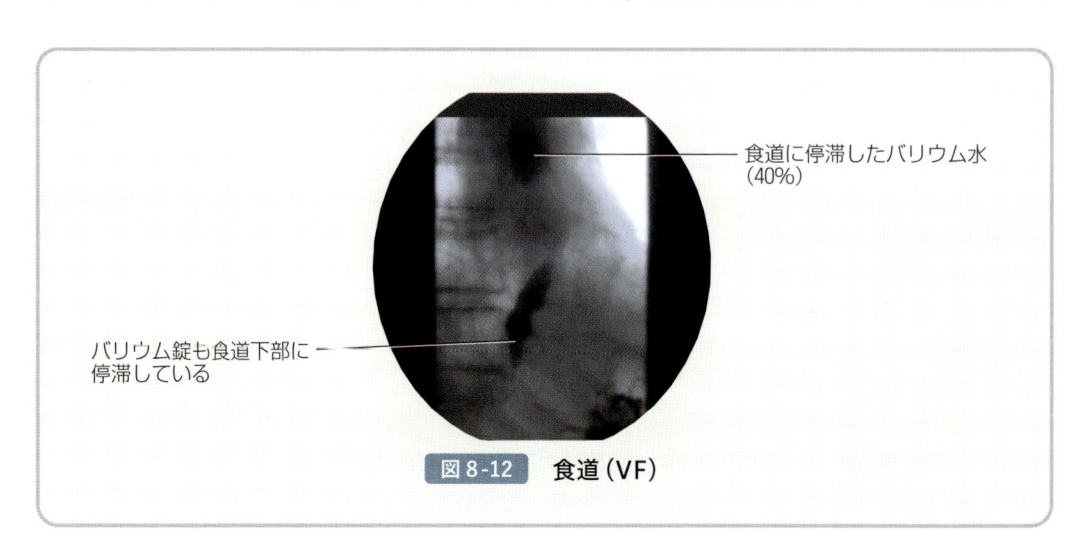

図8-12 食道（VF）

- 食道に停滞したバリウム水（40%）
- バリウム錠も食道下部に停滞している

▶8-24, ▶8-25 は縦隔腫瘍による食道圧迫が原因で逆流を起こしていた例である．▶8-26 の摂食不良の原因は噴門部癌であり，▶8-27 の誤嚥性肺炎の原因は胃食道逆流 (gastroesophageal reflux：GER) と吻合部の狭窄であった．悪性の疾患が疑われる際には必ずVF，VEを施行するようにしたい．

▶8-24 食道咽頭逆流：縦隔腫瘍による食道圧迫（VF）

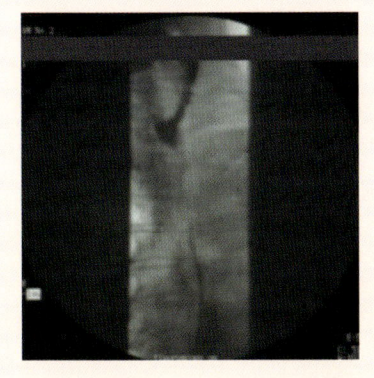

一度食道に入ったバリウム（とろみ）が咽頭に逆流している．精査の結果，縦隔腫瘍（原発は肺癌）の食道圧迫であった．

▶8-25 食道咽頭逆流：縦隔腫瘍による食道圧迫（VE）

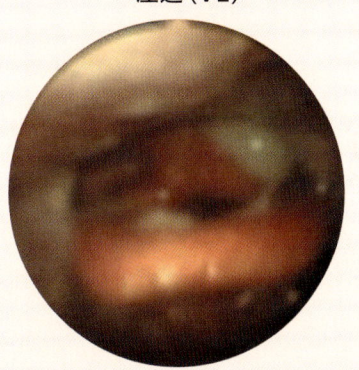

（動画 8-24 と同じ症例）

▶8-26 噴門部癌によるアカラシア様の所見（VF）

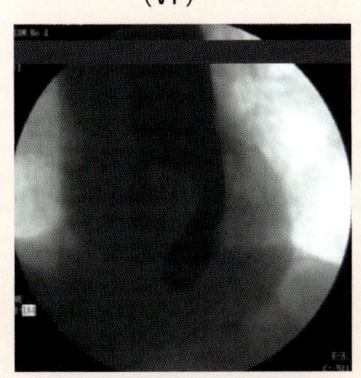

摂食不良と誤嚥性肺炎で紹介された症例．咽頭期嚥下にも問題（残留・誤嚥）があるが，下部食道に著明な食塊貯留と食道拡張あり．いわゆるアカラシア様の所見であるが，原因は噴門部癌であった．

▶8-27 胃切後のGERと小腸側の吻合部狭窄（VF）

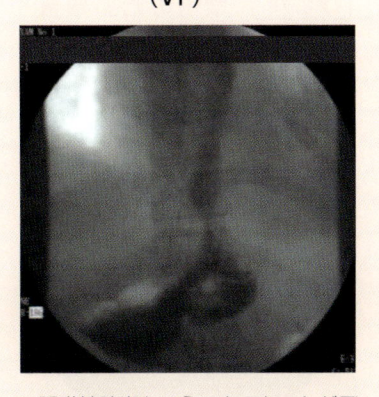

誤嚥性肺炎ということであったが原因は反復性嘔吐による誤嚥で，食道をみると胃癌切除（20年以上前）後の所見．小腸側の吻合部狭窄で通過障害あり，GERが著明．

⑲ 錠剤（模擬薬）の残留

薬は大変飲みにくいものである．最近では錠剤嚥下障害として注目されている[15]．

▶ 8-2 でも粉薬の残留を示したが，▶ 8-28 は咽頭に錠剤（模擬薬）が残留，誤嚥される場面をとらえたものである．この症例は体幹角度60°とすることでうまく嚥下できた（▶ 8-29 ）．

頬杖嚥下法や完全側臥位法で喉頭蓋谷から咽頭側壁に錠剤を落とし嚥下する方法もある（▶ 8-30 ）．

▶ 8-31 ではパーキンソン病の患者で，VF前のVE実施時に偶然にも内服薬の錠剤が喉頭蓋谷と梨状窩に半分溶けた状態で残留している所見を確認できた．さまざまな方法で残留除去を試みたが，残留除去は困難であったため，この症例では簡易懸濁とろみ法で薬剤を内服することとした．なお，水分単独ではむせないが，錠剤（カプセル剤）などと嚥下すると水分を誤嚥することも多い．

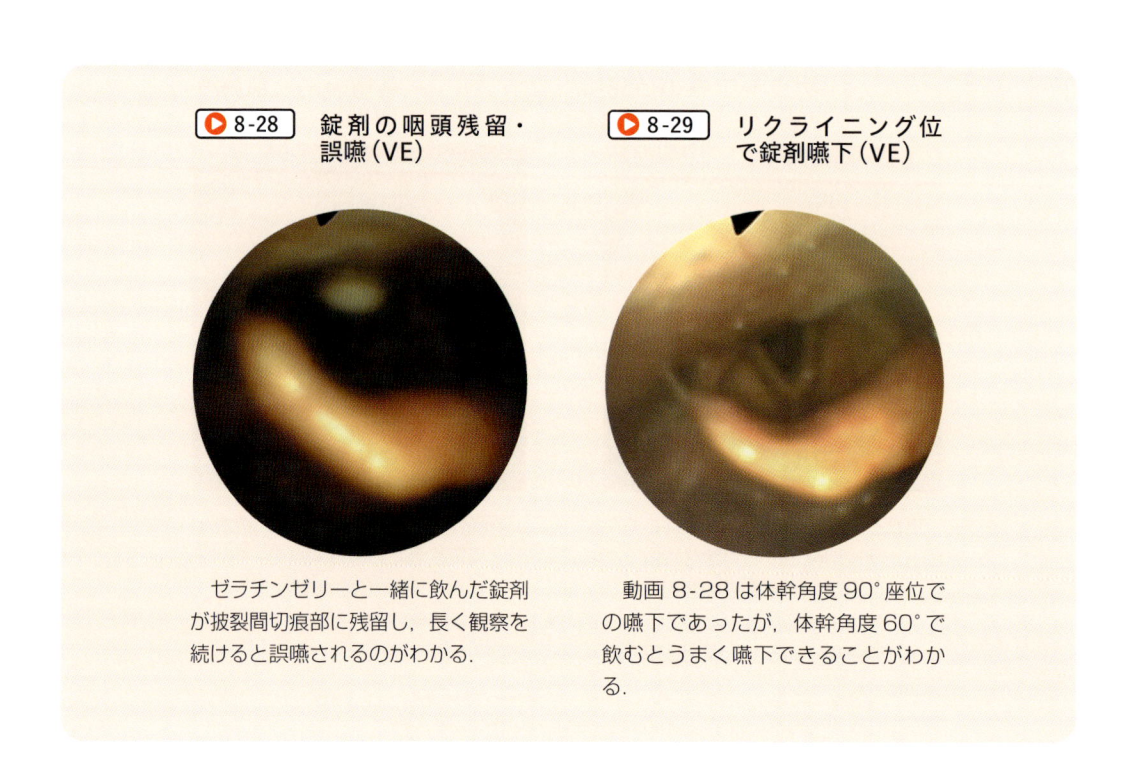

▶ 8-28 錠剤の咽頭残留・誤嚥（VE）

ゼラチンゼリーと一緒に飲んだ錠剤が披裂間切痕部に残留し，長く観察を続けると誤嚥されるのがわかる．

▶ 8-29 リクライニング位で錠剤嚥下（VE）

動画 8-28 は体幹角度90°座位での嚥下であったが，体幹角度60°で飲むとうまく嚥下できることがわかる．

▶ 8-30　喉頭蓋谷の錠剤残留を頬杖嚥下で除去

　正面像で右喉頭蓋谷に錠剤が残留していることを確認後，右頬杖嚥下の姿勢をとると錠剤は咽頭側壁に落ち，ゼラチンゼリーとの交互嚥下で咽頭を通過した．

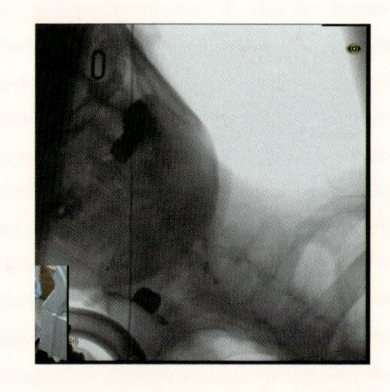

▶ 8-31　内服薬の錠剤が咽頭に残留（VE）：
　　　　パーキンソン病の患者

　VF前のVEで少し溶けた錠剤が右側の喉頭蓋谷と梨状窩に残留していた．嚥下されないので抗パーキンソン病薬の効果が出ない．

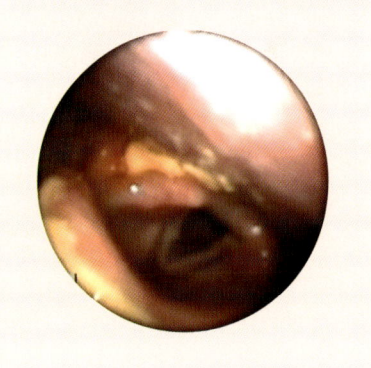

20 チューブの挿入

「イー」と発声すると咽頭腔が拡がり,かつ披裂が内転して梨状窩も大きくなる.また,発声しているので声門も閉じてチューブは気道に進みにくく,食道にスムーズに入りやすい.
 8-32 は間欠的口腔食道経管栄養法(OE法)の場面であるが,NGチューブのときも発声しながらチューブを進めるとよい.

▶ 8-32 OE法でのチューブ挿入(VE)

「オー」と発声しながら口腔内を通過させ,続いて「イー」と発声すると咽頭,梨状窩が広がり,声門が閉鎖するため,チューブが食道に入りやすく,気道に行きにくい.

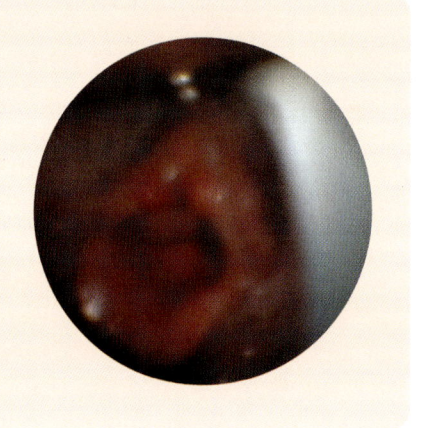

21 笑いは大変よい嚥下訓練

 8-33 は笑っている場面をとらえたものである.よく笑う患者は嚥下訓練の成績が大変よいと常々感じているが,この画像をみれば理由がわかる気がする.

▶ 8-33 笑いと披裂の運動(VE)

笑っているときは咽頭・喉頭も笑っている.笑いはこれだけ激しく披裂や咽頭を運動させる.大変よい嚥下の訓練になると思われる.

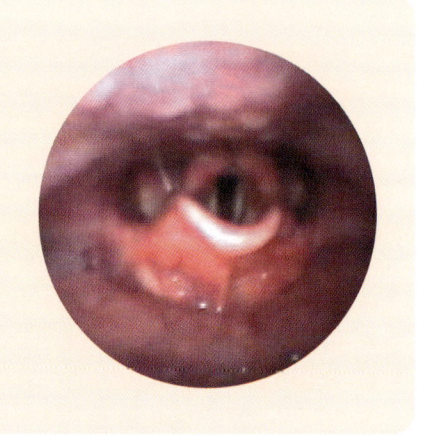

22 頬杖嚥下

　球麻痺の患者から「首をかしげて天井を覗き込むよう（頸部回旋＋頸部側屈）に食べると飲み込みやすい」と発言があったのでVFで確認すると，通過のよい梨状窩へ食塊が誘導されスムーズに咽頭を通過した．この頬杖位[15]の姿勢であるが，当院ではより姿勢が安定しやすい頬杖嚥下を考案した[16, 17, 18]．この姿勢は，頸部回旋と体幹側屈を組み合わせることで，通過のよい咽頭へ食塊誘導しやすくなり，喉頭蓋谷に残留しやすい患者でも適応できる（図8-13）[18]．体幹角度45°から頬杖嚥下に移行できた症例を経験しており（ 8-34 ），患者にとっても食卓で食べられるようになりQOL向上につながる．さらに，医工連携で頬杖嚥下補助具「チーク・ケイン®（橋本螺子株式会社製）」を作製[19]し，姿勢設定も行いやすくしている（図8-14）．

図8-13　頬杖嚥下の姿勢

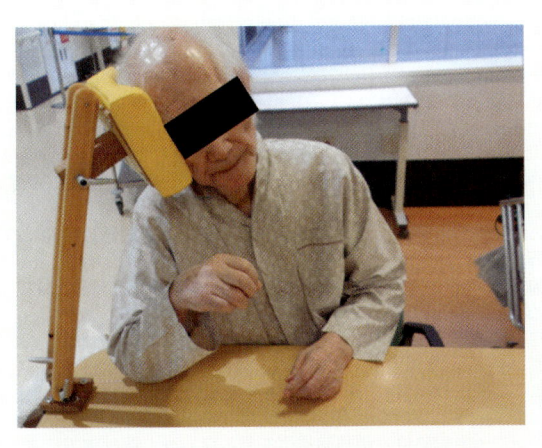

図8-14　チーク・ケイン®（橋本螺子株式会社製）の使用例

▶ 8-34　頬杖嚥下（VF）

　もともと体幹角度45°で摂取していた患者である．体幹角度45°では喉頭蓋谷に多量の残留をみとめた．
　体幹角度60°左頬杖嚥下では，左梨状窩に食塊が誘導でき，残留量も軽減できた．

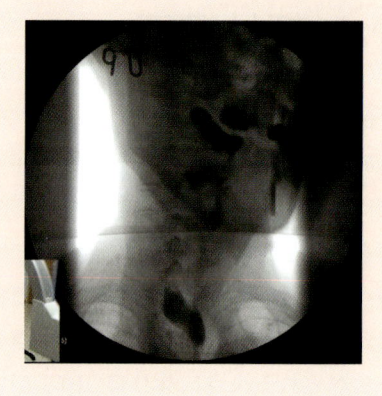

文献

1) 棚橋一雄，藤島一郎：1枚の写真．嚥下医学，9（2）：171，2020．
2) 藤島一郎（監修）：嚥下障害ビデオシリーズ ① 嚥下の内視鏡検査．医歯薬出版，1998．
3) 藤島一郎：脳卒中の摂食嚥下障害 第2版．p 78, 医歯薬出版，1998．
4) Sofferman RA, Hubbell RN: Laryngeal complications of nasogastric tubes. Ann Otol Rhinol Laryngol, 90: 465-468, 1981.
5) 谷口 洋，下山 隆，梅原 淳・他：経鼻経管栄養中に声帯外転障害を呈したクロイツフェルト・ヤコブ病の1例．嚥下医学，2：69-74, 2013．
6) 藤島一郎（監修）：嚥下障害ビデオシリーズ ④ 嚥下障害における経管栄養法．医歯薬出版，1998．
7) 片桐伯真・他：モバイル軟口蓋挙上装置（Fujishima type）の有効性について．日摂食嚥下リハ会誌，5（2）：231, 2001．
8) Ohno T, Katagiri N, Fujishima I: Palatal lift prosthesis for bolus transport in a patient with dysphagia: A clinical report. J Prosthet Dent, 118（2）: 242-244, 2017.
9) Ohno T, Ohno R, Fujishima I: Effect of palatal augmentation prosthesis on pharyngeal manometric pressure in a patient with functional dysphagia: A case report. J Prosthodont Res, 61（4）: 460-463, 2017.
10) Kunieda K, Ohno T, Tanahashi K, et al: Use of the "ee" Maneuverin a Patient With Dysphagia Due to SeverePseudobulbar Palsy, Case Reports. Cureus, 14 (10): e30164, 2022.
11) Kunieda K, Natsume Y, Okamoto K, et al: Use of the pinching nose maneuver in a patient with severe dysphagia caused by pseudobulbar palsy. Cureus, 16（3）: e56116, 2024.
12) 岡本圭史，大野友久，森山さや香・他：凍らせたとろみ水による咀嚼と嚥下訓練が有効であった2症例．嚥下医学，11：82-87, 2022．
13) 池田大樹，岡本圭史，髙木由衣・他：発泡剤が咽頭への食塊輸送と嚥下反射惹起遅延の短縮に有効だった偽性球麻痺の1例．嚥下医学，13：160-165, 2024．
14) 藤島一郎・谷口 洋：脳卒中の摂食嚥下障害 第3版 Web動画付．p273, 医歯薬出版，2017．
15) 原 和也，津幡拓也，藤島一郎：錠剤嚥下障害の病態．調剤と情報，31（1）：14-17, 2025．
16) 三枝英人，中溝宗永，新美成二・他：喉頭挙上に左右差があることに起因する嚥下障害とその対応．日本気管食道科学会，52（1）：1-9, 2001．
17) 北條京子，森脇元希，岡本圭史・他：訓練法〔聖隷嚥下チーム：嚥下障害ポケットマニュアル第4版〕．pp99-146, 医歯薬出版，2018．
18) 岡本圭史，黒川雅史，國枝顕二郎・他：大患側屈位と頸部回旋位を組み合わせた頬杖嚥下により咽頭通過が改善した3症例．嚥下医学，14：75-80, 2025．
19) 岡本圭史・他：医工連携による摂食嚥下障害の評価・治療機器の開発（会議録）．嚥下医学，144, 2022．

第9章
症例紹介

　最後に筆者らの自験例から，偽性球麻痺，球麻痺，偽性球麻痺・球麻痺合併例をそれぞれ1例ずつ紹介する．いずれもVE，VFを適宜施行し，嚥下障害の評価，リハビリテーションアプローチの検討に活用した例である．読者の皆様にお役立ていただければ幸いである．

① 症例1　偽性球麻痺

1 症例

患者：70歳代後半，男性．

現病歴：50歳で左放線冠梗塞を発症し右片麻痺の後遺症があったが，装具と杖を使用し自宅生活は自立していた．X年Y月Z日に妻より構音障害を指摘され，急性期病院に救急搬送．右放線冠梗塞（図9-1）の診断で入院となった．普通食が提供されたが，食事をのどに詰まらせたため嚥下障害が疑われ，体幹角度45°，嚥下調整食2[1)]と設定された．しかし，舌での送り込み動作がみられず口腔内に溜め込んでしまうため，経口摂取は中止され経鼻経管栄養管理となった．第32病日に当院へ入院した．

ST初期評価

- 反復唾液嚥下テスト[2)]：0回/30秒
- The Mann Assessment of Swallowing Ability (MASA)[3)]：116/200点（嚥下障害，誤嚥ともに重度）
- 構音器官：両側性の中枢性顔面神経麻痺，舌下神経麻痺あり，発話明瞭度5（全くわからない）．
- 舌圧：0 kPa（随意的な下顎・舌運動は困難）

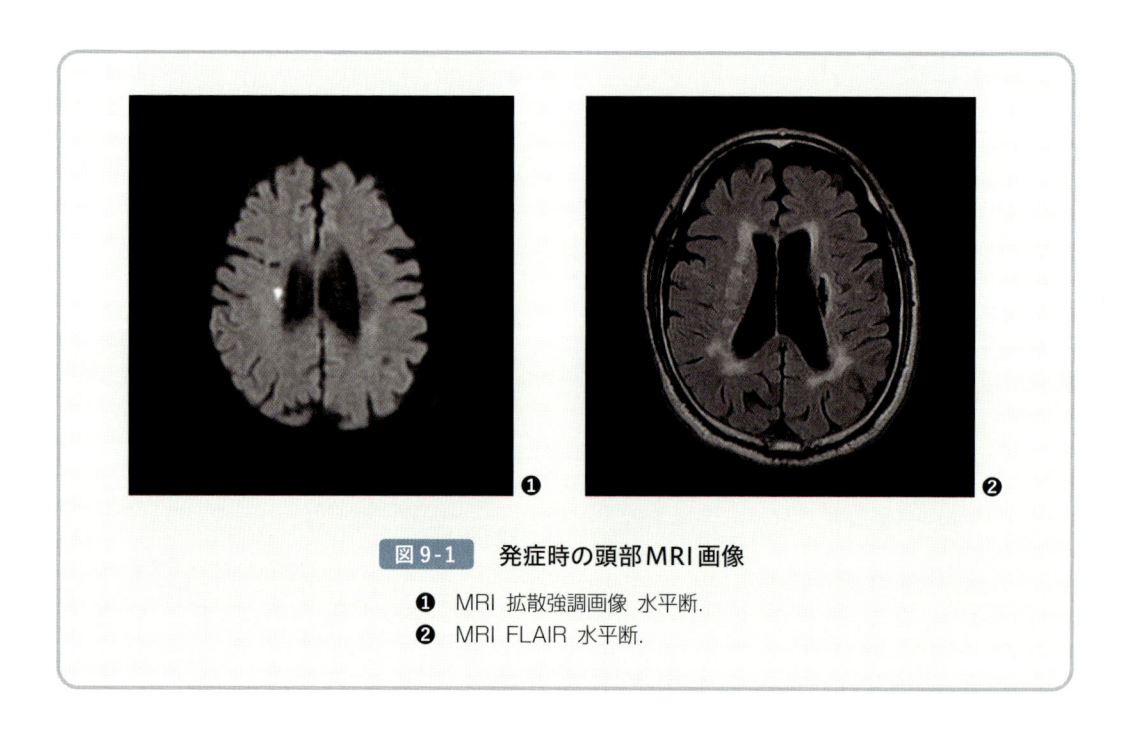

図9-1 発症時の頭部MRI画像
❶ MRI 拡散強調画像 水平断．
❷ MRI FLAIR 水平断．

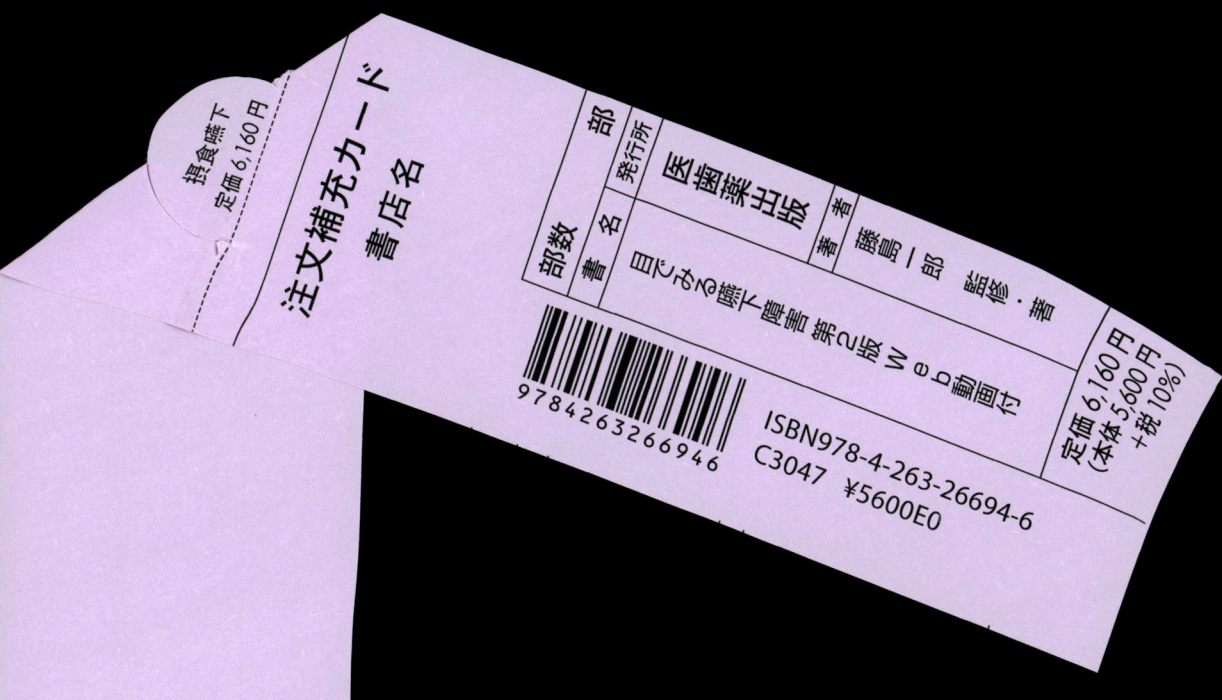

部数	書名	発行所	部
	目でみる嚥下障害 第2版 Web動画付	医歯薬出版	
			著者 藤島一郎 監修・著

注文補充カード
書店名

摂食嚥下
定価 6,160円

ISBN978-4-263-26694-6
C3047 ¥5600E0

定価 6,160円
(本体 5,600円+税10%)

売上カード

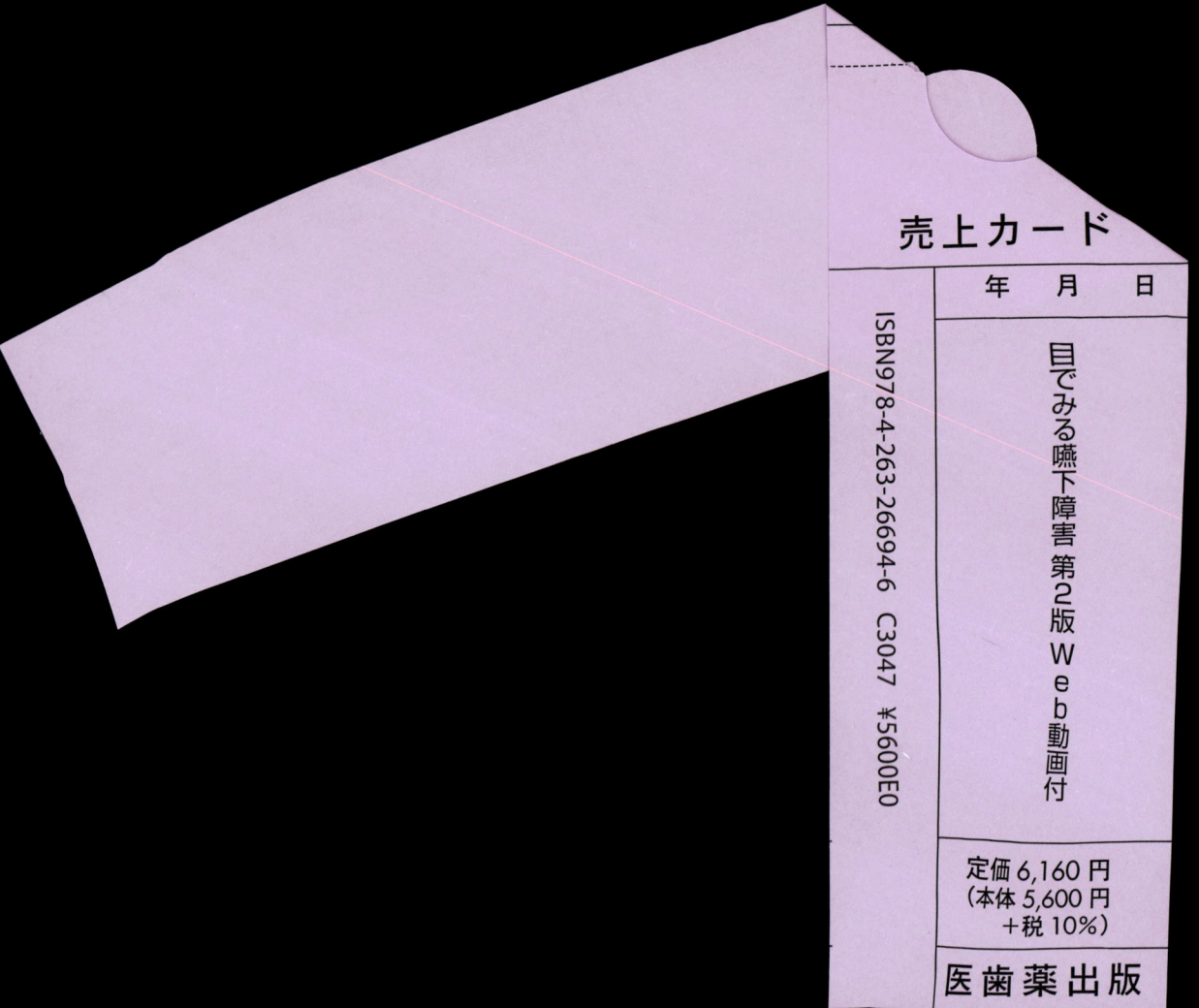

| 年　月　日 |

目でみる嚥下障害 第2版 Web動画付

ISBN978-4-263-26694-6　C3047　¥5600E0

定価 6,160 円
（本体 5,600 円
＋税 10%）

医歯薬出版

入院時VE/VF（第34病日）

VE所見：経鼻栄養チューブが右鼻から食道入口部の正中に挿入されており，喉頭蓋の動きを阻害していると思われた．チューブ周囲と喉頭蓋に白色粘稠痰が付着していた（▶9-1）．経鼻栄養チューブ抜去後は，咽頭内汚染はなく，嚥下反射時の喉頭蓋の反転もよく，ホワイトアウト（white out）も良好であった（▶9-2）．

VF所見：体幹角度30°で実施．認知期は良好．口腔期は重度の舌運動障害があり随意的な咽頭への送り込みは困難だった．ゼラチンゼリーを奥舌に入れると重力により咽頭に送り込まれ，咽頭期では嚥下反射惹起遅延はあるものの咽頭収縮力は保たれていた．

Best swallow：体幹角度30°，ゼラチンゼリースライス（奥舌に入れる，丸飲み）（▶9-3）．

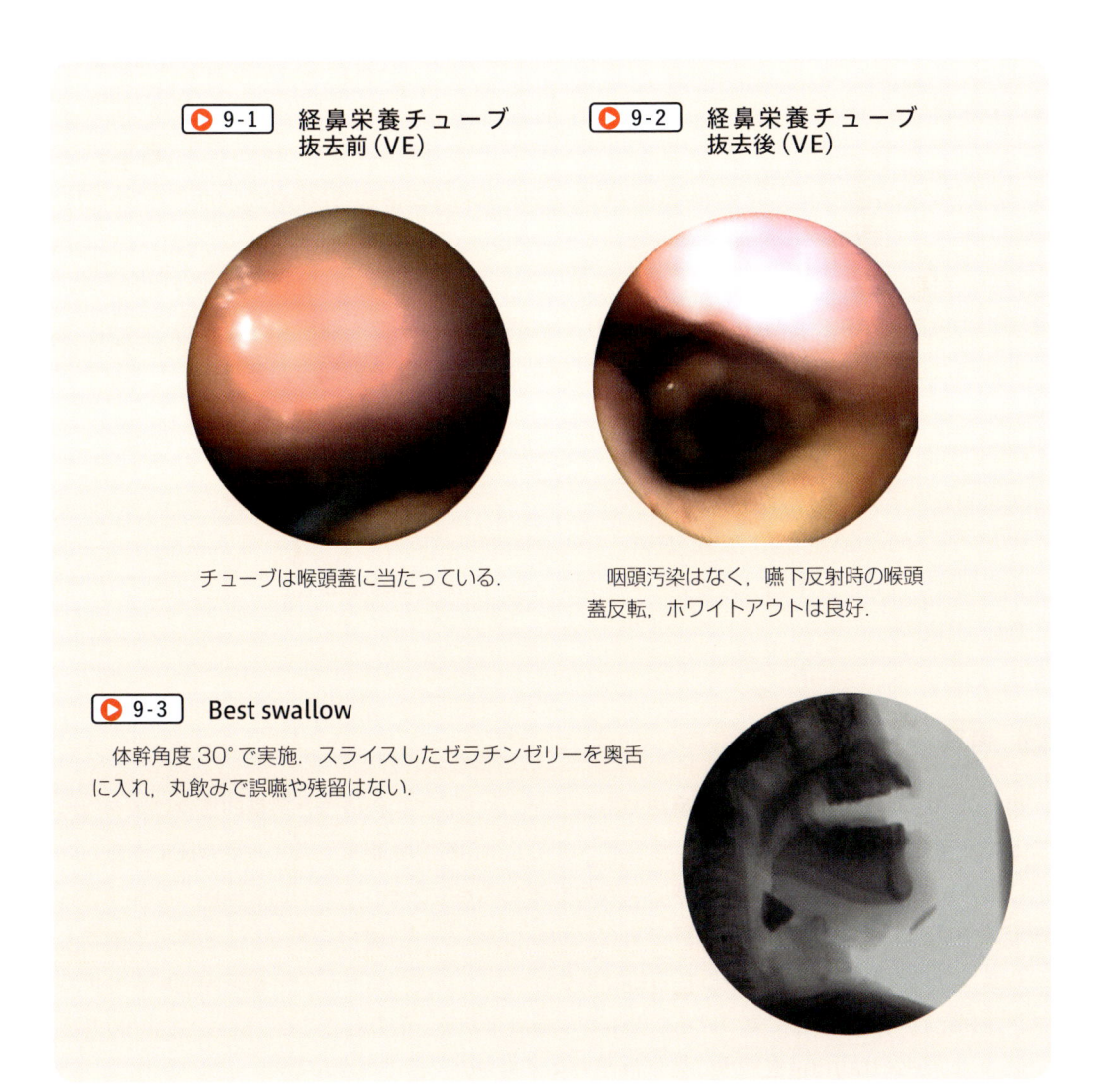

▶9-1 経鼻栄養チューブ抜去前（VE）
チューブは喉頭蓋に当たっている．

▶9-2 経鼻栄養チューブ抜去後（VE）
咽頭汚染はなく，嚥下反射時の喉頭蓋反転，ホワイトアウトは良好．

▶9-3 Best swallow
体幹角度30°で実施．スライスしたゼラチンゼリーを奥舌に入れ，丸飲みで誤嚥や残留はない．

2 ゴール設定と治療方針

ゴール設定

短期ゴール：3カ月で体幹角度60°または座位，嚥下調整食3，自力摂取（Gr.8）（※Gr.は 表9-1 参照）

長期ゴール：誤嚥性肺炎の発症なく在宅生活を送れる．

治療方針

ST：間接訓練（嚥下体操セット），直接訓練（体幹角度30°，嚥下調整食0j，介助摂取）

PT, OT：Activities of Daily Living（ADL）訓練，歩行訓練，呼吸理学療法，体力向上

医師，Ns：リスク管理

歯科医師：PAPの作製

3 経過

STによる直接訓練では，自力摂取に向けてカクカク嚥下，徒手的な口唇閉鎖を練習開始し，徐々に随意的な下顎運動や口唇閉鎖がみられるようになってきた．その後，食塊を奥舌に入れるためにスマイルスプーン（サカエ工業）を使用して自力摂取が確立（ 9-4 , 9-5 ）．第57病日にPAPが完成し第59病日にVFを実施．PAPの効果があり，体幹角度45°でも摂食可能となった（ 9-6 , PAP, スマイルスプーン使用）．その後は，段階的摂食訓練にて食形態と角度を変更し，肺炎徴候はなく第115病日に「体幹角度60°，嚥下調整食3，水分中間とろみ，3食自力摂取，PAP装着」(Gr, Lv.8)となり，経鼻栄養チューブを離脱できた（ 9-7 ）．第125病日に自宅退院となり，退院後は外来診察およびSTによる訪問リハビリテーションを継続している．

ST最終評価

・反復唾液嚥下テスト：0回/30秒
・MASA：148/200点（嚥下障害，誤嚥ともに中等度）
・構音器官：随意的な下顎・舌運動が若干可能となり，発話明瞭度4（ほとんどわからない）．
・舌圧：0kPa

4 考察

重度の口腔期障害を伴う偽性球麻痺であったが，さまざまな代償法と段階的摂食訓練を行うことで3食経口摂取可能となった．注目すべきことは，反復唾液嚥下テストや舌圧の変化がないにもかかわらず3食経口摂取できるようになったことである．重度の口腔期障害を伴う偽性球麻痺では，随意的な運動だけで評価すると「食べられる」を「食べられない」と誤って判断してしまうリスクがある．どうやったら口腔期を代償できるか，嚥下反射惹起時の咽頭クリアランスが保たれていることに気づけるかどうかが重要である．そのためには，Best swallowをみつけ，Errorless trainingを行うことが機能および能力の改善につながる．

表9-1 摂食・嚥下能力のグレード（Gr.）

I 重症 経口不可	1	嚥下困難または不能，嚥下訓練適応なし
	2	基礎的嚥下訓練のみの適応あり
	3	条件が整えば誤嚥は減り，摂食訓練が可能
II 中等症 経口と補助栄養	4	楽しみとしての摂食は可能
	5	一部（1～2食）経口摂取
	6	3食経口摂取＋補助栄養
III 軽症 経口のみ	7	嚥下食で，3食とも経口摂取
	8	特別に嚥下しにくい食品を除き，3食経口摂取
	9	常食の経口摂食可能，臨床的観察と指導を要する
IV 正常	10	正常の摂食・嚥下能力

食事介助が必要な場合はAをつける（例7Aなど）．

（藤島，1993）[4]

▶9-4 体幹角度30°介助摂取から一部自力摂取へ移行

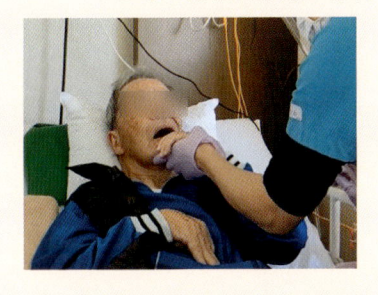

▶9-5 体幹角度45°一部自力摂取

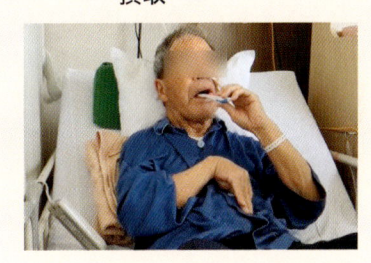

▶9-6 2回目のVF．PAPの効果

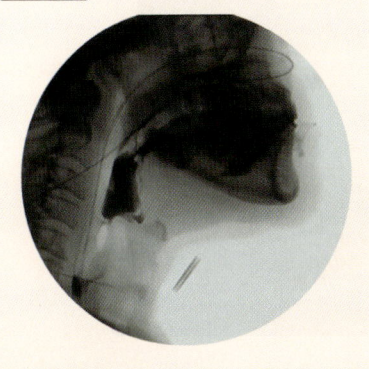

▶9-7 退院直前の摂食場面

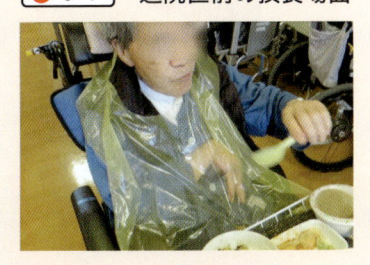

体幹角度45°で評価したPAP未装着では，嚥下時に舌前方と口蓋に隙間ができるが，PAPを装着すると隙間がなくなる．さらに咽頭への送り込みがしやすくなる．

② 症例2　球麻痺[5]

1 症例

患者：70歳代前半，男性．
主訴：唾が飲めない
現病歴：20年来の糖尿病あり．病前のADLは自立していた．仕事中にふらつきが出現し，翌日には嚥下困難と歩行時のふらつきが出現し，急性期病院で右延髄外側梗塞（ワレンベルグ症候群）と診断され入院した（ 図9-2 ）．右Horner徴候，右顔面・左半身感覚障害，ごく軽度の右上下肢の失調，重度嚥下障害があり，リハビリテーションにより身体能力は向上し杖歩行が可能となったが，嚥下障害の改善は乏しく経鼻経管栄養管理でLv.2であった．第47病日に当院へ入院した．

ST初回評価
・反復唾液嚥下テスト：5回/30秒．ただし，喉頭挙上は弱く唾液処理が困難で咳嗽あり．
・構音器官：顔面および舌下神経麻痺はなし．延髄病巣に起因した舌咽・迷走神経麻痺による右軟口蓋挙上不全あり．発話明瞭度1（よくわかる）．

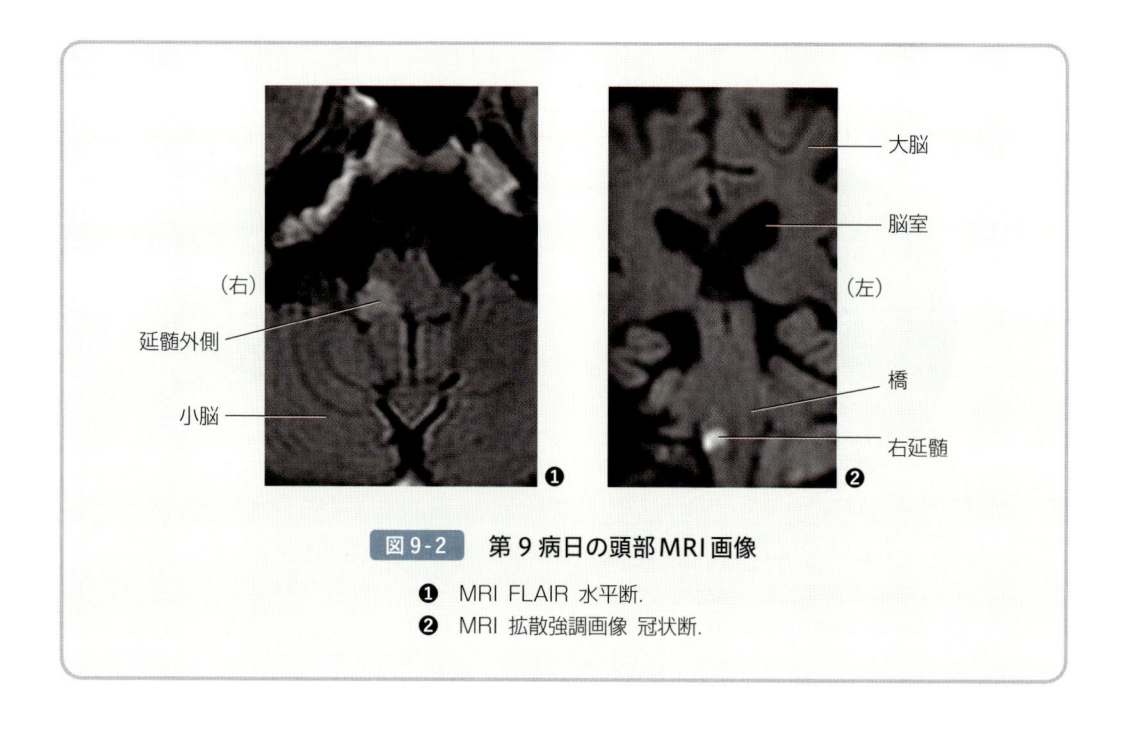

図9-2　第9病日の頭部MRI画像
❶　MRI FLAIR 水平断．
❷　MRI 拡散強調画像 冠状断．

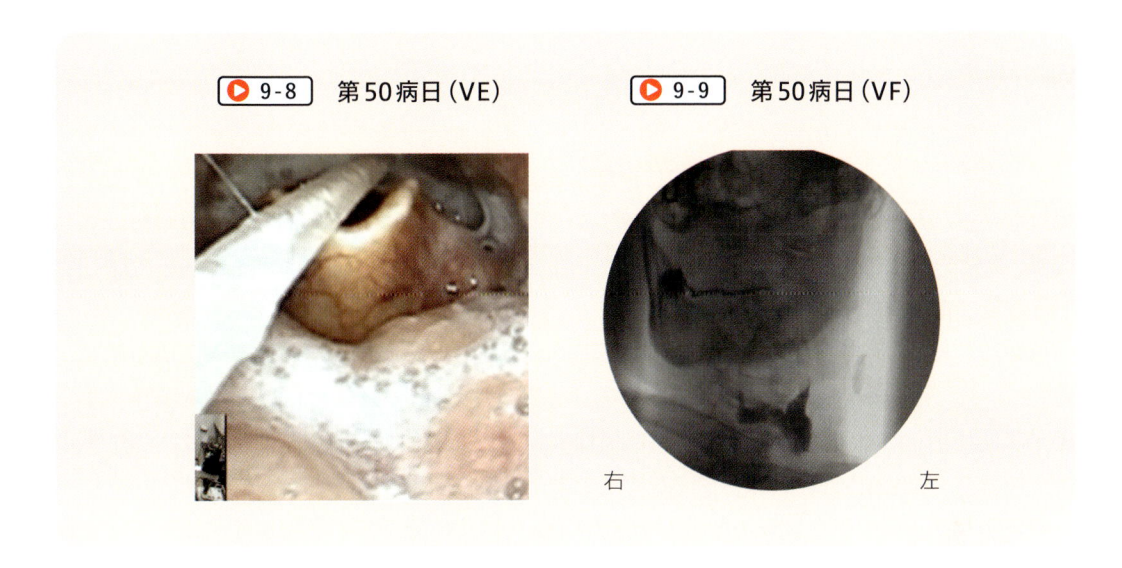

▶ 9-8 第50病日（VE）　　▶ 9-9 第50病日（VF）

右　　　左

VE/VF所見（第50病日）
VE所見：右軟口蓋麻痺による鼻咽腔への泡沫状唾液と白色粘性痰の逆流，右咽頭麻痺によるカーテン徴候をみとめた．明らかな声帯麻痺はなかったが，咽頭内に多量の泡沫状唾液と白色粘性痰が貯留していた（▶9-8）．

VF所見：経鼻栄養チューブを抜去し体幹角度30°で実施した．認知期から口腔期は良好であった．咽頭期は，右咽頭麻痺，喉頭挙上不全，嚥下反射のパターン不全および嚥下反射の減弱，咽頭収縮力低下と食道入口部通過不全をみとめた．食道入口部通過不全に対してバルーン間欠拡張法を行い左食道入口部の通過性改善をみとめた（▶9-9）．

2　ゴール設定と治療方針

ゴール設定
短期ゴール：Gr.7-8．
長期ゴール：在宅生活，Gr.8

治療方針
ST：間接訓練（バルーン訓練：間欠拡張法と嚥下同期引き抜き法，嚥下おでこ体操，ブローイング，ACBT），直接訓練（体幹角度30°体幹左下一側位），嚥下調整食1j，ST介助）
PT，OT：体力向上
Ns：間欠的口腔食道経管栄養法（OE法）の指導
医師，Ns：リスク管理

3 経過

　当初，嚥下同期引き抜き法は嚥下反射のパターン不全および嚥下反射の減弱がありタイミングよく引き抜くことができず，結果的に単純引き抜き法で行わざるを得なかった．栄養改善を図りながらバルーン訓練と直接訓練を継続したが，咽頭残留が多く実用的な経口摂取量には至らず，長期的なOE法も自立困難であることから，栄養摂取手段の確立と自宅生活を考慮し第185病日に胃瘻造設となった．

　第200病日のVFでは，頸部右回旋位で嚥下反射惹起を伴わず食塊が左食道入口部を通過した．しかし，咽頭収縮時に左食道入口部が開大せず食塊が通過しない所見（輪状咽頭筋弛緩の協調不全：incoordination）が目立った（▶9-10）．この頃から嚥下反射が起こりやすくなっており，食道入口部開大のタイミングを合わせる目的で単純引き抜き法ではなく，バルーン嚥下法と嚥下同期引き抜き法を導入できた（▶9-11）．嚥下同期引き抜き法の手技は定着できたが，バルーン嚥下法は2mLの空気注入量でも1回で嚥下できないことがあり継続困難であった．

　直接訓練は約2カ月間で段階的に自力摂取の練習，角度を変更し，咽頭残留はあったが誤嚥徴候なく経過した．「座位，左頬杖嚥下，嚥下調整食1j（ゼリー5つ程度），1食自力摂取，胃瘻注入を併用（Lv.5）」と改善したが，1食あたり約60分かかるため，1日1食摂取を入院中のゴールとして第269病日に自宅退院となった．

▶9-10 第200病日（VF）：incoordination

正面像の画像．左梨状窩に送り込まれても咽頭収縮時には食塊は通過せずincoordinationがみられた．一方，嚥下反射惹起を伴わずに食塊が左側食道入口部を通過する場面もあった．

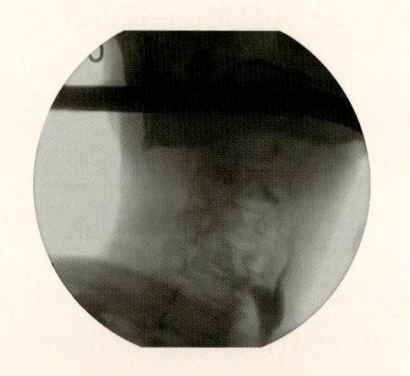

▶9-11 バルーン嚥下法の後に嚥下同時引き抜き法を実施

バルーンにごく少量の空気を注入し嚥下のタイミングで食道内に挿入．さらに空気を注入し，嚥下のタイミングに合わせてバルーンを引き抜く．

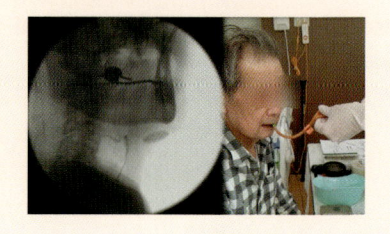

自宅退院後の第485病日のVFでは，依然として鼻咽腔閉鎖不全や咽頭収縮低下は残存していたが，舌骨・喉頭挙上が改善し，さらに咽頭収縮時に左側食道入口部が開大し，咽頭クリアランスも改善した．この結果より，VFでは輪状咽頭筋弛緩の協調不全に改善がみられたように思われた．ただ，40％バリウム水では，嚥下後の誤嚥がみられた（▶9-12）．検査結果をふまえて摂食条件を「座位，左頬杖嚥下，嚥下調整食4，薄いとろみ水，3食自力摂取，白湯のみ胃瘻注入（Lv.6）」と変更した．

3　考察

　入院当初のVFでは比較的早期に3食経口摂取できると予測していたが，輪状咽頭筋弛緩の協調不全があり難渋した．しかし，バルーン嚥下同期引き抜き法を導入してから徐々に改善がみられるようになり，病態に即した手技が重要であることを再認識した症例であった．

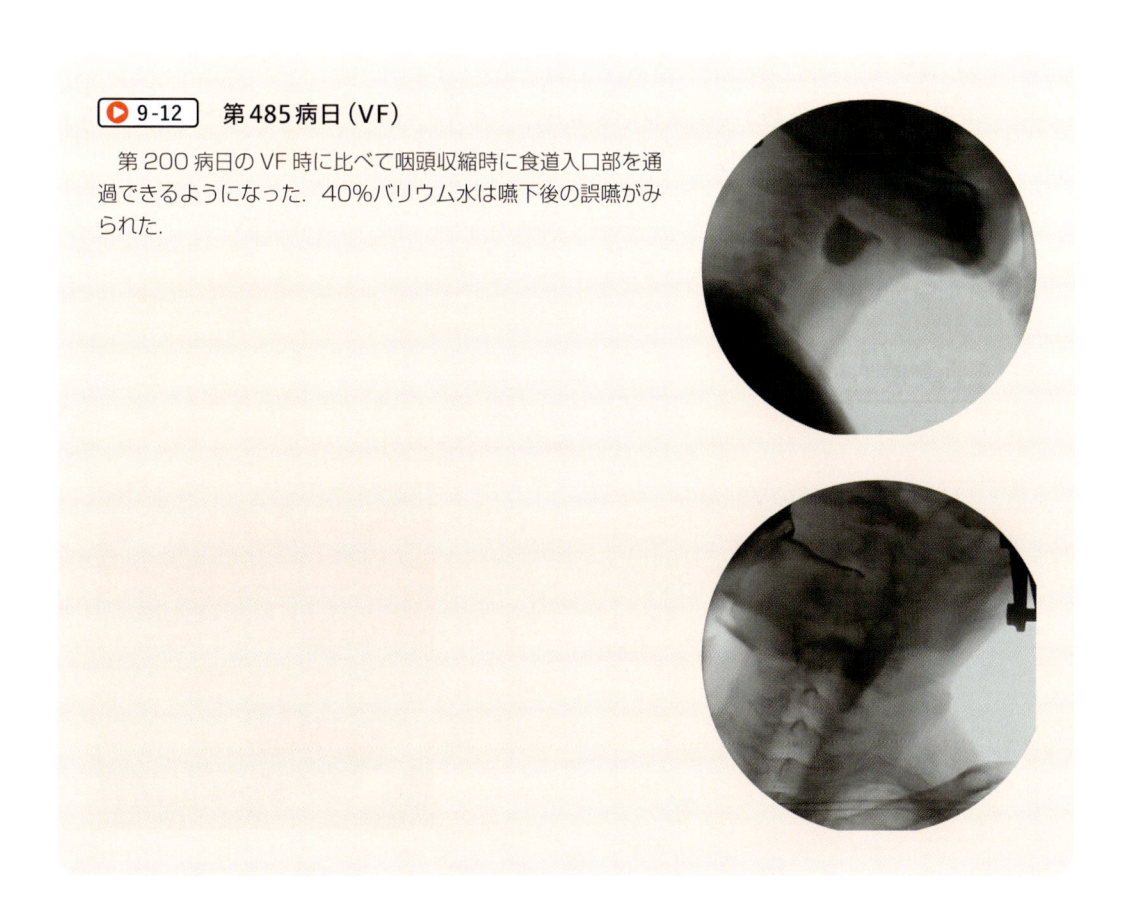

▶9-12　第485病日（VF）
　第200病日のVF時に比べて咽頭収縮時に食道入口部を通過できるようになった．40％バリウム水は嚥下後の誤嚥がみられた．

③ 症例3　偽性球麻痺・球麻痺合併例[6]

1 症例

患者：60歳代後半，男性．
現病歴：X年Y月Z日，右側橋出血発症，A総合病院で保存的急性期治療を施行され，第45病日，B療養型病院に転院した．リハビリテーションはベッドサイドPTを中心に行われ，経口摂食を試みたが肺炎になったため以後，経鼻経管栄養となっていた．

　本人の経口摂取に対する意欲が強く，病院から外泊検査入院という形で第442病日〜第444病日，当科でVF検査入院を行った（▶9-13）．

2 ゴールと治療方針（1）

　Gr.4は可能であろうと予測され，基礎訓練を指導して待機．第492病日，他院にて胃瘻造設し，第569病日，嚥下リハビリテーション目的で当院へ転院となった．

転院時の状態

　CT（図9-3）にて脳幹部出血（右側橋）をみとめ，左片側麻痺，失調，左片側感覚障害，左足底屈拘縮，摂食嚥下障害，構音障害，眼振，めまいがみられた．

　前医にて胃瘻造設後は安静が必要と指示され，約1カ月近く床上状態であった．起立性低血圧によるめまいと廃用のため座位保持も十分に行えない状態だった．

　嚥下機能を確認するためVFを施行（▶9-14）．嚥下障害の悪化はなくむしろやや改善を示していた．待機中に指示した基礎訓練の効果はあったように思われた．

▶9-13　検査入院時のVF（第442病日）

　頸部回旋途中でごく少量の誤嚥をみとめたが，ゼラチンゼリーであれば摂食可能であろうと考えられた．

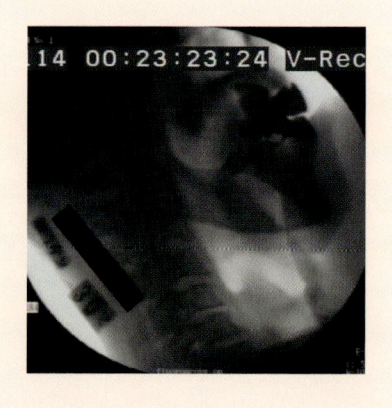

第9章 症例紹介

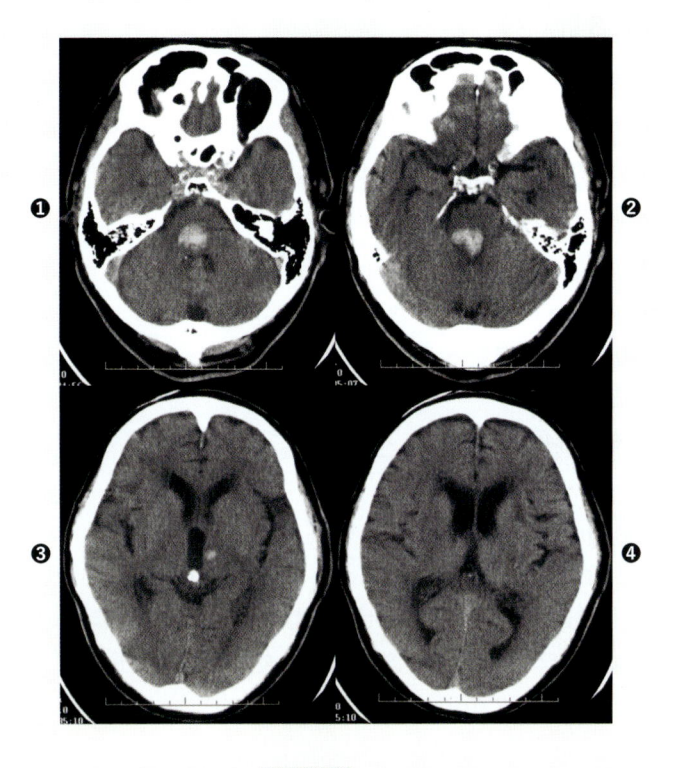

図9-3 CT
橋背側：出血病変（①，②），左視床：小出血（③），両側大脳半球白質（④）：小梗塞
脳萎縮はない．

▶ 9-14 転院翌日のVF（第570病日）
前回同様，梨状窩への残留はみとめたが，以前に比較して咽頭通過良好．残留量は減少している印象．

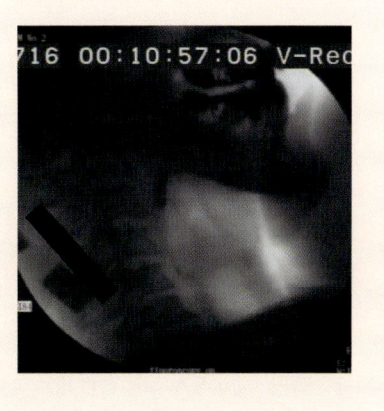

3 ゴールと治療方針（2）

ゴール設定
短期ゴール：Gr.3, Lv.3 で肺炎を起こさない
　　　　　　可及的体力向上，ADL介護量軽減
長期ゴール：在宅生活，Gr.4A, Lv.4A

治療方針
ST：摂食訓練開始
Ns, OT：排泄自立のためのアプローチ
医師, Ns：リスク管理
PT：呼吸理学療法，全身訓練で体力向上

嚥下以外の訓練経過

起立性低血圧や意欲低下に対してジヒデルゴット®，シンメトレル®の内服を加え，離床を進め，2週間で普通型車椅子で2〜3時間は過ごせる状態まで回復した．排泄に関しては日中は介助でトイレ使用，夜間はオムツを使用．要入浴介助．耐久力は徐々に上昇し，訓練室では平行棒介助歩行訓練，移乗自立を目指しての訓練を行った．

4 経過

第570病日　Gr.3A, Lv.3A　開始食（学会分類0J）
第574病日　Gr.3A, Lv.3A　嚥下食Ⅰ（学会分類1J）
カンファレンスにて舌の送り込み不良は高口蓋によるものではないかと意見が出た．

治療方針追加
医師，ST：PAP適応を判定し，作製
第582病日のVF（▶ 9-15）では期待したほどの改善はなかったが，①確実に咽頭残留除去ができる，②STの摂食介助技術の向上，③本人の摂食への慣れがみられた．
第591病日　Gr.5A, Lv.5A　嚥下食Ⅰ（2食）
第619病日　VF（▶ 9-16）
　　　　　　咽頭収縮なく，UESの開大不良ありと判断して，
　　　　　　ここでバルーン法導入　　　　　　　　　　　｝ここが球麻痺治療の
第631病日　VF（▶ 9-17）　　　　　　　　　　　　　　　　ポイント
　　　　　　バルーン訓練にて咽頭通過が著明に改善した
第632病日　Lv.5A　嚥下食Ⅲ（学会分類2-1, 2）
　　　　　　人手不足により，Lv.5A（2食＋経管栄養）にとどまった．機能としてはGr.7A

▶ 9-15　第582病日（VF）：食塊が次々置き換わる

　残留は多く，次の食塊と置き換わるように嚥下．思ったほどの訓練効果なし．

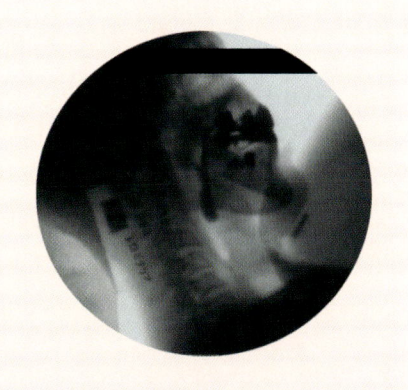

▶ 9-16　第619病日（VF）

　舌の動きがよくなり，咽頭の残留は減少し，次々食べさせることが可能．しかし，咽頭通過，UES開大が不十分である．球麻痺の要素もあると判断しバルーン法を導入した．

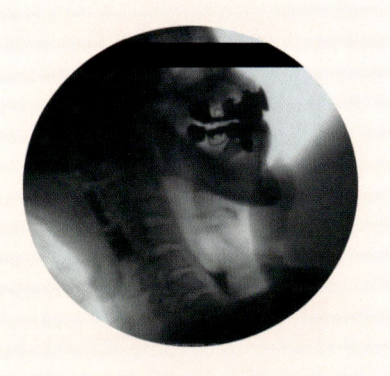

▶ 9-17　第631病日（VF）

　咽頭通過が著明に改善した．

第9章　症例紹介

5 まとめ（表9-2）

　転院当初，家族は在宅復帰には消極的であったが，身体および摂食嚥下機能向上に伴い，在宅で介護することに積極的に取り組む姿勢が出てきた．当院より遠方に在住のため在宅支援に関する情報収集を家族に依頼したが，介助量，胃瘻などの条件が重なると受け入れてもらえる施設がほとんどなく，筆者の知人の神経内科クリニックに頼み込んでかかりつけ医となってもらった．ケアマネジャーにもケアプランなどを手取り足取り指導し，在宅生活に戻った．

6 考察

　偽性球麻痺でも重度の場合は咽頭収縮が不良で嚥下時に咽頭閉鎖がみられないことがある．しかし，本症例のように相当訓練をしても収縮が改善されないときは球麻痺の要素があると考える．本症例では食塊が次々と置き換わることで嚥下されていたが，これも球麻痺でよくみられる特徴である．バルーン法を導入して著明な改善がみられた．また，本症例のように遠方の患者を治療した場合，地元に帰ってからの生活を支えることが課題である．

Column

摂食嚥下障害患者の摂食状況の評価

　摂食嚥下障害患者の重症度を表す基準として，筆者が1993年に発表した摂食・嚥下能力のグレード（Gr.）（表9-1）が臨床でしばしば使用されている．リハビリテーションにおいては「できる」ADLと「している」ADLを区別して使用するが，その考えに従えばグレードは「できる」を示した基準である．嚥下障害において「できる」つまり「食べられる」を決めるためにはVFやVEが必要になるが，実際の現場では常にVF，VEができるとは限らない（グレードの決め方は文献7を参照）．そのため患者が食べている状態をそのまま示す新たな評価が必要となる．当院の嚥下チームでは以前からグレードを「できる」と「している」の両方に使い分けていた．しかし，曖昧さを避けるために表9-3に示した「摂食嚥下障害患者における摂食状況のレベル」Food Intake LEVEL Scale：FILS）を作成した[9]．わかりやすいようにフローチャートも作成した（図9-4）．これは妥当性，信頼性を検証してあり，「している状態」をありのままに評価すればレベル（Lv.）が決まるように作成されている．

　これを用いれば，検査ができない施設でも摂食嚥下障害の摂食状況を正確に記載して，共通言語で評価やゴールが立てられる．また，グレードとレベルは使い分けることができる．たとえばグレードは4（楽しみならば食べられる）であるが，実際にはレベル1（何もしていない）とか，グレードは7（嚥下食なら食べられる）であるが，レベル9（何でも食べている：むせながら）というように使用できる．前者はQOLが著しく低下した状態であるし，後者の場合は窒息や誤嚥性肺炎のリスクが高い状態となる．

表9-2 摂食・嚥下障害に付随する問題点

家族の介護力

地域の利用できるサービス（デイサービス，訪問看護など）

かかりつけ医の理解と協力

悪化したときのバックアップ医療体制

表9-3 摂食・嚥下障害患者における摂食状況のレベル

※1 摂食・嚥下障害を示唆する何らかの問題あり	経口摂取なし	Lv.1	嚥下訓練[※2]を行っていない
		Lv.2	食物を用いない嚥下訓練を行っている
		Lv.3	ごく少量の食物を用いた嚥下訓練を行っている
	経口摂取と代替栄養	Lv.4	1食分未満の（楽しみレベルの）嚥下食[※3]を経口摂取しているが，代替栄養[※4]が主体
		Lv.5	1-2食の嚥下食を経口摂取しているが，代替栄養も行っている
		Lv.6	3食の嚥下食経口摂取が主体で，不足分の代替栄養を行っている
	経口摂取のみ	Lv.7	3食の嚥下食を経口摂取している．代替栄養は行っていない
		Lv.8	特別食べにくいもの[※5]を除いて，3食を経口摂取している
		Lv.9	食物の制限はなく，3食を経口摂取している
		Lv.10	摂食・嚥下障害に関する問題なし　（正常）

※1 覚醒不良，口からのこぼれ，口腔内残留，咽頭残留感，むせなど
※2 専門家，またはよく指導された介護者，本人が嚥下機能を改善させるために行う訓練
※3 ゼラチン寄せ，ミキサー食など，食塊形成しやすく嚥下しやすいように調整した食品
※4 経管栄養，点滴など非経口の栄養法
※5 特別食べにくいもの：パサつくもの，堅いもの，水など

（藤島・他，2006）[9]

図 9-4 摂食・嚥下障害患者における摂食状況のレベル評価フローチャート

(藤島・他, 2006)[9]

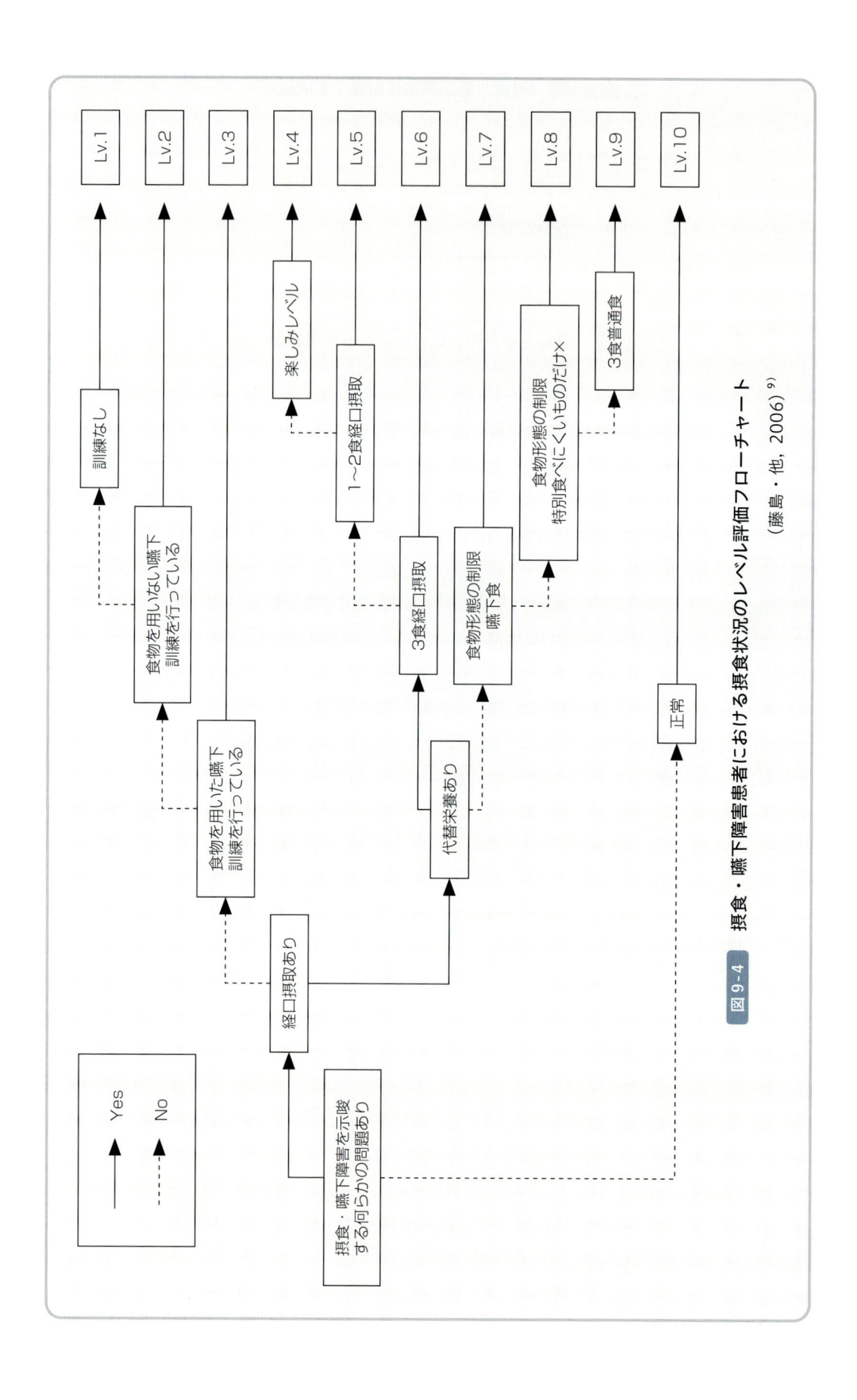

文献

1) 日本摂食嚥下リハビリテーション学会嚥下調整食委員会：日本摂食嚥下リハビリテーション学会嚥下調整食分類 2021. 日摂食嚥下リハ会誌, 25(2)：135-149, 2021.
2) 小口和代, 才藤栄一, 水野雅康・他：嚥下障害スクリーニング法「反復唾液嚥下テスト(The repetitive saliva swallowing test)」. 治療, 80：1405-1408, 1998.
3) Giselle Mann (著), 藤島一郎 (監訳・著)：MASA 日本語版 嚥下障害アセスメント. 医歯薬出版, 2014.
4) 藤島一郎：脳卒中の摂食・嚥下障害. p72, 医歯薬出版, 1993.
5) 岡本圭史, 宮川晋治, 國枝顕二郎・他：輪状咽頭筋の協調不全が疑われた食道入口部通過不全に対してバルーン嚥下同期引き抜き法が有効であった延髄外側症候群の 1 症例. 嚥下医学, 12：198-205, 2023.
6) 大野友久, 小島千枝子, 藤島一郎・他：舌接触補助床を使用して訓練を行った重度摂食・嚥下障害の症例. 日摂食嚥下リハ会誌, 9(3)：283-290, 2005.
7) 藤島一郎, 谷口 洋：脳卒中の摂食嚥下障害 第 3 版. p151, 医歯薬出版, 2017.
8) Kunieda K, Ohno T, Fujishima I, et al: Reliability and Validity of a Tool to Measure the Severity of Dysphagia: The Food Intake LEVEL Scale. J Pain Symptom Manage, 46(2): 201-206, 2013.
9) 藤島一郎, 大野友久, 高橋博達・他：「摂食・嚥下状況のレベル評価」簡便な摂食・嚥下評価尺度の開発. リハ医学, 43(suppl)：S249, 2006.

索引

あ
「アー」の発声 ……………………… 30
アイスマッサージ空嚥下 …………… 6

い
イー嚥下 ………………………… 84, 125
「イー」の発声 …………………… 30
一側嚥下 …………………………… 93
咽頭 ………………………… 24, 96, 118
　──，汚染された ……………… 96
　──クリアランス ……………… 72
　──後壁の陥凹 ……………… 117
　──収縮 …………………… 30, 105
　──の汚染 ……………………… 63
　──の高い位置 ………………… 27
　──の低い位置 ………………… 27
　──への送り込み障害 ………… 84
咽頭喉頭ミオクローヌス ………… 101
咽頭残留 ………………… 17, 51, 52, 87
　──，無症候性の ……………… 66
　──の分類 ……………………… 54
　──量 …………………………… 65

え
液状食品 …………………………… 61
　──の残留 ……………………… 61
嚥下圧測定検査 ………………… 112
嚥下安全性のグレード …………… 77
嚥下効率性のグレード …………… 77
嚥下時と発声時の乖離 …………… 29
嚥下時の所見 ……………………… 33
嚥下造影検査 ……………………… 2, 3
嚥下チェア ………………………… 4
嚥下内視鏡検査 …………………… 2, 8
嚥下反射 …………………………… 72

お
お茶ゼリー ………………………… 63
落とし込みによる嚥下 ………… 110

か
カーテン徴候 ………………… 98, 149
開鼻声 ………………………… 28, 87
解剖 ………………………………… 25
下咽頭 ………………………… 15, 100
カクカク嚥下 ………… 84, 126, 146
喀出 ………………………………… 46
仮性球麻痺 ………………………… 82
カニューレのゆがみ …………… 133
粥 …………………………………… 58
　──の残留 ……………………… 58

き
空嚥下 ……………………………… 25
感覚テスト ………………………… 17
完全側臥位法 …………………… 138

き
気管食道瘻 ……………………… 131
偽性球麻痺 …………… 82, 144, 152
吸引管 …………………………… 119
吸気 ……………………………… 32
急性期の咽頭 …………………… 95
球麻痺 …………………… 148, 152
　──患者 ……………………… 104
ギラン・モラレの三角 ………… 101
記録装置 …………………………… 3

く
グレード ………………………… 156

け
経鼻胃管症候群 ………………… 120
頸部回旋 ………………………… 120
頸部突出 ………………………… 110
検査食 ……………………………… 4
検査中止基準 ……………………… 7

こ
構音障害 …………………………… 82
口腔ケア …………………………… 80
後交連直下 ……………………… 40
交互嚥下 ………………………… 63
高舌音 …………………………… 30
喉頭 ……………………………… 24
　──蓋谷 ………………… 34, 119
　──気管分離術 ……………… 113
　──侵入・誤嚥の重症度スケール
　　　 ………………………………… 70
誤嚥 ……………………………… 37
　──，嚥下間 …………………… 43
　──，嚥下後 …………… 43, 66
　──，嚥下中 …………………… 43
　──，嚥下前 …………………… 43
　──のタイミング ……………… 42
誤嚥・侵入 ………… 17, 40, 84
　──，唾液の …………………… 38
　──，分泌物の ………………… 38
誤嚥性肺炎 ………………………… 80
誤嚥物のみえる範囲 ……………… 40
誤嚥防止術 ……………………… 113
誤嚥量 …………………………… 40
コーティング状残留 ……………… 61
呼気 ……………………………… 32
呼吸時の所見 …………………… 32

呼吸リハビリテーション ………… 80
骨増殖 …………………………… 129

さ
残留 ……………………………… 49

し
色素 ……………………………… 38
重度球麻痺患者 ………………… 110
酒石酸ネブライザー ……………… 6
腫瘍 …………………………… 136
錠剤 …………………………… 138
　──嚥下障害 ……………… 138
上食道括約筋 ……………… 106
食道残留 ……………………… 91
食道入口部 ………………… 106, 120
食道評価 ……………………… 136
侵入 …………………………… 37

す
スクリーニングテスト …………… 67
スライス型食塊 ………………… 90

せ
声帯 …………………………… 102
　──内転術 ……………… 128
　──の萎縮 ……………… 104
声門閉鎖 …………………… 102
　──反射 ………………… 72
　──不全 ………………… 128
咳 ……………………………… 46
　──反射 ………………… 72
舌 ……………………………… 82
　──の運動障害 ……… 82
舌根部 ……………………… 30
摂食・嚥下障害患者における摂食状況のレベル ………… 156, 157
摂食・嚥下障害患者における摂食状況のレベル評価フローチャート
　 ………………………………… 158
摂食・嚥下能力のグレード (Gr.)
　 ………………………………… 147
摂食嚥下の観察 ……………… 17
舌接触補助床 ……………… 124
ゼラチンゼリー ……………… 90

そ
造影剤 ………………………… 4
増粘剤 ………………………… 50
側方経路 ……………………… 93

た

- 唾液 ……… 38, 104
  - ——，泡沫状の ……… 39
- 唾液貯留 ……… 93
  - ——，喉頭蓋谷や梨状陥凹の ……… 72
- 棚橋法 ……… 108
- 炭酸刺激 ……… 127

ち

- チーク・ケイン® ……… 141
- 着色水 ……… 73
  - ——嚥下 ……… 72
- 中咽頭 ……… 14, 15
- チューブ ……… 95
  - ——の挿入 ……… 140
  - ——の問題 ……… 120
- 貯留 ……… 49
- 治療的評価 ……… 75

て

- 低舌音 ……… 30

と

- とろみシャーベット ……… 126
- とろみ調整剤 ……… 50

な

- 軟口蓋挙上装置 ……… 123

に

- 認知症 ……… 126

は

- パーキンソン病 ……… 138
- 肺炎 ……… 80
- 排唾管 ……… 119
- バキューム嚥下 ……… 111
- 発声 ……… 42
  - ——時と嚥下時の乖離 ……… 87
- 発泡剤 ……… 127
- 鼻つまみ嚥下 ……… 84, 125
- ハフィング ……… 46
- バリウム ……… 4, 5, 38, 42, 52
  - ——の残留 ……… 52
- バルーン訓練 ……… 149
- バルーン法 ……… 154

ひ

- 非イオン性造影剤 ……… 52
- 鼻咽頭 ……… 14
  - ——逆流 ……… 28, 87
  - ——の観察 ……… 13
- 鼻咽頭閉鎖 ……… 28
  - ——不全 ……… 87, 98
- 鼻腔内の出血 ……… 116
- 兵頭スコア ……… 72

ふ

- 披裂 ……… 102
  - ——間切痕 ……… 38

ふ

- ファイバースコープ ……… 8
  - ——の進め方 ……… 14
  - ——の挿入法 ……… 12
  - ——の持ち方 ……… 12
- ファイバー挿入下 ……… 17
- フォレスティアー病 ……… 129
- 複数回嚥下 ……… 63
- プリン ……… 55
  - ——の残留 ……… 55
- 分泌物 ……… 38, 66
  - ——，粘稠な ……… 66
  - ——の貯留 ……… 63

へ

- ペースト ……… 84

ほ

- 泡沫状の唾液 ……… 104
- 頬杖嚥下 ……… 138, 141
  - ——用補助具 ……… 141
- ホワイトアウト ……… 33, 105

ま

- 丸飲み ……… 90

み

- ミキサー状 ……… 84

も

- モバイル型PLP ……… 123

よ

- 横向き嚥下 ……… 63, 93

り

- リクライニング位 ……… 90
- リクライニング車椅子 ……… 3
- 輪状咽頭筋 ……… 108
  - ——弛緩の協調不全 ……… 150

れ

- レベル ……… 156

わ

- 笑い ……… 140
- ワレンベルグ症候群 ……… 98, 100, 105, 148
- ワンウェイバルブ ……… 133, 135

数字

- 4-PAS ……… 72

B

- Best swallow ……… 145

C

- Cough-Inducing Method Using a Tartaric Acid Nebulizer (CiTA) ……… 6, 46, 80
- Cアーム ……… 3

D

- DIGEST-FEES ……… 78

F

- Food Intake LEVEL Scale (FILS) ……… 156

G

- Gr. ……… 156

I

- incoordination ……… 150

L

- lateral channel ……… 93
- Lv. ……… 156

N

- naso-gastric tube syndrome ……… 120
- Normalized Residue Ratio Scale (NRRS) ……… 65

O

- one way valve ……… 133

P

- Palatal Augmentation Prosthesis (PAP) ……… 84, 124, 146, 154
- palatal lift prosthesis (PLP) ……… 123
- Penetration-Aspiration Scale (PAS) ……… 70
- pooling ……… 49
- prolonged swallowing ……… 112

R

- residue ……… 49

S

- speech-swallow dissociation (SSD) ……… 29, 87
- stage II transport ……… 34

T

- The Dynamic Imaging Grade of Swallowing Toxicity (DIGEST) ……… 76

U

UES 106, 120

V

VE 2, 8
　──とVFの比較 37
VF 2, 3
　──，VEの絶対適応 67
　──の進め方 5

W

white out 33, 105

X

X線透視装置 3

【監修者略歴】

藤島　一郎
（ふじしま　いちろう）

博士（医学）

1975年　東京大学農学部林学科卒業
1982年　浜松医科大学医学部医学科卒業
同　年　浜松医科大学医学部附属病院脳神経外科医員（研修医）
1988年　東京大学医学部附属病院リハビリテーション部医員
1989年　聖隷三方原病院理学診療科医長
2002年　聖隷三方原病院リハビリテーションセンター長（部長）
2008年　浜松市リハビリテーション病院院長
2023年　浜松市リハビリテーション病院特別顧問　現在に至る

所属学会・他

日本嚥下医学会（顧問，嚥下相談医，『嚥下医学』編集特別顧問），日本摂食嚥下リハビリテーション学会（評議員，認定士），日本臨床倫理学会（理事，上級臨床倫理認定士），日本リハビリテーション医学会（代議員，指導医，専門医），日本脳神経外科学会（専門医）
浜松医科大学臨床教授，聖隷クリストファー大学臨床教授
2008年　若月賞受賞など

本書の正誤表／更新情報につきましては，医歯薬出版の本書HPをご確認ください．

目でみる嚥下障害　第2版　Web動画付
――嚥下内視鏡検査（VE）・嚥下造影検査（VF）の所見を中心として

ISBN978-4-263-26694-6

2006年9月10日　第1版第1刷発行〔目でみる嚥下障害（DVD付）
　　　　　　　　　　　――嚥下内視鏡・嚥下造影の所見を中心として〕
2022年7月20日　第1版第8刷発行
2025年6月10日　第2版第1刷発行〔改題　目でみる嚥下障害　第2版
　　　　　　　　　　　Web動画付――嚥下内視鏡検査（VE）・嚥下造影検査（VF）の所見を中心として〕

監修者／執筆者　藤　島　一　郎
発行者　白　石　泰　夫
発行所　医歯薬出版株式会社

〒113-8612　東京都文京区本駒込1-7-10
TEL.（03）5395-7628（編集）・7616（販売）
FAX.（03）5395-7609（編集）・8563（販売）
https://www.ishiyaku.co.jp/
郵便振替番号00190-5-13816

乱丁，落丁の際はお取り替えいたします　　印刷・壮光舎印刷／製本・愛千製本所

© Ishiyaku Publishers, Inc., 2006, 2025. Printed in Japan

本書の複製権・翻訳権・翻案権・上映権・譲渡権・貸与権・公衆送信権（送信可能化権を含む）・口述権は，医歯薬出版（株）が保有します．
本書を無断で複製する行為（コピー，スキャン，デジタルデータ化など）は，「私的使用のための複製」などの著作権法上の限られた例外を除き禁じられています．また私的使用に該当する場合であっても，請負業者等の第三者に依頼し上記の行為を行うことは違法となります．

JCOPY ＜出版者著作権管理機構　委託出版物＞

本書をコピーやスキャン等により複製される場合は，そのつど事前に出版者著作権管理機構（電話03-5244-5088，FAX 03-5244-5089，e-mail:info@jcopy.or.jp）の許諾を得てください．